PIENIĄDZE I PRAWO PRZYCIĄG

D1255930

Esther i Jerry Hicks

PIENIĄDZE
I PRAWO PRZYCIĄGANIA

Nauka przyciągania
dobrobytu, zdrowia i szczęścia

Przekład: Agnieszka Grecka

SŁUCHAJ RADIA HAY HOUSE NA ŻYWO:
www.hayhouseradio.com

STUDIO
ASTROPSYCHOLOGII
...coś więcej niż psychologia

Redakcja: Ewa Karczewska
Projekt okładki: Andrzej Burak
Skład komputerowy: Maciej Grycz
Korekta: Ewa Leszczyńska

Wydanie I
BIAŁYSTOK 2009
ISBN 978-83-7377-356-1 – oprawa miękka
ISBN 978-83-7377-363-9 – oprawa twarda

Tytuł oryginału: **MONEY, AND THE LAW OF ATTRACTION**
Originally published in English by Hay House, Inc., 2008
Copyright © 2008 by Esther and Jerry Hicks

© Copyright for Polish edition by Studio Astropsychologii, Białystok, 2009.
All rights reserved, including the right of reproduction in whole or in part in any form.

Wszelkie prawa zastrzeżone. Żadna część tej publikacji nie może być powielana
ani rozpowszechniana za pomocą urządzeń elektronicznych, mechanicznych,
kopiujących, nagrywających i innych bez pisemnej zgody posiadaczy praw autorskich.

**STUDIO
ASTROPSYCHOLOGII**
...coś więcej niż psychologia
15-762 Białystok
ul. Antoniuk Fabr. 55/24
(085) 662-92-67 – redakcja
(085) 654-78-06 – sekretariat
(085) 653-13-03 – dział handlowy – hurt
(085) 654-78-35 – sklep firmowy „Talizman" – detal
www.studioastro.pl   e-mail: biuro@studioastro.pl
Więcej informacji: www.sekret.studioastro.pl www.psychotronika.pl

PRINTED IN POLAND

SPIS TREŚCI

Mieliśmy przyjemność poznać wielu najbardziej wpływowych ludzi naszych czasów, lecz nie znamy nikogo, kto byłby większym źródłem pozytywnego oddziaływania niż Louise Hay (Lulu), fundatorka wydawnictwa Hay House – gdyż Hay House, prowadzone wizją Lulu, stało się obecnie największym na świecie siewcą materiałów na tematy duchowe i samodoskonalenia.

A więc, dedykujemy tę książkę Louise Hay – oraz każdemu, kogo przyciągnęła ku swej wizji – z miłością i naszym wielkim uznaniem.

WSTĘP

Jerry Hicks

Jak sądzisz, co przyciągnęło Cię do tej książki? Dlaczego, jak przypuszczasz, czytasz te słowa? Która część tytułu przyciągnęła twoją uwagę? *Pieniądze? Zdrowie? Szczęście? Nauka przyciągania?* A może *Prawo Przyciągania?*

Jakikolwiek był oczywisty powód, który przyciągnął twoją uwagę ku tej książce, informacja zawarta tutaj przyszła to ciebie w odpowiedzi na coś, o co w jakiś sposób pytałeś.

O czym jest ta książka? Naucza o tym, że życie powinno przynosić dobre samopoczucie i że nasz całkowity Dobrostan jest tym, co naturalne. Naucza o tym, że jak dobre by było teraz twoje życie, zawsze może się zmienić na lepsze i że wybór i moc, aby ulepszyć twoje życiowe doświadczenie jest pod twoją osobistą kontrolą. A oferuje ona praktyczne filozoficzne narzędzia, które – jeśli zastosowane w ciągłym użyciu – umożliwią ci, abyś pozwolił sobie doświadczyć więcej dobrobytu, zdrowia i szczęścia, które są twoim naturalnym, przyrodzonym prawem. (A wiem, ponieważ wciąż mi się to przydarza. Gdy posuwam się naprzód od każdego doświadczenia kontrastu, ukazującego mi jaśniej moje pragnienia, ku nowemu pragnieniu, a potem ku nowej manifestacji – całe moje życie poprawia się coraz bardziej i bardziej).

Życie jest dobre! Jest właśnie Dzień Nowego Roku 2008 i zaczynam ten *Wstęp*, siedząc przy stole w jadalni naszej nowej „Przystani" Del Mar, w Kalifornii.

Odkąd pobraliśmy się z Esther w 1980 roku, było moim celem, aby odwiedzać rejony „Ogrodów Edenu" tak często, jak było to realne. A teraz, po wszystkich tych latach, gdy byliśmy pełnymi uznania gośćmi w San Diego, będziemy rzeczywiście żyć tutaj jako pełni uznania rezydenci.

Co oznacza niedocenianie? To nasz przyjaciel doprowadził nas do znalezienia tej posiadłości. (Powiedzieliśmy mu, że szukamy kawałka ziemi niedaleko Del Mar, gdzie moglibyśmy zaparkować nasz wycieczkowy autokar długości blisko 45 stóp). Byli tam architekci krajobrazu, inżynierowie, projektanci, stolarze, elektrycy, hydraulicy i tynkarze. Byli tam ci utalentowani, biegli rzemieślnicy: dekarze, malarze i twórcy parkanów, bram i żelaznych elementów. Byli instalatorzy podłóg, windy, przesuwanych drzwi i drewnianych łukowatych okien i drzwi oraz witraży. Byli najwięksi specjaliści zaawansowanej techniki, którzy instalowali zdalnie kierowany system oświetlenia Lutron, sieć komputerową i audio-video, nowy wielostrefowy i zdalnie kierowany (cichy) system wentylacji Trane oraz kuchnię i pralnię z urządzeniami Snaidero, Miele, Boscha i Vikinga. Byli tam ludzie, którzy ustawiali nasze meble i przestawiali je od nowa i od nowa – aż przekonaliśmy się, co nam odpowiada najbardziej. Były tam zespoły ciężko pracujące przy koparkach, holowaniu, wylewaniu cementu, brukowaniu i przesadzaniu dorosłych dużych drzew... A następnie były tysiące ludzi, którzy przyłożyli się do tego – a także zarobili w ten sposób pieniądze – pomysł, wykonanie i dystrybucja tysięcy produktów, jakie zostały tu wykorzystane... Cóż, jest tu bardzo wielu ludzi zasługujących na uznanie.

A jest to jedynie czubek góry lodowej tego, co można docenić. Odkrycie nowej „ulubionej" restauracji – jej właścicieli i personelu – położonej zaledwie o kilka minut dalej, a następnie byli tam wszyscy ci niewiarygodnie mili, eklektyczni, pozytywni sąsiedzi, którzy nas tutaj powitali w takim stylu, jakiego nigdy wcześniej nie doświadczyliśmy.

Jest tego jeszcze więcej. Zapierający dech w piersiach widok na południe ku pierwotnemu Rezerwatowi Stanu Torrey Pines, sięgający wzdłuż Carmel Valley Creek, na sanktuarium ptaków wodnych i lagunę, i w dół, ku spienionym falom Pacyfiku, który niezmordowanie obmywa plaże Torrey Pines. Tak. Życie jest dobre!

(Esther i ja właśnie skończyliśmy krótki spacer na plaży i zasiadamy teraz, by nanieść wieczorem kilka ostatnich szlifów na najnowszą książkę Abrahama – *Pieniądze i Prawo Przyciągania: Nauka przyciągania dobrobytu, zdrowia i szczęścia*).

Było to ponad 40 lat temu, gdy podczas koncertów w college'ach w całym kraju, zauważyłem „przypadkowo" książkę leżącą na stoliku do kawy w motelu w pewnym małym mieście w Montanie. Ta książka, *Myśl i bogać się* Napoleona Hilla*, zmieniła moje przekonania na temat pieniędzy tak całkowicie, że zastosowanie tych zasad przyciągnęło do mnie sukces finansowy w sposób, jakiego sobie wcześniej nie wyobrażałem.

Myślenie lub bogacenie się nie było czymś, czym byłbym bardzo zainteresowany. Ale na krótko przed odkryciem tej książki, zdecydowałem, że chcę zmodyfikować sposób zarabiania pieniędzy – i zwiększyć ich ilość. I tak okazało się, że przyciągnięcie przeze mnie książki Hilla było bezpośrednią odpowiedzią na to, o co „prosiłem".

Wkrótce po znalezieniu *Myśl i bogać się* w tamtym motelu w Montanie, spotkałem człowieka z Minnesoty, który złożył mi pewną biznesową propozycję, która tak odpowiadała naukom Hilla, że przez dziewięć radosnych lat kierowałem uwagę na budowanie tego biznesu. Przez te dziewięć lat, biznes rozrósł się w przedsię-

---

* wyd. Emka, 2000, tytuł oryg. *Think and Grow Rich* – od tłumacza.

biorstwo o wartości wielu milionów dolarów. W tym względnie krótkim czasie, moje finanse wzrosły od środków na utrzymanie się (co było początkowo jedynym, czego pragnąłem) do osiągnięcia wszystkich nowo zainspirowanych finansowych celów.

To, czego się nauczyłem z książki Hilla, dało mi tak wiele, że zacząłem ją używać jako „podręcznika" do dzielenia się zasadami odnoszenia sukcesu z moimi biznesowymi współpracownikami. Ale, patrząc wstecz, chociaż nauki te przydały mi się tak ogromnie, uświadomiłem sobie, że jedynie kilku z mych współpracowników osiągnęło tak wielki sukces finansowy, jakiego pragnąłem dla wszystkich. Tak więc zacząłem szukać odpowiedzi na innym poziomie, które mogłyby okazać się skuteczniejsze dla szerszego kręgu ludzi.

W wyniku mojego osobistego doświadczenia z *Myśl i bogać się*, doszedłem do przekonania, że osiągniecie sukcesu było czymś, czego można *się nauczyć*. Nie musieliśmy się urodzić w rodzinie, która już odkryła, jak robić pieniądze. Nie musieliśmy mieć w szkole dobrych stopni ani znać odpowiednich osób, ani żyć w odpowiednim kraju, ani być odpowiedniego wzrostu, koloru, płci, wyznania i tak dalej... Po prostu powinniśmy się nauczyć kilku prostych zasad i następnie zastosować je w praktyce.

Jednakże, nie każdy otrzymuje to samo przesłanie z tych samych słów – ani tych samych rezultatów z tych samych książek. I tak, gdy tylko zacząłem „prosić" o większe zrozumienie, oświecająca książka Richarda Bacha *Illusions* (*Iluzje*) pojawiła się w mej świadomości. I chociaż *Illusions* wywołały we mnie najbardziej przejmujące „Acha!" w moim życiu i wniosły pewne koncepcje, które zaczęły otwierać mój umysł na fenomen, którego miałem potem doświadczyć, nie zawierały żadnych dodatkowych zasad, których mógłbym świadomie użyć w moim biznesie.

Następne „przypadkowe" odkrycie najwartościowszej dla mnie książki miało miejsce, gdy dla zabicia czasu udałem się do pewnej księgarni Phoenixa. Nie „szukałem" niczego, ale dostrzegłem wysoko na półce książkę zatytułowaną *Seth speaks (Rozmowy z Sethem)* autorstwa Jane Roberts i Roberta F. Buttsa. Seth, „Istota Nie-fizyczna", „podyktował" za pośrednictwem Jane serię książek i przeczytałem je wszystkie. I jakkolwiek dziwna mogła się wydawać większości ludzi ta forma komunikacji (Esther miała z tym szczególny problem na początku), zawsze miałem skłonność do oceniania drzewa po owocach. Tak więc spoglądałem poza jej „dziwne" aspekty i koncentrowałem się na tym, co było dla mnie pozytywne, na praktycznych częściach materiału Setha, które, jak czułem, mogłem zastosować, by pomóc ludziom w poprawie ich doświadczania życia.

Seth miał inną perspektywę w patrzeniu na życie, niż cokolwiek wcześniej poznałem i byłem szczególnie zainteresowany dwiema koncepcjami Setha: „Tworzysz własną Rzeczywistość" i „Twój Punkt Mocy leży w Teraźniejszości". Chociaż czytając to, nigdy nie czułem, bym w pełni rozumiał te zasady, w jakiś sposób wiedziałem, że zawarte w nich były odpowiedzi na moje pytania. Jednakże Jane nie było już w jej formie fizycznej, a więc żadne dalsze objaśnienie „Setha" nie było możliwe.

Poprzez ciąg przypadkowych zdarzeń – w sposób podobny do doświadczeń Jane z Sethem – Esther, moja żona, zaczęła otrzymywać przekazy, które znane są dzisiaj jako *Nauki Abrahama®*. (Gdybyś chciał usłyszeć jedno z oryginalnych nagrań ukazujących nasze wprowadzenie do nauk Abrahama, możesz znaleźć nasze bezpłatne nagranie *Wprowadzenie do nauk Abrahama* jako 70-ciominutowy download na naszej stronie internetowej: **www. Abraham-hicks.com** albo w naszym biurze jako bezpłatną płytę CD).

W 1985 roku, kiedy ten fenomen rozpoczął się u Esther, miałem poczucie, że przyniesie to odpowiedzi na moje pragnienie lepszego zrozumienia *Praw Wszechświata* i tego, jak moglibyśmy naturalnie, świadomie pracować w harmonii z nimi, by wypełnić nasz cel istnienia w formie fizycznej. I tak, ponad 20 lat temu, usiadłem z Esther i małym magnetofonem kasetowym i zasypałem Abrahama setkami pytań, początkowo na 20 różnych tematów, głównie dotyczących praktycznej duchowości. A potem, gdy inni usłyszeli o Abrahamie i zapragnęli się z nami skontaktować, opublikowaliśmy te 20 nagrań jako dwa albumy poświęcone szczególnym tematom.

Na przestrzeni tych dwóch dekad, miliony ludzi poznało Nauki Abrahama dzięki wielu naszym książkom, kasetom, płytom CD, nagraniom wideo i płytom DVD, zbiorowym warsztatom oraz programom radiowym i telewizyjnym. Ponadto, inni czołowi autorzy szybko zaczęli wykorzystywać nauki Abrahama w swoich książkach oraz w radio, telewizji i na warsztatach... A potem, blisko dwa lata temu, pewna australijska producentka telewizyjna poprosiła nas o pozwolenie na nakręcenie telewizyjnego cyklu programów na temat naszej pracy z Abrahamem. Przybyła do nas ze swoją ekipą telewizyjną podczas jednej z naszych wycieczek po Alasce, nakręciła program, a następnie wyruszyła na poszukiwanie innych uczniów naszych nauk, których włączyła do (pierwszej wersji) filmu – a reszta jest już (jak się mawia) historią.

Producentka nazwała swój film Sekret (The Secret) i był on poświęcony głównej doktrynie Nauk Abrahama: Prawu Przyciągania*. I chociaż nie został włączony do australijskiego programu telewizyjnego jako cały cykl, dokument ten został wydany od razu jako DVD i zapisany w formie książki... A teraz, dzięki Sekretowi, pojęcie Prawa Przyciągania trafiło do dalszych milionów ludzi, którzy proszą o lepsze życie.

Ta książka ewoluowała od skryptu naszych pięciu oryginalnych nagrań przez ponad 20 lat. Po raz pierwszy te skrypty staną się dostępne drukiem. Jednakże, nie są one dosłownie powtórzone, gdyż Abraham przejrzał teraz każdą stronę oryginalnych skryptów i zmodyfikował każdą część, aby została łatwiej zrozumiana przez czytelnika i mogła być natychmiast zastosowana.

---

* więcej w książce Prawo Przyciągania, Studio Astropsychologii 2008.

Jest takie powiedzenie wśród nauczycieli: „Powiedz im, co zamierzasz powiedzieć. Następnie to powiedz. A potem powiedz im, co im powiedziałeś". Tak więc, gdy zdecydujesz zanurzyć się w tych naukach, prawdopodobnie zauważysz powtórzenia w trakcie lektury, ponieważ zwykle najlepiej uczymy się dzięki powtarzaniu. Nie możesz nadal podtrzymywać tych samych starych, nawykowych, ograniczonych schematów myślowych, by osiągnąć nowe rezultaty. Ale dzięki prostemu, wypróbowanemu powtarzaniu, możesz z czasem bez trudu rozwinąć nowe nawyki poprawiające życie.

W świecie mediów jest powiedzenie: „Ludzie wolą być raczej zabawiani, niż informowani". Cóż, jeżeli twoją rozrywką nie jest uczenie się nowych sposobów patrzenia na życie, to prawdopodobnie uznasz tę książkę za bardziej informacyjną, aniżeli rozrywkową. Zamiast powieści, którą się czyta, cieszy i odkłada na półkę, ta książka – bardziej podręcznik zasad osiągania i utrzymania dobrobytu, zdrowia i szczęścia – jest po to, by ją czytać i studiować, i zastosować w praktyce.

Dotarłem do tych informacji dzięki mojemu pragnieniu, by pomóc innym poczuć się lepiej, zwłaszcza w sferze finansowego spełnienia, tak więc czuję się szczególnie usatysfakcjonowany, że książka ta jest w drodze do tych, którzy zadają pytania, na które ona odpowiada.

Ponowne czytanie tego zmieniającego życie materiału, przygotowując go do publikacji, jest dla Esther i dla mnie cudownym doświadczeniem, ponieważ znów przypomina się nam o tych podstawowych i prostych zasadach, o jakich grupa Abrahama mówiła nam na początku naszej relacji.

Esther i ja od początku zamierzaliśmy zastosować w naszym życiu to, czego uczyła grupa Abrahama. A wynikające stąd doświadczenie radosnego rozwoju jest godne uwagi: po dwóch dekadach praktykowania tych zasad, Esther i ja wciąż jesteśmy w sobie zakochani. (Chociaż właśnie ukończyliśmy budowę tego nowego domu w Kalifornii i jesteśmy w trakcie budowania nowego domu na terenie naszej firmy w Teksasie, cieszymy się byciem razem tak bardzo, że spędzimy większą część przyszłego roku podróżując naszym długim na 45 stop autokarem, jeżdżąc z warsztatu na warsztat). Nie mieliśmy badań lekarskich (ani ubezpieczenia) od 20 lat. Nie mamy długów, a w tym roku zapłacimy więcej podatków dochodowych, niż suma wszelkich pieniędzy, jakie zarobiliśmy we wszystkich latach poprzedzających przewodnictwo Abrahama – i choć ani wszystkie nasze pieniądze, ani dobre zdrowie nie może nas *uszczęśliwić*, Esther i ja wciąż znajdujemy sposób, by być szczęśliwymi.

A więc z niezwykłą radością możemy ci powiedzieć – z osobistego doświadczenia: *To działa!*

(**Uwaga Wydawcy oryginału:** Ponieważ nie zawsze istnieją fizyczne odpowiedniki w języku angielskim mogące idealnie oddać myśli planu Nie-Fizycznego odbierane przez Esther, czasami tworzy ona nowe kombinacje słów, oraz posługuje się standardowym słownictwem w nowy sposób – na przykład poprzez pisanie wyrazów wielką literą lub kursywą, w przypadkach, w których w innych okolicznościach nie byłoby takiej potrzeby – w celu wyrażenia nowatorskiego sposobu patrzenia na życie).

CZĘŚĆ I

ORIENTOWANIE
I KSIĘGA
POZYTYWNYCH ASPEKTÓW

TWOJA HISTORIA I *PRAWO PRZYCIĄGANIA*

Każdy absolutnie składnik tworzący nasze życiowe doświadczenie, zostaje do ciebie przyciągnięty przez potężną odpowiedź **Prawa Przyciągania** *do twoich myśli oraz historii jaką opowiadasz o swoim życiu. Twoje pieniądze i finansowe zasoby; stan Dobrostanu, przejrzystości, giętkości i kształtu twojego ciała; środowisko twojej pracy, to, jak jesteś traktowany, satysfakcja zawodowa i nagrody – w istocie, prawdziwe szczęście całego twojego doświadczenia życia – wszystko to dzieje się dzięki historii, jaką opowiadasz. Jeśli pozwolisz swojej dominującej intencji na zweryfikowanie i ulepszenie treści swojej historii, jaką opowiadasz każdego dnia, obiecujemy ci absolutnie, że twoje życie będzie coraz lepszą opowieścią. Ponieważ musi tak być dzięki potężnemu* **Prawu Przyciągania!**

CZY ŻYCIE WYDAJE SIĘ CZASEM NIE FAIR?

Chciałeś odnieść większy sukces i bardzo się o to starałeś, czyniąc to, co, jak wszyscy mówili, powinieneś czynić, ale sukces, jakiego szukałeś, przychodził powoli. Starałeś się bardzo, zwłaszcza na początku, nauczyć się wszystkich właściwych rzeczy, być we właściwych miejscach, robić właściwe rzeczy, mówić właściwe rzeczy... Ale często sprawy wcale nie wydawały się zbytnio poprawiać.

Wcześniej w swoim życiu, kiedy po raz pierwszy wkroczyłeś w dziedzinę osiągania sukcesu, znalazłeś satysfakcję w zadowalaniu oczekiwań innych, którzy ustanawiali jego reguły. Nauczyciele, rodzice i mentorzy, którzy ciebie otaczali, zdawali się pewni siebie i przekonujący, przytaczając swoje reguły dla osiągnięcia sukcesu: „Zawsze bądź punktualny; zawsze rób wszystko, jak możesz najlepiej; pamiętaj, aby ciężko pracować; zawsze bądź uczciwy; dąż do wielkości; przebiegnij dodatkową milę; bez pracy nie ma kołaczy; a przede wszystkim, nigdy się nie poddawaj".

Jednak z czasem, twoja satysfakcja w zyskiwaniu aprobaty tych, którzy przedstawiali takie reguły, zmalała, gdyż ich zasady osiągania sukcesu – jak bardzo byś się nie starał – nie przynosiły ci obiecanych rezultatów. Było to coraz bardziej zniechęcające, gdy się wycofywałeś, by zyskać jakąś perspektywę na całość sytuacji i zdałeś sobie sprawę, że w większości ich zasady *im* również nie przynosiły rzeczywistego sukcesu. A wtedy, żeby było jeszcze gorzej, zacząłeś spotykać innych (którzy w oczywisty sposób *nie* stosowali się do tych reguł), którzy *osiągali* sukces niezależnie od tej formuły, jakiej tak pilnie się uczyłeś i którą tak pilnie stosowałeś.

I tak oto pozostałeś z pytaniem: „O co tu chodzi? Jak ci, którzy pracują tak ciężko, mogą dostawać tak mało, podczas gdy ci, którzy zdają się pracować niewiele, osiągają tak dużo? Moje kosztowne wychowanie wcale się nie opłaciło – przecież ten multimilioner rzucił studia. Mój ojciec ciężko pracował każdego dnia swojego życia – a jednak nasza rodzina musiała pożyczyć pieniądze, by opłacić jego pogrzeb... Dlaczego moja praca nie jest tak opłacalna, jak powinna? Dlaczego tak niewielu naprawdę się bogaci, podczas gdy większość z nas walczy, by ledwie przeżyć? Czego mi brakuje? Co wiedzą ci ludzie, którzy cieszą się finansowym sukcesem, czego ja nie wiem?".

CZY ROBIENIE WSZYSTKIEGO, CO W TWEJ MOCY, CZASEM NIE WYSTARCZA?

Gdy robisz wszystko, cokolwiek może przyjść ci na myśl, naprawdę starając się robić, co w twej mocy, co, jak ci mówiono, powinno przynieść ci sukces, a sukces nie nadszedł, łatwo jest stać się defensywnym, a w końcu nawet rozgniewanym na tych, którzy ukazują przykład sukcesu, jakiego pragniesz. Nawet spostrzegasz, że potępiasz ich sukces po prostu dlatego, że jest to zbyt bolesne patrzeć na ich sukces, który tobie się wymyka. I to właśnie z tego powodu – w odpowiedzi na ten chroniczny stan twoich spraw finansowych twojej kultury – proponujemy tę książkę.

Gdy dochodzisz do punktu otwartego potępienia finansowego sukcesu, którego pragniesz, nie tylko ten finansowy sukces do ciebie nigdy nie przyjdzie, ale tracisz również swoje prawa nadane Ci przez Boga do zdrowia i szczęścia.

Wielu doszło w istocie do tej niekoherentnej konkluzji, że inni w ich fizycznym otoczeniu zmówili się w coś w rodzaju konspiracji, aby nie dopuścić, by odnieśli sukces. Ponieważ wierzą, całym sercem, że zrobili wszystko, co możliwe, by osiągnąć sukces, a faktem jest, że go nie osiągnęli, co musi z pewnością oznaczać, że jakieś nieprzyjazne siły pozbawiają ich tego, czego pragną. Ale chcemy ciebie zapewnić, że nic takiego nie stanowi przyczyny braku tego, czego pragniesz, ani obecności rzeczy, które chciałbyś usunąć ze swojego doświadczenia. Nikt nigdy ciebie nie pozbawił i nigdy nie mógłby ciebie powstrzymać przed sukcesem – ani go tobie przynieść. Twój sukces zależy całkowicie od ciebie. Wszystko jest pod twoją kontrolą. I piszemy tę książkę, aby teraz, w końcu, raz na zawsze, sukces znalazł się pod twoją zamierzoną i świadomą kontrolą.

CZEGOKOLWIEK MOGĘ ZAPRAGNĄĆ, MOGĘ TO OSIĄGNĄĆ

Czas, abyś powrócił do prawdziwej natury swojej Istoty i świadomie przeżywał sukces, jaki doświadczenie twego własnego życia pomogło ci określić. I tak, gdy się teraz celowo zrelaksujesz, oddychając głęboko i bacznie czytając, zaczniesz stopniowo, ale w sposób pewny przypominać sobie, jak osiąga się wszelki sukces, ponieważ już we wrodzony sposób to rozumiesz i z pewnością poczujesz rezonans z tymi absolutnymi prawdami, o jakich tu czytasz.

Wieczne *Prawa Wszechświata* są stałe i niezawodne, i nieustannie podtrzymywane, zawsze jako obietnica ekspansji i radości.

Zostały tu tobie przedstawione w potężnym rytmie zrozumienia, który zacznie się rozwijać od cichego brzmienia wewnątrz ciebie, po czym rozszerzy się z każdą stronicą, jaką przeczytasz, aż obudzisz się na nowo do poznania swojego celu i twej własnej osobistej mocy, gdy przypomnisz sobie, jak uzyskać dostęp do mocy Wszechświata, która stwarza światy.

Jeśli ta rzeczywistość czasu i przestrzeni zawiera w sobie zdolność inspirowania w tobie pragnienia, jest absolutnie pewne, że ta rzeczywistość czasu i przestrzeni posiada zdolność zapewnienia tobie pełnej i satysfakcjonującej manifestacji tego samego pragnienia. Takie jest **Prawo.**

OSIĄGNIĘCIE SUKCESU
JEST MOIM PRZYRODZONYM PRAWEM

Większość ludzi w naturalny sposób zakłada, że jeśli ich życie nie potoczy się tak, jak chcą, aby się toczyło, coś na zewnątrz nich musi nie dopuszczać do poprawy, chociaż nikt celowo nie pozbawiałby ich sukcesu. Choć jednak obwinianie innych może dawać lepsze samopoczucie niż uznanie odpowiedzialności za niechciane warunki, jest jednak bardzo negatywny skutek wiary w to, że coś na zewnątrz jest przyczyną braku twojego sukcesu: *Kiedy przypisujesz wpływ lub winę innym za swój sukces lub jego brak – stajesz się bezsilny, by cokolwiek zmienić.*

Gdy pragniesz sukcesu, ale – ze swojej perspektywy – nie doświadczasz go, na wielu głębokich poziomach swej Istoty dostrzegasz, że coś jest nie tak. A gdy to silne uczucie osobistej niezgody zwiększa się w twej świadomości, że nie otrzymujesz tego, czego chcesz, często wprawia ono w ruch inne nieproduktywne domysły, budzące zazdrość wobec tych, którzy *mają* więcej sukcesu; urazę wobec niezliczonej ilości osób, które chciałbyś winić za swój brak sukcesu; a nawet samooskarżanie, co jest najboleśniejszym i najbardziej bezproduktywnym przypuszczeniem ze wszystkich. A my poddajemy pod rozwagę, że ten nieprzyjemny wstrząs jest nie tylko normalny, ale jest doskonałą odpowiedzią na uczucie braku sukcesu.

Twój emocjonalny dyskomfort jest potężną wskazówką, że coś jest bardzo nie w porządku. Jesteś stworzony do tego, by odnieść sukces, a klęska *powinna* budzić w tobie niedobre uczucia. Jesteś stworzony do tego, by być w dobrej formie, a choroba *nie powinna* być akceptowana. Masz się z założenia rozwijać (twoją naturą jest ekspansja), a stagnacja nie powinna być tolerowana. Życie ma się tobie układać dobrze – a jeśli tak nie jest, coś *jest* nie w porządku.

Ale to, co się dzieje źle, nie jest niesprawiedliwością ani tym, że bogowie dobrej fortuny się tobą nie zajmują, ani że ktoś odniósł sukces, który powinien być twój. To, co jest nie w porządku, to fakt, że ty nie jesteś zharmonizowany ze swoją własną Istotą, z tym *kim-jesteś-naprawdę*, z tym, o co prosisz, z tym, do czego się rozwinąłeś i z zawsze konsekwentnymi *Prawami Wszechświata. To, co jest nie w porządku, nie jest czymś poza tobą, nad czym nie masz kontroli. To, co jest nie w porządku, znajduje się w tobie – i* **masz** *nad tym kontrolę. A przejęcie kontroli nie jest trudne z chwilą, gdy zrozumiesz podstawę tego,* **kim-jesteś**, *i podstawę* **Prawa Przyciągania** *oraz wartość twojego osobistego* **Systemu Emocjonalnej Orientacji**, *z którym się urodziłeś, który zawsze działa, jest zawsze obecny i łatwy do zrozumienia.*

PIENIĄDZE NIE SĄ ANI ŹRÓDŁEM ZŁA, ANI SZCZĘŚCIA

Ten ważny temat pieniędzy i finansowego sukcesu nie jest „źródłem wszelkiego zła", jak wielu cytuje – ani nie jest drogą do szczęścia. Temat pieniędzy dotyczy większości z was, jest dużym czynnikiem w waszej wibracyjnej postawie i w waszym osobistym punkcie przyciągania. A więc, gdy jesteś w stanie z powodzeniem kontrolować coś, co wpływa na większość z was przez cały dzień, każdego dnia, osiągniesz raczej coś znaczącego. Innymi słowy, ponieważ tak wielki procent waszych myśli każdego dnia wiąże się z tematem pieniędzy czy finansowego sukcesu, gdy tylko bę-

27

dziesz w stanie *celowo* kierować swoimi myślami, jest nie tylko pewne, że twój finansowy sukces musi się poprawić, ale dowód *tego* sukcesu przygotuje cię następnie do celowej poprawy w *każdym* aspekcie twojego życiowego doświadczenia.

Jeśli jesteś adeptem *Celowego Tworzenia*, jeśli chcesz świadomie tworzyć swoją rzeczywistość, jeśli pragniesz kontroli nad swoim życiowym doświadczeniem, jeśli pragniesz spełnić cel swego życia, wówczas twoje zrozumienie tych najważniejszych kwestii – *pieniędzy i Prawa Przyciągania* – przysłuży ci się ogromnie.

JESTEM MAGNESEM KAŻDEGO SWEGO DOŚWIADCZENIA

Jesteś stworzony, aby przeżywać ekspansywne, ożywcze dające radość i dające zadowolenie doświadczenie. Było to twoim planem, gdy zdecydowałeś skoncentrować się w swoim ciele fizycznym, w tej rzeczywistości czasu i przestrzeni. Oczekiwałeś, że to fizyczne życie będzie ekscytujące i satysfakcjonujące. Innymi słowy, wiedziałeś, że różnorodność i kontrast będą ciebie stymulowały do coraz szerszych pragnień, i wiedziałeś też, że nie będzie końca ekspansji nowych pragnień.

Wszedłeś w swoje ciało pełen ekscytacji co do możliwości, jakie to doświadczenie życia w tobie zainspiruje, i to pragnienie, jakie miałeś od początku, nie zostało stłumione przez lęk czy zwątpienie, ponieważ znałeś swoją moc i wiedziałeś, że to życiowe doświadczenie i cały jego kontrast będzie żyzną glebą dla cudownej ekspansji. *Przede wszystkim zaś, wiedziałeś, że wchodzisz w to życiowe doświadczenie z* **Systemem Emocjonalnego Przewodnictwa**, *który ma ci pomagać w pozostawaniu wiernym twojej pierwotnej intencji, jak również twoim nigdy-się-nie-kończącym i wciąż poprawianym intencjom, jakie narodzą się wskutek tego życiowego doświadczenia. Krótko mówiąc, czułeś zapał do tej rzeczywistości czasu i przestrzeni, który niemal określa jej fizyczny zakres.*

Nie byłeś nowicjuszem – chociaż zaczynałeś na nowo w swoim maleńkim ciele fizycznym – lecz byłeś potężnym twórczym geniuszem, na nowo koncentrującym się w nowym, wiodącym otoczeniu. Wiedziałeś, że będzie czas na przystosowanie się, gdy znów zdefiniujesz nową platformę, z której rozpoczniesz proces celowego tworzenia, i nie byłeś wcale zmartwiony czasem, jaki musi upłynąć na przystosowanie. W rzeczywistości, cieszyłeś się raczej gniazdem, w którym się urodziłeś i tymi, którzy w nim byli i powitali cię jako nowego i niewiedzącego, i potrzebującego ich wsparcia – posiadałeś jednak stabilność i wiedzę, jaką jednak większość z nich dawno zostawiła za sobą.

Urodziłeś się wiedząc, że jesteś potężną Istotą, że jesteś dobry, że jesteś twórcą swego doświadczenia, i że *Prawo Przyciągania* jest podstawą wszelkiej kreacji tutaj, w twoim nowym otoczeniu. Pamiętałeś, że *Prawo Przyciągania* (przyciągana jest esencja tego, co jest do siebie podobne) jest podstawą Wszechświata i wiedziałeś, że będzie ci dobrze służyć. I tak właśnie jest.

Wciąż pamiętałeś, że jesteś twórcą swego doświadczenia. Ale co nawet ważniejsze, pamiętałeś, że dokonujesz tego *swoją myślą, a nie swoim działaniem.* Nie czułeś się nieprzyjemnie będąc małym dzieckiem, które nie przejawiało działania ani słów, gdyż pamiętałeś Dobrostan Wszechświata; pamiętałeś swoje intencje wchodzenia w swoje fizyczne ciało, i wiedziałeś, że będzie mnóstwo czasu na zaaklimatyzowanie się do języka i specyfiki twego nowego otoczenia, a przede wszystkim wiedziałeś, że nawet jeśli nie byłbyś w stanie przełożyć swojej szerokiej wiedzy ze swego Nie-Fizycznego otoczenia bezpośrednio na fizyczne słowa i opisy, to nie będzie miało znaczenia, gdyż najważniejsze rzeczy do ustalenia na drodze radosnej kreacji były już zdecydowanie na miejscu: wiedziałeś, że *Prawo Przyciągania* jest nieustannie obecne i że twój *System Orientacji* był od początku aktywny. A przede wszystkim, wiedziałeś dzięki próbom i temu, co niektórzy mogą nazwać „błędami", że możesz się w końcu całkowicie i świadomie przeorientować w swym nowym otoczeniu.

WIEDZIAŁEM O KONSEKWENCJI
PRAWA PRZYCIĄGANIA

Fakt, iż *Prawo Przyciągania* pozostaje stałe i stabilne w całym Wszechświecie, był wielkim czynnikiem wpływającym na twoje zaufanie, gdy przyszedłeś do swojego nowego fizycznego otoczenia, gdyż wiedziałeś, że oddźwięk ze strony życia pomoże ci pamiętać i osiągać twój punkt oparcia. Pamiętałeś, że podstawą wszystkiego jest *wibracja i że Prawo Przyciągania* odpowiada na tę wibrację oraz, w istocie, organizuje je, łącząc ze sobą rzeczy o podobnych wibracjach, jednocześnie utrzymując osobno te o odmiennych wibracjach.

A więc nie niepokoiłeś się, czy będziesz w stanie wyartykułować tę wiedzę od razu i objaśnić ją tym wokół ciebie, którzy pozornie zapomnieli wszystko, co o tym wiedzieli, ponieważ wiedziałeś, że konsekwencja tego potężnego *Prawa* wkrótce się tobie objawi poprzez przykłady twego własnego życia. Wiedziałeś wówczas, że nie będzie trudno odgadnąć, jaki rodzaj wibracji przejawiałeś, ponieważ *Prawo Przyciągania* będzie tobie nieustannie przynosiło na to dowody, jakakolwiek byłaby twoja wibracja.

Innymi słowy, gdy czujesz się *przygnębiony*, okoliczności i ludzie, którzy mogliby tobie pomóc wydostać się z twego uczucia przygnębienia nie będą mogły ciebie znaleźć, ani też ty nie będziesz mógł ich znaleźć. A ci ludzie, którzy się pojawiają, nie pomagają tobie, ale zamiast tego, dodają własne uczucia przytłoczenia.

Gdy czujesz się źle traktowany – sprawiedliwość nie może ciebie odnaleźć. Twoja percepcja bycia źle traktowanym i wynikająca z niej wibracja, jaką emitujesz z powodu swej percepcji, zapobiega wszystkiemu, co uznałbyś za sprawiedliwe.

Gdy jesteś pogrążony w *rozczarowaniu* lub *lęku*, że nie masz wystarczających środków finansowych, których – jak wierzysz – potrzebujesz, pieniądze – lub okazje przynoszące pieniądze – nadal się tobie wymykają... nie dlatego, że jesteś zły lub bezwartościowy, ale dlatego, że *Prawo Przyciągania* dobiera rzeczy podobne do siebie, a nie rzeczy *odmienne* od siebie.

Gdy czujesz się *biedny* – jedynie rzeczy dające uczucie *biedy* mogą do ciebie przyjść. Gdy czujesz się *bogaty* – jedynie rzeczy dające uczucie *dobrobytu* mogą do ciebie przyjść. To *Prawo* jest konsekwentne; a jeśli zwrócisz uwagę, nauczy cię, poprzez doświadczenie życiowe, jak ono działa. *Gdy będziesz pamiętać, że otrzymujesz esencję tego, o czym myślisz – i wówczas dostrzeżesz, co otrzymujesz – będziesz posiadać klucze do Celowego Tworzenia.*

CO ROZUMIEMY PRZEZ *WIBRACJĘ*?

Gdy mówimy o *wibracji*, w rzeczywistości przywołujemy twoją uwagę do podstawy twego doświadczenia, gdyż wszystko jest w istocie oparte na *wibracji*. Moglibyśmy używać zamiennie słowa *Energia* i jest wiele innych synonimów w twoim słowniku, których można by równie trafnie użyć.

Większość ludzi rozumie wibracyjne cechy dźwięku. Czasem, gdy wygrywasz głośno głębokie, bogate nuty basowe twojego instrumentu, możesz *poczuć* wibracyjną naturę dźwięku.

Chcemy, byś zrozumiał, że kiedykolwiek coś „słyszysz", interpretujesz wibracje w dźwięk, który słyszysz. To, co słyszysz, jest twoją interpretacją wibracji; to, co słyszysz, jest twoją unikalną interpretacją wibracji. Każdy z twych fizycznych zmysłów wzroku, słuchu, smaku, węchu i dotyku istnieje, ponieważ wszystko we Wszechświecie wibruje i twoje fizyczne zmysły odczytują te wibracje i dają ci zmysłową percepcję wibracji. A więc, gdy zaczynasz rozumieć, że żyjesz w pulsującym, wibrującym Wszechświecie rozwiniętej harmonii, i że w samym rdzeniu twej Istoty wibrujesz według tego, co można określić jedynie jako doskonałość w wibracyjnej równowadze i harmonii, wówczas zaczynasz rozumieć wibrację w sposób, w jaki ją opisujemy.

Wszystko, co istnieje, w waszym powietrzu, w waszym brudzie, w twej wodzie i w waszych ciałach, jest wibracją w ruchu – i wszystko to jest organizowane przez **Prawo Przyciągania.**

Nie mógłbyś tego posegregować, gdybyś chciał. I nie ma takiej potrzeby, abyś to segregował, ponieważ to *Prawo Przyciągania* dokonuje segregacji, nieustannie łącząc razem rzeczy o podobnych wibracjach, podczas gdy rzeczy o innej wibracyjnej naturze zostają odepchnięte.

Twoje emocje, które są najbardziej potężnymi i najważniejszymi z twoich sześciu wibracyjnych interpretatorów, dają nieustanny oddźwięk co do harmonii twych obecnych myśli (wibracji), gdy się je porównuje z harmonią twego podstawowego wibracyjnego stanu.

Świat Nie-Fizyczny jest wibracją.

Świat fizyczny, jaki znasz, jest wibracją.

Nie ma niczego, co by istniało poza tą wibracyjną naturą.

Nie ma niczego, czym by nie kierowało *Prawo Przyciągania.*

Twoje zrozumienie wibracji pomoże ci świadomie łączyć oba światy.

Nie musisz rozumieć swego złożonego optycznego nerwu lub kory, aby widzieć. Nie musisz rozumieć elektryczności, aby włączyć światło i nie musisz rozumieć wibracji, by poczuć różnicę między harmonią a dysonansem.

Gdy nauczysz się akceptować swoją wibracyjną naturę i zaczniesz świadomie używać swoich emocjonalnych wibracyjnych wskaźników, uzyskasz świadomą kontrolę nad swymi osobistymi kreacjami i nad wynikiem twego życiowego doświadczenia.

KIEDYKOLWIEK ODCZUWAM DOBROBYT, DOBROBYT MNIE ZNAJDUJE

Z chwilą, gdy osiągasz świadomą korelację między tym, co czujesz a tym, co się aktualizuje w twym życiowym doświadczeniu, zyskujesz moc, aby dokonać zmian. Jeśli nie osiągasz korelacji i wciąż emitujesz myśli dotyczące braku rzeczy, których pragniesz, rzeczy, których pragniesz, nadal ci się wymykają.

Często ludzie, w swym niezrozumieniu, zaczynają przypisywać moc rzeczom poza sobą, aby wyjaśnić, dlaczego nie prosperują tak, jakby chcieli: „ Nie prosperuję, ponieważ urodziłem się w złym otoczeniu. Nie prosperuję, ponieważ moi rodzice nie prosperowali, więc nie mogli mnie nauczyć, jak to robić. Nie prosperuję, ponieważ tamci ludzie prosperują i zabierają bogactwa, które powinny być moje. Nie prosperuję, ponieważ zostałem oszukany, ponieważ jestem bezwartościowy, ponieważ nie żyłem właściwie w poprzednim życiu, ponieważ mój rząd nie zważa na moje prawa, ponieważ mój mąż nie wywiązuje się ze swojej roli... ponieważ, ponieważ, ponieważ".

Wielu pyta: „Ale jeśli źle prosperuję, to jak mogę w ogóle emitować wibrację prosperowania? Czy nie powinienem prosperować najpierw, zanim zacznę emitować wibracje prosperowania?".

Zgadzamy się, że utrzymanie stanu prosperowania jest z pewnością łatwe, gdy już jest twoim doświadczeniem, bo wtedy jedyne, co musisz robić, to dostrzegać nadchodzące dobro, a jego obserwacja utrzyma jego nadchodzenie. Ale jeśli doświadczasz braku czegoś, czego chcesz, musisz znaleźć sposób, aby poczuć esencję tej rzeczy – nawet zanim to nadejdzie – albo nie będzie mogło nadejść.

Nie możesz pozwolić swej wibracji przejawiać się jedynie w odpowiedzi na to, *co-jest*, by w ten sposób zmienić to, *co-jest*. Musisz znaleźć sposób na osiągnięcie *uczucia* podniecenia i satysfakcji z twych obecnie niezrealizowanych marzeń, zanim te marzenia staną się twoją rzeczywistością. Znajdź sposób na to, by celowo wyobrazić sobie scenariusz, żeby zaoferować swoją wibrację, aby *Prawo Przyciągania* odpowiedziało na twoją wibrację rzeczywistą manifestacją... *Kiedy prosisz o manifestację, zanim osiągniesz tę wibrację, prosisz o rzecz niemożliwą. Gdy jesteś gotowy zaoferować wibrację, zanim nastąpi realne spełnienie (manifestacja) – wszystko jest możliwe. Takie jest* **Prawo**.

PRZEŻYWAJ SWOJE ŻYCIE CELOWO, ZAMIAST PRZYPADKOWO

Dajemy tobie tę książkę, by przypomnieć ci o rzeczach, które już znasz na pewnym poziomie, a więc żeby uaktywnić w tobie na nowo tę wibracyjną wiedzę. Niemożliwe jest, byś czytał te słowa, reprezentujące wiedzę, którą posiadasz w swojej Szerszej Perspektywie, bez rozpoznania, że wypływa ona z twego wnętrza.

Jest to naprawdę czas przebudzenia – czas przypomnienia twojej osobistej mocy oraz racji bytu. A więc weź głęboki wdech, postaraj się usadowić wygodnie i powoli czytaj zawartość tej książki, aby przywrócić w sobie twoją pierwotną wibracyjną esencję...

A więc, oto ty, we wspaniałym stanie istnienia: już nie dziecko pod kontrolą innych, nieco już przystosowany do swego fizycznego otoczenia, a teraz – gdy czytasz tę książkę – powracający do rozpoznania pełnej mocy swojej Istoty... już nie jesteś poniewierany w obrębie *Prawa Przyciągania* jak mały korek na rozszalałym morzu, ale w końcu przypominasz sobie i osiągasz kontrolę nad swoim własnym przeznaczeniem, w końcu celowo kierując swoim życiem w kręgu potężnego *Prawa Przyciągania*, zamiast odpowiadania w duchu przypadkowości oraz brania życia, jakim jest. *Aby to zrobić, musisz opowiedzieć inną historię. Musisz zacząć opowiadać historię swego życia tak, jaką teraz* **chcesz**, *żeby była i zaprzestać opowieści o tym, jak* **było** *lub jak* **jest**.

OPOWIEDZ HISTORIĘ, JAKIEJ CHCESZ DOŚWIADCZYĆ

Aby żyć w sposób celowy, musisz myśleć w sposób celowy; aby to uczynić, musisz mieć punkt odniesienia, aby ustalić właściwy kierunek swojej myśli. Właśnie teraz, dokładnie tak, jak wtedy, gdy się urodziłeś, dwa konieczne czynniki są na swoim miejscu: *Prawo Przyciągania* (najpotężniejsze i najbardziej konsekwentne *Prawo* we Wszechświecie) w całej swojej obfitości oraz twój *System Orientacji*, który jest w tobie gotowy, nie mogący się doczekać, by tobą pokierować. *Masz tylko jedną małą, choć potencjalnie transformującą rzecz do zrobienia: Musisz zacząć opowiadać swoją historię w nowy sposób. Musisz opowiedzieć ją tak, jaką chcesz, aby była.*

Gdy opowiadasz historię swego życia (a robisz to niemal przez cały dzień, każdego dnia swoimi słowami, myślami i swymi działaniami), musisz czuć się dobrze, gdy ją opowiadasz. *W każdej chwili, na każdy temat, możesz się skoncentrować w sposób pozytywny lub negatywny, gdyż w każdej cząsteczce Wszechświata – w każdej chwili w czasie i poza czasem – istnieje to, co upragnione oraz brak tego, czego się pragnie, pulsując tam po to, żebyś wybrał między jednym a drugim.* A że wybory te ciągle się tobie ukazują, masz opcje skupienia uwagi na tym, czego chcesz, albo na braku tej rzeczy w każdym temacie, ponieważ każdy temat to w istocie dwa tematy: to, czego *chcesz* lub *brak tego, czego chcesz.* Po tym, jak się czujesz, możesz poznać, na którym wyborze się właśnie koncentrujesz – i możesz nieustannie zmieniać swoje wybory.

KAŻDY TEMAT TO W ISTOCIE DWA TEMATY

Poniżej przedstawiamy przykłady, aby pomóc tobie zobaczyć, jak każdy temat to w istocie dwa tematy:

Dobrobyt/Bieda (brak dobrobytu)
Zdrowie/Choroba (brak zdrowia)
Szczęście/Smutek (brak szczęścia)

Jasność/Chaos (brak jasności)
Energiczny/Zmęczony (brak energii)
Wiedza/Zwątpienie (brak wiedzy)
Zainteresowany/Znudzony (brak zainteresowania)
Potrafię to zrobić/Nie potrafię tego zrobić
Chcę to kupić/Nie stać mnie na to
Chcę się czuć dobrze/Nie czuję się dobrze
Chcę więcej pieniędzy/Nie mam dosyć pieniędzy
Chcę więcej pieniędzy/Nie wiem, jak zdobyć więcej pieniędzy
Chcę więcej pieniędzy/Tamta osoba dostaje więcej pieniędzy,
niż powinna
Chcę być szczupły/Jestem gruby
Chcę mieć nowy samochód/Mój samochód jest stary

Gdy to czytasz, jest dla ciebie bez wątpienia oczywiste, który wybór uważamy za najlepszy w każdym z przykładów, ale jest pewna prosta i ważna rzecz, o której być może zapominasz. Istnieje tendencja, gdy się czyta taką listę, by odczuwać potrzebę wyrażania realnej prawdy na dany temat („opowiedzieć, jak to jest") zamiast wyrazić to, czego pragniesz. Ta jedna tendencja jest odpowiedzialna za większą część nieudanego tworzenia oraz osobistego nieprzyzwalania na upragnione rzeczy, bardziej niż wszelkie inne razem wzięte, tak więc przykłady i ćwiczenia zaprezentowane w tej książce zostały podane po to, by pomóc ci w przeorientowaniu się ku temu, czego *chcesz*, zamiast wyjaśniania tego, co *jest*. *Musisz zacząć opowiadać inną historię, jeśli chcesz, by* **Prawo Przyciągania** *przyniosło ci inne rzeczy.*

JAKĄ HISTORIĘ TERAZ OPOWIADAM?

Bardzo efektywny sposób na rozpoczęcie opowiadania nowej historii to słuchanie tego, co mówisz w ciągu całego dnia. Kiedy przyłapiesz się na stwierdzeniu, które jest przeciwstawne temu, czego chcesz, zatrzymaj się i powiedz: „Wiem jasno, czym jest to, czego *nie chcę*. Czego w takim razie *chcę?*". Wówczas świadomie i dobitnie wypowiedz swoją deklarację pragnienia.

Nienawidzę tego brzydkiego, niepewnego samochodu.
Chcę mieć ładny, nowy, niezawodny samochód.

Jestem gruby(a).
Chcę być szczupły(a).

Mój pracodawca mnie nie docenia.
Chcę być ceniony(a) przez mojego pracodawcę.

Wielu zaprotestuje, twierdząc, że prosta zmiana słów w zdaniu nie sprawi, że nowe błyszczące auto pojawi się na podjeździe, ani nie zmieni grubego ciała w szczupłe, ani też twój pracodawca nie zacznie nagle ciebie traktować inaczej – ale mogą się mylić. Gdy świadomie się skupisz na upragnionym przedmiocie, często głosząc to, co *chcesz*, by zaistniało, to w miarę upływu czasu zaczniesz doświadczać rzeczywistej zmiany w tym, jak odczuwasz dany temat, co oznacza wibracyjną przemianę.

*Gdy twoja wibracja się zmienia, zmienia się twój punkt przyciągania i, poprzez **Prawo Przyciągania**, twój manifestacyjny dowód albo wskaźnik musi się również zmienić. Nie możesz, mówiąc wciąż o rzeczach, których chcesz doświadczyć w swoim życiu, nie otrzymać ich od Wszechświata.*

PROCES ORIENTOWANIA
MOŻE PRZEORIENTOWAĆ MOJE ŻYCIE

Proces Orientowania jest świadomym rozpoznaniem tego, że każdy temat to w istocie dwa tematy, a następnie celowym mówieniem lub myśleniem o *upragnionych* aspektach tego przedmiotu. *Orientowanie** pomoże ci w aktywowaniu w sobie aspektów, których pragniesz względem tych przedmiotów; a gdy raz to osiągniesz, esencja rzeczy, których pragniesz, we wszystkich tematach, musi pojawić się w twoim doświadczeniu.

Ważne jest wyjaśnienie, jakie musimy tu zrobić: jeśli używasz słów, które wyrażają coś, czego pragniesz, jednocześnie czując *zwątpienie* co do własnych słów, twoje *słowa* nie przyniosą ci tego, czego chcesz, ponieważ to, co *czujesz*, jest prawdziwym wskaźnikiem twórczego ukierunkowania twojej myśli-wibracji. **Prawo Przyciągania** *nie odpowiada na twoje słowa, ale na wibrację, jaka z ciebie emanuje.*

Jednakże, skoro nie możesz mówić o tym, czego *chcesz* oraz o tym, czego *nie chcesz* jednocześnie, im więcej mówisz o tym, czego *chcesz*, wówczas tym rzadziej mówisz o tym, czego *nie chcesz*. A jeśli traktujesz poważnie mówienie o tym tak, jak chcesz, aby było, zamiast o tym, co jest, z czasem (i zwykle raczej w krótkim czasie) zmienisz równowagę swojej wibracji. Jeśli mówisz o tym dostatecznie często, zaczniesz odczuwać to, co mówisz.

Ale jest jeszcze coś bardziej potężnego w tym *Procesie Orientowania*: *gdy życie wydaje się negatywnie zorientowane w stronę braku czegoś, czego pragniesz i kiedy czynisz deklarację: „Wiem, czego* **nie chcę**, *a więc czego* **chcę**?*", przywołujesz z głębi siebie odpowiedź na to pytanie, i w tym właśnie momencie dokonuje się wibracyjna przemiana.* **Orientowanie** *jest potężnym narzędziem, które nieustannie ulepsza twoje życie.*

---

* w sensie ukierunkowywania – od tłumacza

JESTEM TWÓRCĄ SWEGO ŻYCIOWEGO DOŚWIADCZENIA

Jesteś twórcą swego życiowego doświadczenia, a ponieważ nim jesteś, ważne jest zrozumienie, że tworzysz nie z racji twego działania – a nawet nie z racji tego, co mówisz. Tworzysz dzięki myśli, jaką prezentujesz. *Nie możesz mówić ani przejawiać działania bez towarzyszącej temu jednocześnie myśli-wibracji; jednakże często prezentujesz myśl-wibrację słów ani działania. Dzieci i niemowlęta uczą się naśladowania wibracji dorosłych, którzy je otaczają, na długo przedtem, zanim nauczą się naśladować ich słowa.*

Każda myśl, jaka się pojawia w tym umyśle, posiada swoją własną wibracyjną częstotliwość. Każda myśl, jaką prezentujesz, czy pochodzi z twej pamięci, czy powstaje pod wpływem kogoś innego, czy też jest to myśl, która stała się kombinacją czegoś, co *ty* myślisz i tego, co myśli *ktoś inny* – każda myśl, jaką myślisz *teraz* – wibruje na bardzo osobistej częstotliwości... a dzięki bardzo potężnemu *Prawu Przyciągania* (przyciągana jest esencja tego, co jest podobne), owa myśl przyciąga teraz inną myśl, która jest jej Wibracyjnym Odpowiednikiem. I oto teraz te połączone myśli wibrują na częstotliwości, która jest wyższa od myśli, która przyszła wcześniej; i teraz będą one przyciągać, poprzez *Prawo Przyciągania*, następne i następne, i następne aż w końcu myśli staną się na tyle potężne, by przyciągnąć określoną sytuację czy też manifestację (w sensie urzeczywistnienia – od tłumacza) w „prawdziwym życiu".

Wszyscy ludzie, okoliczności, zdarzenia i sytuacje są przyciągani do ciebie siłą myśli, które myślisz. Gdy raz zrozumiesz, że dosłownie myślisz i wibrujesz powołując rzeczy do istnienia, możesz odkryć w sobie nowe rozwiązanie, żeby bardziej celowo kierować swoimi myślami.

ZHARMONIZOWANE MYŚLI TO MYŚLI, KTÓRE DAJĄ DOBRE SAMOPOCZUCIE

Wielu ludzi wierzy, że ich Istnienie to znacznie więcej, niż ich fizyczna rzeczywistość ciała, krwi i kości osoby, jaką widzą w lustrze. Gdy zmagają się ze sposobami określenia tej szerszej części siebie, używają słów takich jak *Dusza*, *Źródło* lub *Bóg*. Odnosimy się do tej szerszej, starszej, mądrzejszej części ciebie jako do twojej *Wewnętrznej Istoty*, ale określenie, jakie wybieramy do określenia tej Wiecznej części ciebie, nie jest istotne. Najbardziej znaczące jest to, abyś zrozumiał, że twoje szersze *Ja* istnieje, i będzie istnieć wiecznie i odgrywa bardzo wielką rolę w doświadczeniu, jakie przeżywasz na planecie Ziemia.

Każda myśl, słowo lub czyn, jaki prezentujesz, jest odgrywany na tle Szerszej Perspektywy. Rzeczywiście, powodem, dla którego w każdej chwili jasnego rozumienia, czego *nie chcesz*, dobitnie uświadamiasz sobie, czego *chcesz*, jest to, że szersza część ciebie kieruje niepodzielną uwagę ku temu, czego naprawdę *chcesz*.

Gdy dokonujesz świadomego wysiłku, aby kierować swoimi myślami, dzień po dniu, coraz bardziej ku temu, czego *chcesz*, zaczniesz czuć się coraz lepiej i lepiej, ponieważ wibracja, jaka jest aktywowana przez twoje myśli budzące lepsze samopoczucie, będzie bliższym odpowiednikiem wibracji szerszej Nie-Fizycznej części ciebie. Twoje pragnienie, by mieć myśli, które budzą dobre uczucia, poprowadzi ciebie ku harmonii z Szerszą Perspektywą twojej *Wewnętrznej Istoty*. W istocie, nie jest możliwe, abyś czuł się naprawdę dobrze w każdej chwili, dopóki myśli, które myślisz właśnie teraz, nie staną się Wibracyjnym Odpowiednikiem myśli twojej *Wewnętrznej Istoty*.

Na przykład, twoja *Wewnętrzna Istota* koncentruje się na twojej wartości – gdy identyfikujesz w sobie jakąś wadę, negatywna emocja, jaką odczuwasz, dotyczy wibracyjnego dysonansu lub oporu. Twoja *Wewnętrzna Istota* wybiera skupienie się jedynie na tym, do czego może żywić miłość – gdy koncentrujesz się na pewnym aspekcie kogoś lub czegoś, czego nie znosisz, skoncentrowałeś się wbrew wibracyjnej harmonii ze swoją *Wewnętrzną Istotą*. Twoja *Wewnętrzna Istota* skupia się jedynie na twoim sukcesie – gdy decydujesz się widzieć coś jako porażkę, jesteś w dysharmonii z perspektywą twojej *Wewnętrznej Istoty*.

PATRZĄC NA ŚWIAT OCZYMA ŹRÓDŁA

Poprzez wybieranie myśli budzących lepsze uczucia i poprzez mówienie częściej o tym, czego *chcesz*, a rzadziej o tym, czego *nie chcesz*, łagodnie dostroisz się do wibracyjnej częstotliwości swojej szerszej, mądrzejszej *Wewnętrznej Istoty*. Osiągnięcie wibracyjnej harmonii z tą Szerszą Perspektywą, przeżywając jednocześnie własne fizyczne doświadczenie życia, jest prawdziwie najlepszym ze wszystkich światów, ponieważ gdy osiągasz wibracyjne zharmonizowanie z tą Szerszą Perspektywą, wówczas zaczynasz widzieć swój świat z tej Szerszej Perspektywy. *Widzenie świata poprzez oczy Źródła jest naprawdę najbardziej spektakularnym widzeniem życia, gdyż z tego wibracyjnego punktu widzenia, jesteś w harmonii jedynie – i stąd także w procesie przyciągania – z tym, co możesz uznać za najlepsze w twoim świecie.*

Esther, kobieta, która przekłada wibracje Abrahama na słowa mówione i pisane, czyni to poprzez osiągnięcie stanu relaksu i celowe przyzwolenie na to, aby jej własna wibracja się podniosła, aż zharmonizuje się z Nie-Fizyczną wibracją Abrahama. Czyni tak już od wielu lat i stało się to dla niej czynnością bardzo naturalną. Dawno temu zrozumiała zalety zharmonizowania swej wibracji tak, aby mogła skutecznie przełożyć naszą wiedzę innym fizycznym przyjaciołom, jednak nie rozumiała naprawdę innej wspaniałej korzyści tego zharmonizowania, aż do pewnego pięknego wiosennego poranka, gdy schodziła sama po podjeździe, by otworzyć bramę swojemu mężowi, który podjeżdżał właśnie samochodem.

Gdy stała tam czekając, patrzyła w górę na niebo i odkryła, że było piękniejsze niż kiedykolwiek: miało bogatą barwę, a kontrast tego olśniewającego niebieskiego nieba i uderzająco białych chmur były dla niej zdumiewające. Mogła usłyszeć słodką pieśń ptaków, które były tak daleko, że nie mogła ich dostrzec, ale ich piękne brzmienie sprawiło, że słysząc je zaczęła drżeć z podniecenia. Brzmiało to tak, jakby były tuż nad jej głową lub jakby siedziały jej na ramieniu. Wówczas uświadomiła sobie liczne rozkoszne zapachy napływające z kwiatów, roślin i ziemi, poruszające się z wiatrem i otulające ją całą. Poczuła się pełna życia i tak szczęśliwa, zakochana w swym pięknym świecie. I rzekła natychmiast na głos: „Nie było nigdy, w całym Wszechświecie, piękniejszej chwili niż ta, właśnie tu, właśnie teraz!".

I wtedy powiedziała: „Abraham, to *wy*, prawda?". I uśmiechnęliśmy się szeroko poprzez jej usta, ponieważ przyłapała nas na tym, że patrzymy poprzez jej oczy, słyszymy poprzez jej uszy, węszymy poprzez jej nos, odczuwamy poprzez jej skórę.

„W istocie", powiedzieliśmy, „cieszymy się cudownością twego fizycznego świata poprzez twoje fizyczne ciało".

Takie chwile w twym życiu, gdy czujesz absolutne rozradowanie są momentami całkowitej harmonii ze Źródłem w tobie. Chwile, gdy odczuwasz przemożny pociąg ku jakiejś idei, albo żywe zainteresowanie, są również momentami całkowitego zharmonizowania. W istocie, im lepiej się czujesz, tym większe jest twe zharmonizowanie z twoim Źródłem – z tym, *kim-jesteś-naprawdę*.

To zharmonizowanie z twoją Szerszą Perspektywą nie tylko pozwoli ci szybciej osiągnąć wielkie rzeczy, których pragniesz w życiu – jak wspaniałe związki, satysfakcjonująca kariera oraz środki na to, by robić rzeczy, które naprawdę chcesz robić – ale to świadome zestrojenie wzmocni i upiększy każdą chwilę twego dnia. *Gdy zestrajasz się z perspektywą swej Wewnętrznej Istoty, twoje dni będą wypełnione wspaniałymi chwilami jasności, satysfakcji i miłości.*

A to jest naprawdę sposób, w jaki zamierzałeś żyć, będąc tutaj w tym wspaniałym miejscu, tym wspaniałym czasie i w tym wspaniałym ciele.

MOGĘ ŚWIADOMIE WYBRAĆ LEPSZE SAMOPOCZUCIE

Przyczyną, dla której Esther była w stanie przyzwolić na to, aby szersza perspektywa Abrahama przez nią przepływała, dając jej tak cudowne doświadczenie, było to, że zaczęła tego dnia szukać powodów, by czuć się dobrze. Szukała pierwszej rzeczy, która mogłaby budzić dobre samopoczucie, jeszcze leżąc w swoim łóżku, a ta myśl budząca dobre odczucia przyciągała następne i następne i następne, i następne, i następne, aż w chwili, gdy doszła do bramy (co miało miejsce mniej więcej dwie godziny później), wskutek jej *świadomego* wyboru myśli, doprowadziła swoją wibracyjną częstotliwość do poziomu, który niemal odpowiadał jej *Wewnętrznej Istocie*, tak, aby jej *Wewnętrzna Istota* mogła łatwo z nią wzajemnie oddziaływać.

Nie tylko myśl, którą teraz wybierasz, przyciąga następną i następną... i tak dalej – daje ona również podstawę twojemu zharmonizowaniu z twoją **Wewnętrzną Istotą.** *Gdy konsekwentnie i świadomie myślisz i mówisz więcej o tym, czego chcesz, a mniej o tym, czego nie chcesz, znajdziesz się częściej w harmonii z tą czystą, pozytywną esencją swego własnego Źródła; a w tych warunkach, twoje życie stanie się dla ciebie wyjątkowo przyjemne.*

CZY CHOROBA MOŻE BYĆ SPOWODOWANA NEGATYWNĄ EMOCJĄ?

Doświadczenie Esther u bramy zostało dramatycznie wzmocnione przez jej wibracyjne zharmonizowanie ze swym Źródłem i tym samym z absolutnym Dobrostanem. Innymi słowy, choroba czy niedomaganie, czy też brak Dobrostanu, zachodzą wówczas, gdy wibracyjnie nie dopuszczasz do swego zharmonizowania z Dobrostanem.

Kiedykolwiek doświadczałeś negatywnej emocji (*strachu, zwątpienia, frustracji, osamotnienia* itd.), odczuwanie owej negatywnej emocji było rezultatem twojej myśli, która nie wibrowała częstotliwością będącą w harmonii z twoją *Wewnętrzną Istotą*. Poprzez wszystkie twoje życiowe doświadczenia – fizyczne i Nie-Fizyczne – twoja *Wewnętrzna Istota*, albo twoje *Całkowite Ja*, ewoluowało do stanu *wiedzy*. Tak więc, kiedykolwiek świadomie skupiasz się na myśli, która nie harmonizuje z wiedzą, do jakiej doszła twoja *Wewnętrzna Istota* – wynikające stąd uczucie będzie jedną z emocji negatywnych.

Gdybyś usiadł na swych stopach i zablokował w tym miejscu cyrkulację krwi, albo gdybyś założył wokół swej szyi opaskę zaciskającą i ograniczył w ten sposób dopływ tlenu, poczułbyś natychmiastowy sygnał tego ograniczenia. W podobny sposób, gdy w swym umyśle utrzymujesz myśli, które nie są w harmonii z myślami twojej *Wewnętrznej Istoty*, przepływ *Siły Życiowej* lub *Energii*, która wpływa do twego fizycznego ciała staje się stłumiony lub ograniczony – a rezultatem tego ograniczenia jest właśnie to, że odczuwasz emocję negatywną. *Gdy dopuszczasz do tego, że emocje negatywne trwają przez dłuższy okres, często doświadczasz pogorszenia stanu swego ciała fizycznego.*

Pamiętaj, każdy temat lub obiekt to w istocie dwa tematy: to, *czego chcesz* lub *brak tego, czego chcesz.* Jest to jak podniesienie kija o dwóch końcach: jeden reprezentuje to, czego chcesz, drugi reprezentuje to, czego nie chcesz. A więc kij zwany „Fizycznym Dobrostanem" posiada „Dobrostan" na jednym końcu, a „chorobę" na drugim. Jednak ludzie nie doświadczają „choroby" jedynie dlatego, że patrzą na negatywny koniec „Fizycznego Dobrostanu", ale dlatego, że patrzyli na koniec symbolizujący „Wiem, czego *nie chcę*" wielu, *wielu* takich kijów.

Gdy *twoja* uwaga chronicznie skłania się ku temu, czego *nie chcesz* – podczas gdy uwaga twojej *Wewnętrznej Istoty* jest nieustannie kierowana ku temu, czego *chcesz* – z czasem tworzysz wibracyjną separację między sobą a twoją *Wewnętrzną Istotą* i tym właśnie jest choroba: separacją (spowodowaną doborem twoich myśli) pomiędzy tobą a twoją *Wewnętrzną Istotą*.

ORIENTOWANIE OD ZŁEGO
DO DOBREGO SAMOPOCZUCIA

Każdy chce się czuć dobrze, ale większość ludzi wierzy, że wszystko wokół nich musi im sprawiać przyjemność, *zanim* będą mogli się dobrze poczuć. W rzeczywistości, większość ludzi czuje się tak, jak się czuje w każdym momencie, z powodu czegoś, co obserwują. Jeśli to, co obserwują, im odpowiada, czują się dobrze, ale jeśli to, co obserwują, im nie odpowiada, czują się źle. Większość ludzi czuje się całkiem bezradna, jeśli chodzi o utrzymanie dobrego samopoczucia, ponieważ wierzą, że warunki wokół nich muszą się zmienić, by mogli czuć się dobrze, a wierzą też, że nie posiadają wystarczającej mocy, by zmienić większość z nich.

Jednakże, z chwilą, gdy zrozumiesz, że każdy temat, to w istocie dwa tematy – to, co upragnione oraz jego brak – możesz nauczyć się, jak dostrzegać więcej pozytywnych aspektów czegokolwiek, na co zwracasz swoją uwagę. *To naprawdę wszystko, czego dotyczy Proces Orientowania: świadome poszukanie pozytywniejszej strony – strony dającej lepsze samopoczucie – podchodząc do czegokolwiek, na co zwracasz swoją uwagę.*

Gdy stajesz przed niechcianą sytuacją i w związku z tym czujesz się źle, gdy powiesz celowo: „Wiem, czego *nie chcę*... Czym jest to, czego *chcę*?", wibracja twojej Istoty, na którą wpływa punkt twojej koncentracji, lekko się zmieni, powodując, że punkt twojej koncentracji zmieni się również. To jest sposób, w jaki zaczynasz opowiadać inną historię o swoim życiu. Zamiast mówić: „Nigdy nie mam dostatecznie dużo pieniędzy", mówisz: „Oczekuję, że będę mieć więcej pieniędzy". To jest właśnie inna historia – bardzo odmienna wibracja i bardzo odmienne uczucie, które z czasem przyniesie bardzo odmienny rezultat.

Pytając dalej, ze swojego nieustannie zmieniającego się punktu widzenia „Czym jest to, czego rzeczywiście chcę?", w końcu znajdziesz się w bardzo satysfakcjonującym miejscu – ponieważ nie możesz wciąż pytać siebie, czym jest to, czego chcesz, bez zainicjowania procesu zmiany swego punktu przyciągania w tym kierunku... Ten proces będzie stopniowy, ale twoje stałe stosowanie tego procesu przyniesie wspaniałe rezultaty w ciągu zaledwie kilku dni.

CZY JESTEM W HARMONII
Z MOIM PRAGNIENIEM?

A więc *Proces Orientowania* polega po prostu na tym: Kiedykolwiek zauważysz, że odczuwasz negatywną emocję (co jest w istocie odczuciem braku harmonii z czymś, czego pragniesz), oczywistą rzeczą do zrobienia będzie zatrzymanie się i stwierdzenie: *Odczuwam negatywną emocję, co oznacza, że nie jestem w harmonii z czymś, czego pragnę. Czego więc pragnę?*

Za każdym razem, gdy odczujesz negatywną emocję, jesteś w bardzo dobrym położeniu, żeby zidentyfikować, czego pragniesz w owej chwili – ponieważ nigdy nie masz większej jasności co do tego, czego *chcesz*, niż w chwili, gdy doświadczasz tego, czego *nie* chcesz. A więc zatrzymaj się i powiedz: *Dzieje się tu coś ważnego; inaczej nie odczuwałbym tej negatywnej emocji. Czym jest to, czego pragnę?* A wtedy po prostu skieruj swoją uwagę na to, czego chcesz.

...W chwili, gdy skierujesz uwagę na to, czego chcesz, negatywne przyciąganie zostanie zatrzymane; a gdy negatywne przyciąganie zostanie zatrzymane, rozpocznie się pozytywne przyciąganie. I – w tejże chwili – twoje samopoczucie zmieni się z niedobrego samopoczucia na dobre samopoczucie. To jest właśnie **Proces Ukierunkowywania.**

CZEGO PRAGNĘ I DLACZEGO?

Być może największy opór, jaki mają ludzie przed rozpoczęciem opowiadania innej historii o swoim życiu polega na ich przekonaniu, że powinni zawsze mówić „prawdę" o tym, gdzie się znajdują i że powinni „opowiadać tak, jak jest". Ale gdy zrozumiesz, że *Prawo Przyciągania* odpowiada, gdy opowiadasz swoją historię o tym, „jak jest", a tym samym ją powiela, jaka by ona nie była – możesz zdecydować, że leży naprawdę w twoim interesie, by opowiedzieć odmienną historię, historię, która bardziej odpowiada temu, co chciałbyś *teraz* przeżyć. Gdy rozpoznasz, czego *nie* chcesz, a wówczas spytasz siebie: „Czego więc *chcę?"*, rozpoczniesz stopniową zmianę ku swej nowej historii i bardzo ulepszony punkt przyciągania.

*Zawsze pomocne jest, byś pamiętał, że otrzymujesz esencję tego, o czym myślisz – niezależnie, czy tego chcesz, czy nie – ponieważ **Prawo Przyciągania** jest niezawodnie konsekwentne. Tak więc nigdy nie opowiadasz historii jedynie o tym, „jak jest teraz". Opowiadasz także historię o przyszłym doświadczeniu, które właśnie teraz tworzysz.*

Czasem ludzie niewłaściwie rozumieją, na czym polega *Proces Orientowania**, ponieważ mylnie przypuszczają, że *Orientowanie* oznacza obserwowanie tego, co jest *niechciane* i przekonywanie siebie, że *jest* to chciane. Myślą, że prosimy ich, aby widząc coś, co jak wierzą, jest *złe* i określali to jako *słuszne* albo że jest to sposób na oszukanie siebie, by zaakceptować jakąś niechcianą rzecz. Ale nigdy nie ma sytuacji, w których mógłbyś *oszukać* siebie samego na tyle, by odczuwać coś w lepszy sposób, ponieważ to, jak odczuwasz, jest tym, co czujesz, a to, co czujesz, jest zawsze rezultatem myśli, jaką wybrałeś.

Jest naprawdę wspaniałą rzeczą, że poprzez proces przeżywania życia i dostrzegania rzeczy wokół siebie, których *nie chcesz*, możesz sobie jasno uświadomić to, czego *chcesz*. A gdy dbasz o to,

---

*rozumiany jako *ukierunkowywanie* – przyp. tłumacza

jak się czujesz, możesz łatwo zastosować *Proces Orientowania*, żeby skierować swoją uwagę coraz bardziej ku *upragnionym* aspektom, a coraz mniej ku *niechcianym* aspektom życia. A wtedy, gdy *Prawo Przyciągania* odpowiada na twoje coraz lepsze, budzące dobre uczucia myśli, zauważysz, jak twoje własne doświadczenie życia przekształca się, by dopasować się do tych *upragnionych* aspektów, podczas gdy *niechciane* aspekty stopniowo zanikają w twym doświadczeniu.

Gdy celowo stosujesz **Proces Orientowania**, *co oznacza, że świadomie wybierasz swoje myśli, co oznacza, że świadomie wybierasz swój wibracyjny punkt przyciągania, wówczas świadomie wybierasz to, w jaki sposób rozwija się twoje życie.* Orientowanie jest procesem celowego koncentrowania twojej uwagi z intencją kierowania twym własnym doświadczeniem.

JUŻ TERAZ MOGĘ POCZUĆ SIĘ LEPIEJ

Ludzie często skarżą się, że byłoby im dużo łatwiej skoncentrować na czymś pozytywnym, gdyby miało to już miejsce w ich doświadczeniu życia. Trafnie uważają, że jest dużo łatwiej czuć się dobrze w stosunku do czegoś, kiedy coś dobrego już się wydarza. Zgadzamy się z pewnością, że jest łatwiej czuć się dobrze dostrzegając rzeczy, które według ciebie są dobre. Ale jeśli wierzysz, że masz jedynie zdolność skupienia się na tym, co się właśnie *wydarza* i jeśli to, co się *wydarza*, nie jest przyjemne, wówczas możesz czekać przez całe życie, ponieważ twoja uwaga skierowana na rzeczy *niechciane*, powstrzymuje rzeczy *chciane* przed pojawieniem się.

Nie musisz czekać, aż dobra rzecz się wydarzy, żeby poczuć się dobrze, gdyż posiadasz zdolność pokierowania swymi myślami ku czemuś lepszemu bez względu na to, co się obecnie dzieje w twoim doświadczeniu. A gdy dbasz o to, jak się czujesz i jesteś gotów dokonać przeorientowania i skierowania swej uwagi na myśli budzące lepsze odczucia, szybko rozpoczniesz pozytywną, celową transformację swojego życia.

Wszystko, co pojawia się w twoim doświadczeniu, przychodzi w odpowiedzi na twoją wibrację. Twoja wibracja powstaje wskutek myśli, jakie myślisz, a dzięki temu, jak się czujesz, możesz określić, jakiego rodzaju są to myśli. Znajdź myśli budzące dobre samopoczucie, a dająca dobre uczucia manifestacja będzie musiała być ich następstwem.

Wielu ludzi mawia: „Byłoby mi o tyle łatwiej być szczęśliwym, gdybym żył w innym miejscu, gdyby mój partner był łatwiejszy we współżyciu, gdyby moje fizyczne ciało nie bolało lub gdyby wyglądało inaczej, gdyby moja praca była bardziej satysfakcjonująca, gdybym miał więcej pieniędzy... Gdyby warunki mego życia były lepsze, czułbym się lepiej, a wtedy byłoby mi łatwiej mieć pozytywne myśli".

Patrzenie na rzeczy przyjemne daje dobre samopoczucie i jest łatwiej czuć się dobrze, gdy przyjemna rzecz jest obecna i łatwo dostrzegalna – ale nie możesz prosić innych wokół ciebie, aby odgrywali tylko to, co jest dla ciebie przyjemne. Oczekiwanie od innych, że zapewnią ci doskonałe otoczenie nie jest dobrym pomysłem, z wielu powodów: 1. Nie jest ich zadaniem wicie twego gniazda; 2. Nie mają możliwości kontrolowania warunków, jakie sobie stworzyłeś; i 3. Co najważniejsze, rezygnowałbyś ze swej mocy tworzenia własnego doświadczenia.

Podejmij decyzję, aby szukać dających najlepsze samopoczucie aspektów tego, na cokolwiek zwracasz swoją uwagę, a w innym przypadku szukaj po prostu rzeczy dających dobre samopoczucie, by się na nich koncentrować – a twoje życie stanie się coraz bardziej życiem aspektów budzących dobre samopoczucie.

UWAGA KIEROWANA KU RZECZOM NIECHCIANYM PRZYCIĄGA WIĘCEJ RZECZY NIECHCIANYCH

Dla każdej przyjemnej rzeczy istnieje nieprzyjemne przeciwieństwo, gdyż w każdej cząsteczce Wszechświata istnieje zarówno to, co jest chcia-

ne, jak i brak tego, co jest chciane. Gdy koncentrujesz się na niechcianym aspekcie czegoś, starając się odepchnąć to od siebie, to owa rzecz się jedynie przybliża, gdyż otrzymujesz dokładnie to, na co zwracasz uwagę, bez względu na to, czy jest to coś, czego chcesz, czy też nie.

Żyjesz we Wszechświecie opartym na „włączeniu". Innymi słowy, nie istnieje takie zjawisko jak „wykluczenie" w tym Wszechświecie „opartym na włączeniu". Gdy widzisz coś, czego pragniesz, mówisz temu: „Tak, to jest to, czego pragnę, proszę, przyjdź do mnie". Gdy widzisz coś, czego nie chcesz i krzyczysz temu „nie", jest to odpowiednikiem powiedzenia: „Chodź do mnie, przedmiocie, którego nie chcę!".

We wszystkim, co ciebie otacza, znajduje się *to, co upragnione* oraz *to, co niechciane.* Od ciebie zależy, czy się skoncentrujesz na tym, co upragnione. Patrz na swoje otoczenie jak na kredens pełen licznych wyborów i uczyń swoje wybory dotyczące tego, o czym myślisz, bardziej świadomymi. Jeśli spróbujesz wybrać to, co budzi w tobie dobre odczucia, gdy czynisz wysiłek, by opowiedzieć inną historię o swoim życiu oraz ludziach i sytuacjach w nim, ujrzysz, jak twoje życie zaczyna się przekształcać, by dopasować się do esencji szczegółów nowej, ulepszonej historii, jaką opowiadasz.

CZY KONCENTRUJĘ SIĘ NA TYM, CZEGO CHCĘ, CZY NA TYM, CZEGO NIE CHCĘ?

Czasem wierzysz, że koncentrujesz się na tym, czego chcesz, podczas gdy w rzeczywistości jest wręcz przeciwnie. Sam fakt, że twoje słowa brzmią pozytywnie lub twoje usta się uśmiechają, gdy je wypowiadasz, nie oznacza, że wibrujesz po pozytywnej stronie kija. Jedynie poprzez świadomość tego, co *czujesz* podczas wypowiadania tych słów, możesz mieć pewność, że prezentujesz wibrację dotyczącą tego, czego *chcesz,* zamiast tego, czego *nie chcesz.*

SKONCENTRUJ SIĘ NA ROZWIĄZANIU, A NIE NA PROBLEMIE

W czasie „poważnej suszy", jak nazwał to telewizyjny prezenter od pogody, nasza przyjaciółka Esther schodziła ścieżkami swojej posiadłości Texas Hill Country, dostrzegając wysuszenie traw i martwiąc się o dobry stan pięknych drzew i krzewów, które zaczęły objawiać skutki braku deszczu. Zauważyła, że poidło dla ptaków było puste, chociaż napełniła je wodą zaledwie kilka godzin wcześniej i pomyślała o spragnionym jeleniu, który najpewniej przeskoczył przez płot, by wypić niewielką ilość wody, jaka się w nim znajdowała. I tak, gdy zastanawiała się nad powagą sytuacji, zatrzymała się spoglądając w górę i – bardzo pozytywnym głosem, bardzo pozytywnie brzmiącymi słowami, powiedziała: „Abraham, chcę trochę deszczu".

A my natychmiast odpowiedzieliśmy: „Doprawdy, czy sądzisz, że z tej pozycji braku otrzymasz deszcz?".

„Co robię źle?", zapytała.

A my odrzekliśmy: *„Dlaczego* chcesz deszczu?".

A Esther odparła: „Pragnę deszczu, ponieważ odświeża ziemię. Pragnę deszczu, ponieważ daje wszystkim stworzeniom wśród krzewów wodę, tak więc mają dostateczną ilość wody by pić. Pragnę tego, ponieważ czyni trawę zieloną i sprawia mi radość, gdy czuję go na skórze oraz sprawia, że czujemy się lepiej".

A my odpowiedzieliśmy: „Teraz właśnie przyciągasz deszcz".

Nasze pytanie *„Dlaczego* chcesz deszczu?" pomogło Esther w wycofaniu uwagi z *problemu* i zwróceniu jej ku *rozwiązaniu.* Gdy rozważasz, dlaczego czegoś chcesz, twoja wibracja zwykle się zmienia i *przeorientowuje* w kierunku twego pragnienia. Kiedykolwiek zastanawiasz się, *jak* to się zdarzy lub *kiedy,* albo *kto* to przyniesie, twoja wibracja zwykle zwraca się na nowo ku problemowi.

Widzisz, w procesie wycofywania jej uwagi z tego, co było źle – poprzez zapytanie jej, *dlaczego* chciała deszczu – osiągnęła *przeorien-*

towanie. Zaczęła myśleć nie tylko o tym, *czego* chciała, ale *dlaczego* tego chciała; a podczas tego procesu zaczęła czuć się lepiej. Tego popołudnia padało, a tego samego wieczoru lokalny prezenter pogodowy doniósł: „niezwykła burza nad Hill Country".

Wasze myśli są potężne, a wy posiadacie o wiele więcej kontroli nad swym doświadczeniem, niż większość z was przypuszcza.

TO, CZEGO *CHCĘ*, TO CZUĆ SIĘ DOBRZE

Młody ojciec znalazł się w kłopotliwej sytuacji, ponieważ jego mały synek moczył łóżko każdej nocy. Ów ojciec był nie tylko sfrustrowany w związku z fizycznym zakłóceniem, jakim było znajdowanie mokrej pościeli i piżamy każdego ranka, ale martwił się emocjonalnymi konsekwencjami faktu, że trwało to tak długo. I prawdę mówiąc, był zakłopotany zachowaniem syna. „Jest na to za duży", skarżył się nam.

Zapytaliśmy: „Co się dzieje, gdy wchodzisz rano do sypialni?".

„Gdy tylko wchodzę do jego pokoju, mogę już po zapachu stwierdzić, że znowu zmoczył łóżko", odpowiedział.

„A jak się wtedy czujesz?", zapytaliśmy.

„Bezradny, rozgniewany, sfrustrowany. Trwa to od tak dawna i nie wiem, co z tym zrobić".

„Co mówisz swojemu synowi?"

„Mówię mu, żeby zdjął tę mokrą piżamę i wszedł do wanny. Mówię mu, że jest za duży na to i że już o tym wcześniej rozmawialiśmy".

Powiedzieliśmy temu ojcu, że w rzeczywistości przedłużał tylko to nocne moczenie. Wyjaśniliśmy mu: Jeśli *to, jak się czujesz, jest kontrolowane przez warunki zewnętrzne, wówczas nigdy nie możesz wpłynąć na zmianę warunków; ale gdy jesteś w stanie kontrolować to, jak się czujesz, wówczas posiadasz moc, by wpłynąć na zmianę tych warunków.* Na przykład, gdy wchodzisz do pokoju syna i uświadamiasz sobie, że coś, czego nie chciałeś, się wydarzyło, gdybyś zatrzymał się na moment i przyznał, że zdarzyła się rzecz, której nie chcesz, zapytując siebie, czym jest to, czego chcesz i następnie wzmocnił tę stronę orientującego równania poprzez spytanie siebie, dlaczego tego chcesz – nie tylko poczułbyś się od razu lepiej, ale w krótkim czasie zacząłbyś widzieć rezultaty swojego pozytywnego wpływu.

„Czego chcesz?", zapytaliśmy.

Odpowiedział: „Chcę, aby mój mały budził się rano szczęśliwy i suchy, i dumny z siebie, i żeby nie był zakłopotany".

Ów ojciec poczuł ulgę, gdy skoncentrował się na tym, czego pragnął, ponieważ w tym staraniu odnalazł harmonię ze swym pragnieniem. Powiedzieliśmy mu: „Gdy masz tego rodzaju myśli, wówczas to, co z ciebie wypływa, będzie w harmonii z tym, czego chcesz, zamiast z tym, czego nie chcesz i będziesz bardziej pozytywnie wpływał na swojego syna. Wówczas wypowiesz słowa, takie jak: „Och, to jest element dorastania. Wszyscy przez to przechodziliśmy, a ty rośniesz bardzo szybko. A teraz zdejmij to mokre ubranie i wejdź do wanny". Ów młody ojciec zadzwonił niedługo potem i radośnie oznajmił, że nocne moczenie minęło...

KIEDYKOLWIEK CZUJĘ SIĘ ŹLE, PRZYCIĄGAM TO, CZEGO NIE CHCĘ

Choć niemal każdy jest świadomy, w jak zróżnicowanym stopniu się czuje, niewielu rozumie, jak ważnego przewodnictwa dostarczają te uczucia lub emocje. Najprościej mówiąc: *Kiedykolwiek czujesz się źle, jesteś w procesie przyciągania czegoś, co ci nie będzie odpowiadało. Bez wyjątku, powodem negatywnej emocji jest to, że jesteś skoncentrowany na czymś, czego nie chcesz lub na braku lub nieobecności czegoś, czego chcesz.*

Wielu postrzega negatywną emocję jako coś niechcianego, ale my wolimy widzieć ją jako istotną wskazówkę, która ma ci pomóc w zrozumieniu ukierunkowania twojej uwagi... Tym samym, ukierunkowania twej wibracji... tym samym, ukierunkowania tego, co przyciągasz. Mógłbyś to nazwać „dzwonkiem alarmowym", ponieważ z pewnością daje ci ona sygnał, byś wiedział, że czas na przeorientowanie, ale my wolimy to nazwać „dzwonkiem-doradcą".

Twoje emocje są twoim *Systemem Przewodnictwa*, żeby dopomóc ci w rozumieniu tego, co właśnie tworzysz każdą myślą, jaką masz w umyśle. Często ludzie, którzy zaczynają rozumieć potęgę myśli i wagę koncentrowania się na obiektach dających dobre samopoczucie, są zakłopotani, a nawet rozgniewani na siebie, gdy pogrążają się w negatywnych emocjach, ale nie ma powodu, aby być na siebie złym za to, że posiada się doskonale funkcjonujący *System Przewodnictwa*.

Kiedykolwiek uświadamiasz sobie, że odczuwasz negatywne emocje, zacznij gratulować sobie, że jesteś świadomy swego Przewodnictwa, a następnie spróbuj łagodnie poprawić swoje odczucia wybierając myśli, które dają lepsze samopoczucie. Nazwalibyśmy to bardzo subtelnym Procesem Przeorientowania, za pomocą którego łagodnie wybierasz myśli budzące lepsze uczucia.

Kiedykolwiek odczuwasz negatywną emocję, mógłbyś sobie powiedzieć: *Odczuwam pewną negatywną emocję, co oznacza, że jestem w trakcie procesu przyciągania czegoś, czego nie chcę. Czego więc chcę?*

Często samo uznanie, że „chcesz się czuć dobrze" pomoże ci zwrócić swoje myśli w kierunku dającym lepsze samopoczucie. Ale jest ważne, aby zrozumieć różnicę między „pragnieniem, by czuć się dobrze, a „niechceniem, by czuć się źle". Niektórzy ludzie myślą, że są to po prostu dwa sposoby na określenie tej samej rzeczy, podczas gdy w rzeczywistości te stwierdzenia są przeciwstawne, posiadając ogromną wibracyjną różnicę. *Jeśli potraficie zacząć przeorientowywanie swoich myśli przez stałe poszukiwanie rzeczy, które sprawiają, że czujecie się dobrze, zaczniecie rozwijać wzorce myśli lub przekonań, które pomogą wam w tworzeniu wspaniałego, dającego dobre samopoczucie, życia.*

MOJE MYŚLI ZAZĘBIAJĄ SIĘ W SILNIEJSZE ODPOWIADAJĄCE IM MYŚLI

Na jakiejkolwiek myśli się koncentrujesz – czy jest to wspomnienie z przeszłości, coś, co obserwujesz obecnie, czy też coś, co antycypujesz w przyszłości – owa myśl jest w tobie aktywna właśnie w tej chwili i przyciąga inne myśli lub idee, które są do niej podobne. Nie tylko twoje myśli przyciągają inne myśli o podobnej naturze, ale im dłużej się na nich koncentrujesz, tym silniejsze się one stają i przybierają tym większą siłę przyciągania.

Nasz przyjaciel Jerry porównał to do lin, które raz obserwował, przyglądając się wielkiemu statkowi przymocowywanemu do doków. Przymocowywano go bardzo grubą liną – zbyt wielką i grubą, aby ją przerzucić przez wodę. A więc zamiast tego, mały kłębek sznurów został przerzucony przez wodę do doku. Sznurek był zwinięty w większą linkę, która była związana jeszcze w większą linkę, która była związana w jeszcze większą linkę… aż w końcu, można było łatwo przeciągnąć szeroką linę nad powierzchnią wody i statek został bezpiecznie przywiązany do doku. Jest to podobne do sposobu, w jaki wasze myśli zazębiają się ze sobą, jak jedna łączy się z drugą, i znów łączy się z kolejną i tak dalej.

W niektórych kwestiach, ponieważ dłużej ciągniecie linę od negatywnej strony, jest wam bardzo łatwo dojść do negatywnego rezultatu. Innymi słowy, wystarczy czyjaś niepozorna, negatywna wypowiedź, jakieś wspomnienie lub sugestia, abyście się z miejsca przenieśli w negatywny korkociąg.

Wasz punkt przyciągania działa głównie w rzeczach codziennych, dzień po dniu, o których myślisz podczas całego dnia, a posiadasz moc kierowania swoimi myślami pozytywnie lub negatywnie. Na przykład: jesteś w sklepie spożywczym i widzisz, że coś, co zawsze kupujesz, stało się znacznie droższe, i czujesz, jak ogarnia cię silny dyskomfort. Możesz równie dobrze pomyśleć, że odczuwasz szok w związku z nagłą podwyżką ceny tego produktu i że skoro nie masz wpływu na ceny produktów w tym sklepie, nie masz innego wyboru, jak tylko poczuć się źle w tej sytuacji. Jednakże, chcemy zwrócić ci uwagę, iż twoje uczucie dyskomfortu nie bierze się z podwyżki cen w sklepie spożywczym, ale w istocie z kierunku twoich własnych myśli.

Tak, jak w analogii do liny przywiązanej do innej liny, która przywiązana jest do jeszcze innej liny, twoje myśli są związane jedna z drugą i przemieszczają się szybko do wyższych wibracyjnych wymiarów. Na przykład: *Ooo, cena tego jest znacznie wyższa, niż była w zeszłym tygodniu... ta podwyżka jest nieuzasadniona... nie ma uzasadnienia dla chciwości rynku... rzeczy stają się niedostępne... nie wiem, do czego to wszystko zmierza... tak dalej być nie może... nasza gospodarka podupada... nie stać mnie na tak podniesione ceny... z trudem wiążę koniec z końcem... nie zarobię szybko tyle, żeby sprostać tak podniesionym kosztom życia...*

I, oczywiście, ten negatywny ciąg myślowy mógłby toczyć się w wielu kierunkach – w stronę obwiniania sklepu spożywczego, w stronę gospodarki, ku twojemu rządowi – ale zawsze zwraca się z powrotem ku temu, że czujesz, że ta sytuacja wpłynie na ciebie negatywnie, bo wszystko, co obserwujesz, odczuwasz osobiście. A wszystko, prawdę mówiąc, *jest* dla ciebie osobiste, ponieważ prezentujesz w związku z tym tematem, wibracje wpływające na to, co jest obecnie do ciebie przyciągane poprzez dobór twoich myśli.

Jeśli masz świadomość, co odczuwasz i rozumiesz, że twoje emocje wskazują na kierunek twoich myśli, wówczas możesz świadomie kierować swoimi myślami. Na przykład: *Ooo, cena tego jest znacznie wyższa, niż była w zeszłym tygodniu... jednakże nie wiem nic o innych produktach w moim koszyku... pewnie mają tę samą cenę... a może trochę niższą... nie zwracałem właściwie na to uwagi... to akurat zwróciło moją uwagę, ponieważ podniosło się znacznie... ceny się zmieniają... zawsze sobie z tym radzę... niektóre rzeczy drożeją, ale wszystko jest w porządku... to bardzo skuteczny system dystrybucji, dzięki któremu mamy dostęp do tak wielu różnych dóbr...*

Gdy raz zdecydujesz, żeby dbać o to, by czuć się dobrze, bardziej konsekwentne wybieranie kierunku, dającego lepsze samopoczucie, będzie dla ciebie o wiele łatwiejsze.

Gdy pragnienie, aby czuć się dobrze, działa w tobie skutecznie, wówczas obecna jest nieustanna inspiracja budząca myśli dające dobre samopoczucie i kierowanie nimi w produktywnym kierunku okaże się dla ciebie coraz łatwiejsze. Twoje myśli zawierają ogromną twórczą, magnetyczną siłę, którą efektywnie zaprzęgasz jedynie poprzez nieustanny dobór myśli budzących dobre odczucia. Gdy twoje myśli wciąż wędrują w tę i z powrotem pomiędzy tym, co upragnione a tym, co niechciane, za i przeciw, na plus i na minus – tracisz pożytek z impetu twojej czystej, pozytywnej myśli.

TWORZENIE KSIĘGI POZYTYWNYCH ASPEKTÓW

Przez pierwszy rok naszej współpracy z Esther i Jerry'm, używali oni sal konferencyjnych w małych hotelach na przestrzeni 300 mil od swego domu w Teksasie, by zapewnić miejsce, w którym ludzie mogliby się zgromadzić, by zadać nam osobiste pytania. Był taki hotel w mieście Austin, który zawsze zdawał się zapominać o tym, że mieli przybyć, chociaż Esther uzgadniała wszystko z owym hotelem, podpisywała umowy i nawet dzwoniła na kilka dni przed przyjazdem. Hotel zawsze był w stanie ich ugościć (choć nawet po ich przyjeździe zdawało się, że nikt ich nie oczekiwał), ale było bardzo uciążliwe dla Esther i Jerry'ego, że musieli popędzać personel hotelowy, żeby pokoje hotelowe były gotowe, zanim przyjadą goście.

W końcu Esther powiedziała: „Myślę, że powinniśmy znaleźć inny hotel".

A my rzekliśmy: „To może być dobry pomysł, ale pamiętaj, że *zabierzecie siebie ze sobą*".

„Co macie na myśli?", spytała Esther, nieco defensywnie.

Wyjaśniliśmy: „*Gdy podejmujesz działanie z perspektywy braku – takie działanie jest zawsze bezproduktywne. W istocie, jest prawdo-*

podobne, iż nowy hotel potraktuje was zupełnie tak, jak poprzedni". Jerry i Esther roześmiali się po tym wyjaśnieniu, ponieważ już się przenosili z hotelu do hotelu z tego właśnie powodu. „Co powinniśmy zrobić?", zapytali. Zachęciliśmy ich do zakupu nowego notatnika i napisania wielkimi literami na okładce: MOJA KSIĘGA POZYTYWNYCH ASPEKTÓW. A na pierwszej stronie notatnika: „Pozytywne aspekty hotelu w Austin".

I tak Esther zaczęła pisać: „Jest to piękny obiekt. Jest nieskazitelny. Jest dobrze usytuowany. Bardzo blisko autostrady międzystanowej, łatwo odnaleźć drogę. Jest wiele różnych pokoi dużych i małych, by ugościć naszych coraz liczniejszych słuchaczy. Personel hotelowy jest zawsze bardzo przyjazny".

Gdy Esther wpisywała te zdania, jej uczucia dotyczące hotelu zmieniły się z negatywnych na pozytywne, a w chwili, gdy zaczęła *czuć się* lepiej, jej *przyciąganie* związane z hotelem się zmieniło.

Nie napisała: „Zawsze są gotowi i czekają na nas", ponieważ nie było to jej doświadczeniem i pisanie tego mogłoby wzbudzić w niej uczucie sprzeciwu lub defensywność, albo usprawiedliwianie z jej strony. Poprzez zamiar osiągnięcia dobrego samopoczucia i przez celowe koncentrowanie uwagi raczej na tym, co budzi dobre odczucia, punkt przyciągania Esther w związku z hotelem zmienił się, po czym Esther odkryła coś bardzo interesującego: odtąd hotel nigdy nie zapominał o ich przyjeździe. Było dla niej zabawne, gdy uświadomiła sobie, że hotel nie zapominał o ich umowach, jakby byli niedbali lub niezorganizowani. Personel hotelowy był po prostu pod wpływem dominującej myśli Esther na ich temat. Krótko mówiąc, nie mogli przeciwstawić się negatywnemu biegowi myśli Esther.

Esther cieszyła się swoją *Księgą Pozytywnych Aspektów** tak bardzo, że zaczęła pisać na wiele tematów związanych ze swym życiem. Zachęciliśmy ją, by pisała nie tylko o rzeczach, w związku z który-

---

* więcej w książce *Proś a będzie ci dane*, Studio Astropsychologii 2008.

mi poszukiwała ulepszonych odczuć, ale również o rzeczach, co do których już miała najpozytywniejsze uczucia, po prostu, aby nabrać nawyku przywoływania myśli budzących dobre uczucia i dla przyjemności odczuwania tych myśli. Jest to przyjemny sposób życia.

PRAWO PRZYCIĄGANIA DODAJE MYŚLOM MOCY

Często, gdy doświadczasz niechcianej sytuacji, czujesz potrzebę wyjaśnienia, dlaczego się wydarza, być może z zamiarem usprawiedliwienia, czemu się w niej znalazłeś. *Gdy bronisz albo usprawiedliwiasz, albo racjonalizujesz lub obwiniasz coś lub kogoś, pozostajesz w miejscu negatywnego przyciągania.* Każde słowo, jakie wypowiadasz, aby wyjaśnić coś, co nie jest takie, jakie chcesz, przedłuża negatywne przyciąganie, ponieważ nie możesz koncentrować się na tym, czego *chcesz*, gdy wyjaśniasz, *dlaczego* doświadczasz tego, czego *nie chcesz*. *Nie możesz się koncentrować na negatywnych aspektach i pozytywnych aspektach jednocześnie.*

Często, starając się określić, gdzie zaczął się problem, utrzymujesz się tylko dłużej w tym negatywnym przyciąganiu: *Jakie jest źródło problemu? Z jakiego powodu nie znajduję się tam, gdzie chcę być?* Jest naturalne, że pragniesz poprawy w swym doświadczeniu, więc jest logiczne, że szukasz rozwiązania... Ale jest wielka różnica pomiędzy poważnym szukaniem rozwiązania a usprawiedliwianiem potrzeby rozwiązania poprzez podkreślanie problemu.

Uświadomienie sobie, że coś nie jest takie, jakie chcesz, jest ważnym pierwszym krokiem, ale z chwilą, gdy tylko to określisz, im szybciej będziesz mógł zwrócić uwagę ku rozwiązaniu, tym lepiej, ponieważ dalsze zgłębianie problemu będzie ciebie powstrzymywało przed znalezieniem rozwiązania. Problem posiada bowiem inną wibracyjną częstotliwość, niż rozwiązanie.

Gdy uświadamiasz sobie wartość *Procesu Orientowania* i stajesz się adeptem rozróżniania, co jest niechciane, po czym natychmiast kierujesz swoją uwagę ku temu, co upragnione, zdasz sobie sprawę, że jesteś otoczony przede wszystkim wspaniałymi rzeczami, ponieważ jest o wiele więcej tego, co dobre, niż tego, co aktualnie jest złe w twoim świecie. Ponadto, codzienne stosowanie *Księgi Pozytywnych Aspektów* pomoże ci ukierunkować się bardziej pozytywnie. Pomoże ci w stopniowym osiąganiu równowagi twoich myśli bardziej w kierunku tego, czego *chcesz*.

Im bardziej skupiasz swoją uwagę z zamiarem znalezienia myśli budzących wciąż coraz lepsze uczucia, tym bardziej będziesz sobie uświadamiał, iż jest bardzo duża różnica między myśleniem o tym, czego chcesz a myśleniem o braku tego, czego chcesz. Gdy czujesz się nieprzyjemnie, mówiąc lub myśląc o ulepszeniu czegoś, czego chcesz – na przykład o lepszej kondycji finansowej lub lepszym związku, lub formie fizycznej – wówczas nie dopuszczasz do znalezienia poprawy.

Proces Orientowania i *Proces Księgi Pozytywnych Aspektów* zostały tu zaprezentowane, by pomóc ci w rozpoznaniu – we wczesnych, subtelnych stadiach twej kreacji – że ciągniesz za koniec negatywnego kłębka, abyś mógł od razu go puścić i sięgnąć po pozytywną nić myśli.

Jest dużo łatwiej wyjść od myśli na jakiś temat, która sprawia, że czujesz się nieco lepiej, do nawet jeszcze przyjemniejszej myśli, i do jeszcze przyjemniejszej myśli... po czym iść prosto do wspaniałej myśli, ponieważ wszystkie myśli (lub wibracje) podlegają wpływowi (lub są organizowane) przez **Prawo Przyciągania.**

ROZPOCZNĘ DZIEŃ MYŚLAMI, KTÓRE DAJĄ DOBRE SAMOPOCZUCIE

Gdy koncentrujesz się na czymś, czego naprawdę nie chcesz, w rzeczywistości jest ci łatwiej pozostawać skupionym na tym niechcianym obiekcie (nawet znajdując inne dowody podtrzymujące tę myśl), niż przejść do bardziej pozytywnej perspektywy, gdyż przyciągane są myśli, które są do siebie podobne. A więc, gdy próbujesz zrobić duży skok z naprawdę negatywnego, niechcianego tematu zaraz do pozytywnego, cudownego tematu czegoś bardzo upragnionego, nie będziesz w stanie go dokonać – ponieważ istnieje zbyt duża wibracyjna rozbieżność między tymi dwoma myślami. Determinacja, aby łagodnie, generalnie i konsekwentnie kierować się coraz bardziej ku rzeczom upragnionym, jest naprawdę najlepszym sposobem na poprawę osobistej wibracji.

Gdy budzisz się rano, po kilku godzinach snu (a tym samym wibracyjnego oderwania od niechcianych rzeczy), jesteś w najbardziej pozytywnym wibracyjnym stanie. Gdybyś zaczynał swój dzień, nawet zanim jeszcze wstaniesz z łóżka, szukając garstki pozytywnych aspektów swego życia, rozpoczniesz go w bardziej pozytywnym nastroju, a myśli, jakie teraz zapewni *Prawo Przyciągania* jako twoja trampolina w każdy dzień, będą budziły o wiele lepsze uczucia i pożytek.

Innymi słowy, każdego ranka masz sposobność, aby ustanowić inną wibracyjną bazę (rodzaj steru), który nadaje ogólny ton twoim myślom na resztę dnia. A chociaż jest możliwe, że niektóre wydarzenia twego dnia mogą odbiegać od punktu wyjścia, z czasem zobaczysz, że ustanowiłeś całkowitą kontrolę nad swymi myślami, nad swoją wibracją, nad swoim punktem przyciągania – nad swoim życiem!

SEN JEST CZASEM WYRÓWNYWANIA ENERGII

Gdy śpisz – lub w czasie, gdy nie jesteś świadomie skoncentrowany poprzez swe ciało fizyczne – przyciąganie ciała fizycznego się zatrzymuje. Sen jest czasem, gdy twoja *Wewnętrzna Istota* może wyrównać twoją Energię i jest to czas odświeżenia i uzupełnienia zapasów twego fizycznego ciała. Jeśli, kładąc się do łóżka, powiesz: *Dzisiejszej nocy dobrze wypocznę – wiem, że wszelkie przyciąganie tego ciała się zatrzyma i kiedy się rano zbudzę, dosłownie wynurzę się na nowo w swoim fizycznym doświadczeniu*, wówczas będziesz mieć największy pożytek z czasu swego snu.

Budzenie się rano nie różni się od narodzin. Nie różni się tak bardzo od pierwszego dnia, gdy po raz pierwszy pojawiłeś się w swym fizycznym ciele. A więc, gdy się obudzisz, otworzysz oczy i powiesz: *Dzisiaj będę szukać powodów, by czuć się dobrze*. *Nic nie jest ważniejsze, niż to, żebym czuł się dobrze*. *Nic nie jest ważniejsze niż to, bym wybierał myśli, które przyciągną inne myśli, które podniosą moją wibracyjną częstotliwość do miejsca, w jakim będę rezonował z pozytywnymi aspektami Wszechświata.*

Twoja wibracja znajduje się dokładnie tam, gdzie ją ostatnio pozostawiłeś. A więc, gdy leżysz w łóżku martwiąc się swoją sytuacją przed zaśnięciem, gdy się zbudzisz, podejmiesz ją właśnie stamtąd, gdzie twoje myśli lub wibracja pozostały poprzedniej nocy, a wówczas twoje myśli w ciągu dnia będą pochodziły z negatywnego gruntu. A wówczas *Prawo Przyciągania* będzie nadal służyło innym twoim myślom, podobnym do tychże myśli. Ale jeśli podejmiesz wysiłek, by przed snem określić nieco pozytywnych aspektów swego życia, a następnie celowo uwolnisz swoje myśli, pamiętając, że podczas snu oderwiesz się i odświeżysz, a następnie, gdy się obudzisz, otworzysz oczy i powiesz: *Dzisiaj będę szukać powodów, by czuć się dobrze...* zaczniesz osiągać kontrolę nad swoimi myślami i życiem.

Zamiast martwić się problemami świata, albo myśleć o rzeczach, jakie masz do zrobienia, po prostu poleż w swoim łóżku i poszukaj pozytywnych aspektów chwili: *Jak cudownie się czuję w moim łóżku. Jak przyjemny jest dotyk tkaniny. Jak dobrze czuje się moje ciało. Jak wygodna jest poduszka. Jak odświeżające jest powietrze, gdy oddycham. Jak dobrze jest żyć!...* Zacząłeś ciągnąć za tę pozytywną, dającą dobre samopoczucie linę.

Prawo Przyciągania jest jak gigantyczne szkło powiększające, wzmacniające wszystko, cokolwiek jest. I tak, gdy się budzisz i szukasz jakiegoś powodu (czegoś bardzo blisko ciebie), by poczuć się dobrze, *Prawo Przyciągania* zaoferuje ci inną myśl dającą podobne uczucie, a potem następną, i jeszcze następną – i to jest naprawdę to, co nazywamy wstawaniem z łóżka prawą nogą.

Z niewielkim wysiłkiem i pragnieniem, by poczuć się dobrze, możesz kierować swoimi myślami ku coraz bardziej przyjemnym scenariuszom, aż zmienisz swoje nawyki myślowe, a tym samym swój punkt przyciągania – a dowody na poprawę w twoich myślach zaczną się natychmiast ukazywać.

PRZYKŁAD *PROCESU POZYTYWNYCH ASPEKTÓW PRZED SNEM*

Twoje ukierunkowanie na działanie w życiu sprawia, że wierzysz, że wymaga to ciężkiej pracy, aby coś się wydarzyło, ale gdy nauczysz się celowo kierować swymi myślami, odkryjesz, że w myśli zawiera się kolosalny wpływ i potęga. Gdy będziesz się konsekwentnie skupiał jedynie na tym, czego pragniesz, zamiast trwonić moc swojej myśli na myślenie o czymś *chcianym*, a następnie *niechcianym*, zrozumiesz, z osobistego doświadczenia, co mamy na myśli. Z powodu twego ukierunkowania na działanie, często starasz się za bardzo i pracujesz za ciężko. W rezultacie, większość z was zwraca uwagę bardziej na to, co jest nie w porządku (lub bardziej na to, co należy naprawić), niż na to, czego pragniecie.

Jest na to dobry sposób – zastosowanie *Procesu Pozytywnych Aspektów* przed snem: z chwilą, gdy znajdziesz się w łóżku, spróbuj przywołać nieco najprzyjemniejszych rzeczy, jakie zdarzyły się w ciągu dnia. Skoro wiele rzeczy zdarzyło się bez wątpienia tego dnia, możesz potrzebować chwili zastanowienia i przypomnieć sobie nieco mniej przyjemnych wydarzeń – ale trwaj przy swej intencji znalezienia czegoś przyjemnego, a gdy to znajdziesz, pomyśl o tym.

Ładuj swoją pozytywną pompę mówiąc rzeczy takie, jak: *To, co mi się w tym podobało, to... Najbardziej podobało mi się, że...* Idź za każdym pozytywnym tematem, jaki znajdziesz, myśląc o najlepszych chwilach swojego dnia; a gdy poczujesz wpływ pozytywnych myśli, skoncentruj wówczas swoją dominującą intencję: *dobry, głęboki sen i obudzenie się rano naprawdę odświeżonym.*

Powiedz sobie: Teraz zasnę, a ponieważ moje myśli będą nieaktywne, gdy będę spał, przyciąganie się zatrzyma i moje ciało fizyczne zostanie całkowicie odświeżone na każdym poziomie. Skieruj swoją uwagę na rzeczy najbliżej ciebie, jak komfort twego łóżka, delikatność poduszki, Dobrostan tej chwili. A następnie łagodnie ustanów swoją intencję: *Będę dobrze spać i obudzę się odświeżony z innym, nowym, budzącym dobre uczucia, pozytywnym punktem przyciągania.* A potem zaśnij.

PRZYKŁAD PORANNEGO PROCESU POZYTYWNYCH ASPEKTÓW

Gdy obudzisz się rano, będziesz się znajdował w tym pozytywnym, budzącym dobre uczucia miejscu, a twoje pierwsze myśli będą czymś w rodzaju: *Ach, obudziłem się. Znów pojawiłem się na planie fizycznym...* Poleż tak chwilę i rozkoszuj się wygodnym łóżkiem, a potem pomyśl o czymś w rodzaju: *Dzisiaj, gdziekolwiek pójdę, cokolwiek będę robił, z kimkolwiek będę mieć do czynienia, jest moją dominującą intencją szukanie tego, co sprawia, że czuję się dobrze. Gdy czuję się dobrze, wibruję ze swoją wyższą mocą. Gdy czuję się dobrze, jestem w harmonii z tym, co uważam za dobre. Gdy czuję się dobrze, jestem w trybie przyciągania tego, co sprawi mi przyjemność, gdy się pojawi. A gdy czuję się dobrze – czuję się dobrze!* (Dobrze jest właśnie czuć się dobrze, nawet jeśli jedyną rzeczą, jaką ci to przyniosło, jest to, jak się czujesz w danej chwili – ale przynosi to zawsze o wiele więcej).

Poleżelibyśmy w łóżku przez dwie lub trzy minuty (to wystarczy) i poszukalibyśmy pozytywnych aspektów otoczenia. A potem, w ciągu dnia, zaczęlibyśmy rozpoznawać więcej pozytywnych aspektów, szukając powodów, by czuć się dobrze, bez względu na to, co jest obiektem twej uwagi.

W chwili pojawienia się jakiejkolwiek negatywnej emocji – która prawdopodobnie się pojawi, choć zacząłeś dzień szukając powodów do dobrego samopoczucia, gdyż jest już uruchomione, w pewnych kwestiach, negatywne przyciąganie – z chwilą pierwszej skłonności ku negatywnej emocji, zatrzymaj się i powiedz: *Chcę się czuć dobrze. Odczuwam pewną negatywną emocję, co oznacza, że skupiam się na czymś, czego nie chcę. Czego więc chcę?* I natychmiast skierowalibyśmy uwagę na to, czego chcemy, koncentrując się na nowej myśli, albo bardziej pozytywnej myśli, na tyle długo, aż poczulibyśmy, jak pozytywna Energia zaczyna płynąć na nowo przez nasz organizm.

Gdy przechodzisz przez swój dzień, szukaj więcej powodów do śmiechu i więcej powodów do radości. Kiedy chcesz czuć się dobrze, nie bierzesz rzeczy tak poważnie; a gdy nie bierzesz ich tak poważnie, nie zauważasz tak bardzo braku tego, czego chcesz; a gdy nie skupiasz się na braku swego pragnienia, czujesz się lepiej – a gdy czujesz się lepiej, przyciągasz więcej tego, czego chcesz... i twoje życie poprawia się coraz bardziej.

A potem, wieczorem, gdy będziesz leżeć w swoim łóżku, będziesz mieć wiele wspaniałych rzeczy do przemyślenia, dryfując w swój sen przynoszący odpoczynek; a potem przebudzisz się do nowego, jeszcze lepszego jutra.

WIEM, JAK CHCĘ SIĘ CZUĆ

Czasem, znajdując się w centrum nieprzyjemnej sytuacji, próbujesz usilnie znaleźć w niej *jakikolwiek* pozytywny aspekt. Pewne rzeczy są niemożliwe do przyjęcia; pewne sprawy są tak wielkie i tak złe, że nie wydaje ci się możliwe znalezienie w nich czegokolwiek pozytywnego, ale jest tak dlatego, że próbujesz przeskoczyć zbyt dużą przepaść z okropności, na której jesteś skoncentrowany, do rozwiązania, jakiego pragniesz. Innymi słowy, jeśli chcesz znaleźć w takiej chwili rozwiązanie, które ją naprawi, ale znajdujesz się w sytuacji, gdzie żadne działanie, jakie mógłbyś podjąć, nie wydaje się właściwe, zawsze pamiętaj, że chociaż może nie być żadnego pozytywnego aspektu dla twojego działania w tym momencie – gdyż możesz nie móc sobie wyobrazić, co zrobić, by poczuć się lepiej – *zawsze wiesz, jak chcesz się czuć.*

Jest to trochę tak, jak ktoś, kto mówi: „Właśnie wyskoczyłem z samolotu i nie mam spadochronu. Co powinienem zrobić?". Są sytuacje, w których, mając do czynienia z bieżącymi okolicznościami, nie istnieje działanie ani myśl, która w tym momencie znacząco zmieniłaby wynik tego, co właśnie się ku tobie zbliża. I w ten sam sposób, w jaki czasami nie możesz znaleźć żadnego *działania*, które naprawiłoby sprawę, nie ma żadnej *myśli*, która natychmiast by ją zmieniła.

Ale gdy zrozumiesz potęgę swojej myśli i niewiarygodny wpływ, jaki zapewniają nieustające myśli dające dobre samopoczucie, i zaczniesz świadomie wybierać swoje myśli stosując się do wskazówek, jakich dostarczają twoje uczucia lub emocje, będziesz mógł łatwo przekształcić swoje życie w głównie przyjemne doświadczenia, poprzez koncentrowanie się na udoskonalonych uczuciach. *Jeśli potrafisz znaleźć choćby najmniejsze uczucie ulgi w świadomie wybranej myśli – zacznie się twoja łagodna ścieżka ku rozwiązaniu.*

Może nie być dla ciebie jasne, co robić w pewnych sytuacjach i czasem możesz nie być w stanie zidentyfikować, czym jest to, co chcesz mieć, ale nigdy nie zdarza się, byś nie mógł zidentyfikować, do pewnego stopnia, jak chcesz się czuć. Innymi słowy, wiesz, że raczej bardziej wolałbyś czuć się *szczęśliwy* aniżeli *smutny, odświeżony* niż *zmęczony, ożywiony* aniżeli *wyczerpany.* Wiesz, że chcesz się czuć raczej w sposób *produktywny* niż *bezproduktywny, wolny* aniżeli *skrępowany, rozwijający się* aniżeli *pogrążony w stagnacji...*

Nie istnieje dostateczna ilość możliwych działań, by zrekompensować nieharmonijną myśl, ale gdy zaczniesz osiągać kontrolę nad tym, jak się czujesz – przez bardziej celowe obieranie twojej myśli – odkryjesz potężny wpływ w niej zawarty.

Jeśli osiągniesz bardziej świadomą kontrolę nad swoją własną myślą, osiągniesz bardziej świadomą kontrolę nad swoim własnym życiowym doświadczeniem.

NIC NIE JEST WAŻNIEJSZE OD DOBREGO SAMOPOCZUCIA

Osiągnięcie większej świadomości, co do tego, o czym myślisz, nie jest trudne. Często dbasz o to, co jesz, jakim jeździsz pojazdem i jakie ubrania nosisz; a bycie świadomym myślicielem nie wymaga większej zdolności rozróżniania. Nauczenie się świadomego kierowania swymi myślami ku aspektom, które budzą w tobie najlepsze odczucia, będzie miało o wiele większy wpływ na twoje życie niż dobór posiłków, samochodu czy garderoby.

Gdy raz przeczytasz te słowa i poczujesz osobisty rezonans z ich znaczeniem i mocą, nigdy już nie odczujesz negatywnej emocji bez świadomości, że otrzymujesz ważne wskazówki, pomagające ci w kierowaniu swoimi myślami w bardziej produktywnym i korzystnym kierunku. Innymi słowy, nigdy nie poczujesz już negatywnej emocji bez rozumienia, że to oznacza, że przyciągasz coś, czego *nie chcesz*. Istotna rzecz ma miejsce, gdy uświadamiasz sobie swoje emocje i przewodnictwo, jakiego dostarczają, ponieważ nawet w niewiedzy, co oznaczała twoja negatywna emocja, wciąż przyciągałeś negatywnie. I tak, zrozumienie twoich emocji daje ci teraz kontrolę nad twoim doświadczaniem życia.

Kiedy tylko czujesz się mniej niż dobrze, jeśli się zatrzymasz i powiesz: *Nic nie jest ważniejsze od tego, bym czuł się dobrze – chcę znaleźć powód, by czuć się dobrze*, znajdziesz lepszą myśl, która będzie prowadzić do następnej i następnej. Gdy rozwiniesz zwyczaj szukania myśli dających dobre samopoczucie, okoliczności wokół ciebie muszą ulec poprawie. Wymaga tego *Prawo Przyciągania*. Gdy czujesz się dobrze, doświadczasz wrażenia otwierających się drzwi,

67

gdyż Wszechświat z tobą współpracuje; a gdy czujesz się źle, jest to tak, jakby drzwi się zamykały, a współpraca się kończyła. *Kiedy tylko odczuwasz negatywną emocję, znajdujesz się w trybie oporu wobec czegoś, czego chcesz, a ów opór ma na ciebie wpływ negatywny. Wywiera negatywny wpływ na twoje ciało i na wiele cudownych rzeczy, jakie mają stać się twoim doświadczeniem.*

Poprzez proces przeżywania życia i zauważania rzeczy chcianych i niechcianych, stworzyłeś rodzaj *Wibracyjnego Depozytu*, który, w pewnym sensie, przechowuje dla ciebie upragnione rzeczy, jakie określiłeś wcześniej, zanim staniesz się dla nich dostatecznie Wibracyjnym Odpowiednikiem, by pozwolić sobie na przyjęcie ich pełnej manifestacji. Ale zanim znajdziesz sposób, by czuć się dobrze w stosunku do nich, nawet, jeśli się jeszcze nie zamanifestowały w twoim doświadczeniu, może ci się wydawać, że znajdują się po drugiej stronie drzwi, których nie możesz otworzyć. Jednakże, gdy zaczniesz szukać bardziej pozytywnych aspektów w związku z rzeczami, które zajmują twoje myśli – i gdy świadomie wybierzesz bardziej pozytywny koniec kija możliwości względem przedmiotów dominujących w twoim procesie myślowym – drzwi się otworzą i wszystko, czego pragniesz, wpłynie łatwo w twoje doświadczenie.

IM LEPIEJ SIĘ DZIEJE, TYM LEPIEJ SIĘ DZIEJE

Gdy świadomie poszukujesz pozytywnych aspektów tego, na cokolwiek zwracasz uwagę, dostrajasz w pewnym sensie swoją wibracyjną antenę do pozytywniejszych aspektów wszystkiego. Oczywiście, możesz się również dostroić negatywnie. Wielu ludzi walczy w duchu samokrytycyzmu w rezultacie negatywnego porównania, jakie kierowali ku nim rodzice lub nauczyciele, lub koledzy, a nie istnieje nic bardziej szkodliwego dla twojej zdolności pozytywnego przyciągania, niż negatywny stosunek do samego siebie.

Tak więc czasami, obierając przedmiot, co do którego praktykowałeś mniej negatywnych myśli, możesz się skoncentrować na częstotliwości budzącej lepsze uczucia; a wtedy z tego miejsca lepszego samopoczucia, gdy skierujesz swoje myśli ku sobie, odnajdziesz w sobie więcej pozytywnych aspektów, niż zazwyczaj. *Z chwilą, gdy odnajdziesz więcej pozytywnych aspektów w otaczającym cię świecie, zaczniesz znajdować więcej pozytywnych aspektów w sobie. A gdy to się stanie, znajdowanie bardziej pozytywnych aspektów w stosunku do świata będzie coraz łatwiejsze.*

Gdy znajdujesz dotyczące ciebie rzeczy, których nie lubisz, znajdujesz więcej tych rzeczy w innych. Mówicie: „Im gorzej się dzieje, tym gorzej się dzieje". Lecz gdy celowo szukasz pozytywnych aspektów w sobie i w innych, tym więcej ich znajdziesz: „Im lepiej się dzieje, tym lepiej się dzieje".

Nie możemy przecenić wartości poszukiwania pozytywnych aspektów i koncentrowania się bardziej na tym, co upragnione, ponieważ wszystko, co do ciebie przychodzi, jest uzależnione od tej bardzo prostej przesłanki: *Otrzymujesz coraz więcej i więcej tego, o czym myślisz – bez względu na to, czy tego chcesz czy nie.*

MÓJ WSZECHŚWIAT JEST POZYTYWNIE I NEGATYWNIE RÓWNOWAŻONY

A więc jesteś twórcą swojego doświadczenia. Albo możesz też powiedzieć, że *jesteś magnesem swojego doświadczenia.* Tworzenie nie polega na identyfikowaniu czegoś upragnionego i następnie sięganiu po to lub łapaniu tego. Tworzenie polega na koncentrowaniu się na przedmiocie swego pragnienia – zestrojeniu swoich myśli bardziej precyzyjnie z aspektami tego, czego chciałbyś doświadczyć i tym samym pozwoleniu *Prawu Przyciągania,* aby to przyniosło.

Czy *wspominasz* coś ze swojej przeszłości, czy *wyobrażasz* sobie coś na temat przyszłości, albo *obserwujesz* coś w swojej teraźniejszości, prezentujesz myśli-wibracje, na które odpowiada *Prawo Przyciągania.* Możesz odnosić się do swoich myśli jako do *pragnień* lub *przekonań* (przekonanie jest jedynie myślą, którą ciągle powielasz), ale na cokolwiek kierujesz uwagę, ustala to twój punkt przyciągania.

Ponieważ każdy przedmiot to w istocie dwa przedmioty – to, co jest *chciane* oraz *brak tego, co jest chciane* – możesz wierzyć, że jesteś pozytywnie skoncentrowany, gdy w istocie jesteś skoncentrowany negatywnie. Ludzie mogą mówić: „Chcę więcej pieniędzy", choć w rzeczywistości są skoncentrowani na fakcie, że nie mają tyle pieniędzy, ile potrzebują. Większość ludzi mówi najczęściej o swoim pragnieniu zdrowia, gdy czują się chorzy. Innymi słowy, ich uwaga skierowana na to, czego *nie chcą*, jest tym, co skłania ich do stwierdzania, czego *chcą*, ale w większości przypadków, nawet gdy wypowiadają słowa, które zdają się wskazywać, że koncentrują się na swym pragnieniu, wcale tak nie jest.

Jedynie dzięki świadomemu rozpoznaniu, jak się czujesz myśląc lub mówiąc, możesz się dowiedzieć naprawdę, czy przyciągasz pozytywnie czy negatywnie. A chociaż możesz nie dostrzegać natychmiastowych dowodów na to, co właśnie przyciągasz, o czymkolwiek myślisz, gromadzisz odpowiadające temu myśli, wibracje i Energie; i w końcu świadectwo twego przyciągania stanie się oczywiste.

MÓJ WSZECHŚWIAT ODPOWIADA NA MOJĄ UWAGĘ

Większość ludzi wierzy albo chce wierzyć, że wszystko we wszechświecie odpowiada na ich słowa w ten sam sposób, w jaki inni ludzie wokół nauczyli się zachowywać. Gdy mówisz do kogoś „Tak, przyjdź do mnie", oczekujesz, że przyjdzie. Gdy mówisz: „Nie, odejdź ode mnie", oczekujesz, że odejdzie. Ale żyjesz we Wszechświecie opartym na przyciąganiu (we Wszechświecie opartym na włączeniu*, co po prostu oznacza, że nie istnieje coś takiego, jak *negacja*.

Gdy kierujesz uwagę na coś, czego chcesz i mówisz: „Tak, chodź do mnie", włączasz to do swojej wibracji, a *Prawo Przyciągania* rozpoczyna proces przynoszenia tej rzeczy. Jednak gdy patrzysz

---

* czyli „wszechuczestnictwie" – od tłumacza

na coś i mówisz: „Nie, nie chcę ciebie – odejdź!", Wszechświat również to przynosi. *Twoja uwaga zwrócona ku temu, a tym samym wibracyjne zharmonizowanie z tą rzeczą, jest tym, co przywołuje odpowiedź – a nie twoje słowa.*

I tak, gdy mówisz: „Doskonałe zdrowie, szukam cię... chcę ciebie – rozkoszuję się ideą doskonałego zdrowia", wówczas przyciągasz zdrowie. Lecz gdy mówisz: „Chorobo, nie chcę ciebie", przyciągasz chorobę. Gdy mówisz: *„Nie, nie, nie"*, zbliża się coraz bardziej, bardziej, bardziej, ponieważ im bardziej walczysz z czymś, czego nie chcesz, tym bardziej się w tym pogrążasz.

Ludzie często wierzą, że gdy raz znajdą doskonałego partnera, albo osiągną doskonałą wagę ciała, albo zgromadzą dość pieniędzy, *wtedy, raz na zawsze,* znajdą również szczęście, którego szukają... Ale nigdzie nie ma takiego małego zakątka, gdzie istniałyby jedynie pozytywne aspekty. Doskonała równowaga Wszechświata mówi, że pozytywne i negatywne (chciane i niechciane) istnieje we wszystkich cząsteczkach Wszechświata. Kiedy ty, jako twórca, wybierający, definiujący, decydujący, szukasz pozytywnego aspektu, staje się on tym, co przeżywasz – we *wszystkich* aspektach swego życia. Nie musisz czekać, aż ukaże się tobie coś doskonałego, abyś mógł na to pozytywnie zareagować. Zamiast tego, trenuj pozytywnie swoje myśli i wibracje, a wówczas staniesz się *magnesem* lub *twórcą* tej doskonałości.

Zachęcamy cię, abyś zaczynał każdy swój dzień stwierdzeniem: *Dziś – nieważne dokąd pójdę, nieważne, co będę robił i nieważne, z kim będę miał do czynienia – jest moją dominującą intencją szukanie tego, co chcę widzieć.*

Pamiętaj, gdy budzisz się rano, jesteś urodzony na nowo. W czasie snu wszelkie przyciąganie było zatrzymane. To odizolowanie przez kilka godzin snu – gdy Świadomość nie przyciąga – daje ci odświeżający nowy początek. I tak, dopóki się rano nie obudzisz i nie zaczniesz bezmyślnie powtarzać tego, co ciebie kłopotało poprzedniego dnia, nie będzie to ciebie kłopotało w nowym dniu, po ponownym narodzeniu, w twoim nowym początku.

DECYZJE, BY CZUĆ SIĘ DOBRZE, PRZYCIĄGAJĄ DOBRE UCZUCIA

Pewna kobieta powiedziała nam: „Ostatnio dowiedziałam się, że będę na trzech lub czterech przyjęciach i jak tylko to usłyszałam, zaczęłam myśleć: *Och, Mary tam będzie i będzie wspaniała.* Natychmiast zaczęłam porównywać siebie do innych osób. Chciałabym przestać to robić i czuć się dobrze ze sobą, i po prostu cieszyć się przyjęciami, bez względu na to, kto tam jest. Czy możecie mi pomóc zastosować *Proces Orientowania i Pozytywnych Aspektów* w związku z moją samoświadomością? Ja naprawdę nawet nie chcę brać udziału w tych przyjęciach".

Wyjaśniliśmy: Choć twoja samoświadomość zostaje wzmocniona, gdy rozważasz swój udział na tych przyjęciach, to ani przyjęcie, ani Mary nie są przyczyną twojego dyskomfortu. Często wydaje się rzeczą skomplikowaną rozwiązanie problemów w swoich związkach z innymi, nawet szuka się początków tych uczuć w dzieciństwie, lecz robienie tego nie ma sensu. Posiadasz zdolność, będąc dokładnie w tym miejscu, gdzie jesteś, znalezienia pozytywnych aspektów lub negatywnych aspektów – myślenia o tym, co chciane lub co niechciane – i czy zaczniesz swój proces teraz, czy na kilka dni przed udaniem się na pierwsze przyjęcie, czy też zaczekasz, aż się na nim znajdziesz, działa to tak samo: *Szukaj rzeczy, które dają ci dobre samopoczucie, gdy się na nich koncentrujesz.*

Ponieważ masz większą kontrolę nad tym, co jest aktywowane w twoim własnym umyśle, o wiele łatwiej jest zwykle znaleźć pozytywny aspekt sytuacji, zanim się w niej znajdziesz. Jeśli wyobrażasz sobie sytuację tak, jak chcesz, by wyglądała i praktykujesz swoją pozytywną reakcję na nadchodzącą sytuację, wówczas gdy będziesz na przyjęciu, będziesz świadkiem kontroli, jaką wprawiłaś w ruch na kilka dni wcześniej.

Nie możesz czuć się dobrze i źle jednocześnie. Nie możesz koncentrować się na chcianym i niechcianym jednocześnie. Gdybyś wyćwiczyła swo-

je myśli w tym, co uważasz za dobre lub upragnione, zanim przybędziesz na przyjęcie, **Prawo Przyciągania** *dostarczy ci rzeczy, które dają ci dobre samopoczucie i są chciane. To jest naprawdę aż tak proste.*

Jeśli chcesz się czuć inaczej na nadchodzących przyjęciach, niż na tych w minionych latach, musisz zacząć opowiadać inną historię. Historia, jaką opowiadasz, brzmi mniej więcej tak: „Jestem zapraszana na przyjęcia jedynie ze względu na związek z moim mężem. To naprawdę nie ma dla nikogo znaczenia, czy tam będę. Nie jestem naprawdę częścią jego środowiska w pracy i nie rozumiem naprawdę większości rzeczy, którymi się interesują. Jestem outsiderem. Mary nie czuje się outsiderem tak jak ja. Jej pewność siebie jest oczywista, co widać w sposobie, w jaki się ubiera i zachowuje. Zawsze czuję się mniej atrakcyjna, gdy jestem obok Mary. Nienawidzę tak się czuć. Wolałabym tam nie iść".

Oto przykład opowiedzenia odmiennej historii: „Mój mąż jest bardzo szanowany w swojej firmie. To miłe, że jego firma czasami daje ludziom, którzy tam pracują, możliwość zaproszenia małżonków i poznania się nawzajem. Nikt tam nie oczekuje, że będę biegła w wewnętrznych sprawach tego środowiska. W rzeczywistości będzie to przyjęcie, gdzie będą prawdopodobnie cieszyć się innymi sprawami, niż praca. Życie to znacznie więcej niż to, co dzieje się w biurze mojego męża. A skoro nigdy tam nie bywam, mogę się równie dobrze okazać tchnieniem świeżego powietrza dla wielu z nich, ponieważ nie jestem przygnębiona sprawami, którymi się martwią. Mary wydaje się swobodna i przyjacielska. Widać, że nie jest przygnębiona polityką firmy ani problemami. Miło jest na nią patrzeć. Jest interesująca. Ciekawe, gdzie kupuje swoje ubrania – to, co nosi, to bardzo ładne rzeczy".

Widzisz, nie jest konieczne, byś rozwiązywała wszelką niepewność, jaką kiedykolwiek poczułaś i używała tego firmowego party jako środka do rozwiązania jej. Po prostu znajdź coś pozytywnego, by się na tym skoncentrować i poczuj pożytek z tego płynący, a z czasem, Mary nie będzie dla ciebie osobą wzbudzającą negatywne uczucia, a może stanie się przyjaciółką. Ale w każdym przypadku, jest to sprawa twojej decyzji i twojej wibracyjnej praktyki.

JAK MOGĘ NIE ODCZUWAĆ ICH CIERPIENIA?

Nasz przyjaciel Jerry zapytał nas: „Wydaje mi się, że przeważająca część mojego dyskomfortu bierze się z tego, że obserwuję innych, którzy cierpią. Jak mógłbym zastosować Proces Orientowania, aby nie czuć cierpienia w związku z ich cierpieniem?".

Wyjaśniliśmy: Cokolwiek jest obiektem twej uwagi, zawiera w sobie rzeczy, które chcesz widzieć, jak i te, których nie chcesz widzieć. Ból, który odczuwasz, nie jest spowodowany tym, iż osoba, na którą patrzysz, cierpi. Twój ból jest spowodowany tym, że wybrałeś spoglądanie na pewien jej aspekt, który sprawia, że cierpisz. Jest to duża różnica.

Oczywiście, gdyby ta osoba nie odczuwała cierpienia, a zamiast tego była radosna, byłoby ci łatwiej czuć się radosnym, ale nie musisz polegać na zmianie warunków, by kontrolować to, jak się czujesz. Musisz poprawić swoją zdolność koncentrowania się pozytywnie bez względu na warunki – żeby to zrobić, pomocne jest pamiętanie, że każdy temat, to w istocie dwa tematy w nim zawarte, to, co jest chciane i to, co jest niechciane i że, jeśli jesteś tego świadomy, możesz znaleźć coś, co daje lepsze samopoczucie.

Oczywiście, łatwiej jest obserwować coś, co jest dokładnie przed tobą, niż celowo wyławiać rzeczy, które wolałbyś widzieć. Jednakże, gdy naprawdę ma to dla ciebie znaczenie, by czuć się dobrze, będziesz mniej skłonny do leniwej i ckliwej obserwacji, gdyż twoje pragnienie dobrego samopoczucia będzie inspirowało większą gotowość do szukania pozytywnych aspektów. Ponadto, im częściej będziesz szukał myśli budzących dobre samopoczucie, by się na nich koncentrować, tym więcej rzeczy tego typu przyniesie ci Prawo Przyciągania, aż z czasem będziesz tak pozytywnie zorientowany, że po prostu nie będziesz zauważał rzeczy, które nie pasują do twojego pozytywnego ukierunkowania.

Pewna matka powiedziała nam raz, w odpowiedzi na naszą radę, by zignorowała problemy swego syna: „Ale czy on się nie poczuje tak, jakbym go porzuciła? Czy nie powinnam być tam przy nim?". Wyjaśniliśmy, że nie ma „porzucenia" w skupieniu się na pozytywnych aspektach życia jej syna, a leży potężna korzyść w porzuceniu *wszelkich* myśli, które nie budzą dobrego samopoczucia, gdy się je myśli. Powiedzieliśmy: „Nigdy nie pomożesz nikomu, będąc płytą rezonansową dla czyichś problemów lub skarg. Utrzymując wizję poprawy w życiu swego syna, pomagasz mu w dojściu do niej. Bądź z nim *tam*. I przywołaj go *tam* do miejsca lepszego samopoczucia".

Gdy twoją świadomą intencją jest czuć się dobrze i naprawdę dbasz o to, jak się czujesz, znajdziesz coraz więcej i więcej myśli, dotyczących coraz większej liczby obiektów, które budzą dobre samopoczucie. A wówczas będziesz lepiej przygotowany na interakcje z innymi, którzy mogą czuć się dobrze lub źle. Dzięki twojemu pragnieniu, by czuć się dobrze, przygotujesz swoje doświadczenie z innymi, z którymi będziesz miał do czynienia, a wtedy będzie ci dużo łatwiej skoncentrować się pozytywnie na ich sytuacji bez względu na to, w jakim by nie byli chaosie. Ale jeśli nie będziesz dążył do swojej własnej wibracji i nie będziesz się stale utrzymywał w myślach i wibracjach dających dobre samopoczucie, wówczas możesz zostać zepchnięty w ich sytuację i możesz wtedy równie dobrze odczuć dyskomfort.

Chcemy po prostu podkreślić, że nie odczuwasz ich cierpienia, spowodowanego ich sytuacją, a zamiast tego *odczuwasz własne cierpienie, jakie przyniosło ci twoje myślenie.* Istnieje wielka kontrola w tej wiedzy i w istocie, prawdziwa wolność. *Gdy odkryjesz, iż możesz kontrolować to, jak się czujesz, ponieważ możesz kontrolować myśli, jakie myślisz, wówczas zyskasz wolność, by radośnie poruszać się po swojej planecie, lecz gdy wierzysz, że to, jak się czujesz, zależy od czyje-*

goś zachowania lub czyjejś sytuacji – a także uważasz, iż nie posiadasz
kontroli nad tymi zachowaniami i sytuacjami – nie czujesz się wolny. To
było w rzeczywistości „cierpienie", jakie opisałeś.

CZY MOJE WSPÓŁCZUCIE
NIE MA DLA NIKOGO ZNACZENIA?

Jerry powiedział nam: „A więc, gdy odwracam uwagę od tych,
którzy mają problem, będę czuł się dobrze. Ale nadal to *im* nie
pomogło poczuć się lepiej. Innymi słowy, nie rozwiązałem problemu. Ja po prostu unikam problemu".

Odpowiedzieliśmy: Jeśli się nie koncetrujesz na ich problemie,
możesz nadal czuć się dobrze, lecz oni wciąż będą mieć problem.
Jest to prawda. Jednak gdy ty się skoncentrujesz na ich problemie,
poczujesz się źle, oni nadal będą się czuć źle – i wciąż będą mieć
problem. A jeśli będziesz nadal się koncentrował na ich problemie, z czasem i ty będziesz miał problem. Jednakże, jeśli się nie
skoncentrujesz na ich problemie, a zamiast tego spróbujesz wyobrazić sobie dla nich rozwiązanie lub pozytywny rezultat, będziesz czuł się dobrze – a jest też możliwe, że wpłyniesz na nich,
by mieli bardziej pozytywne myśli i osiągali lepsze rezultaty.

Mówiąc prosto: nigdy nie przedstawiasz dla innych wartości (i nigdy
nie oferujesz rozwiązania), gdy odczuwasz negatywną emocję, ponieważ
obecność w tobie negatywnej emocji oznacza, że jesteś skupiony na braku
tego, co upragnione, zamiast na tym, co upragnione.

A więc, jeśli ktoś ma złe doświadczenie i wchodzi do twojej
świadomości z potężnym tchnieniem negatywności, jakie go otula, jeśli jeszcze nie osiągnąłeś celowo swego zharmonizowania
z dobrym samopoczuciem, możesz zostać wciągnięty w jego negatywność; możesz stać się częścią jego łańcucha cierpienia i możesz równie dobrze przekazać swój dyskomfort komuś innemu,
kto następnie przekaże go innemu i tak dalej.

Ale jeśli celowo ustalasz ton swojego dnia kładąc głowę na swej poduszce i mówiąc: *Tej nocy, gdy będę spać, wszelkie przyciąganie się zatrzyma, co oznacza, że jutro będę mieć nowy start; a jutro będę szukać tego co chcę zobaczyć, bo chcę się dobrze czuć – ponieważ dobre samopoczucie jest najważniejszą rzeczą, a gdy się rano obudzisz, znajdziesz się na świeżej ścieżce nie przynoszącej negatywności poprzedniego dnia*. A wtedy, gdy wejdziesz do pokoju i ujrzysz kogoś cierpiącego kto zmierza ku tobie, a ta osoba przychodzi ze swoim cierpieniem, nie staniesz się jego częścią, lecz zamiast tego zaoferujesz lepszy przykład szczęścia, bo to co *czujesz* jest tym, czym emanujesz.

Teraz nie jest prawdopodobne, aby fakt, że pozostajesz szczęśliwy, sprawił, iż inni natychmiast przyłączą się do twego szczęścia. W rzeczywistości, gdy istnieje wielka rozbieżność między tym co czujesz a tym, co czują inni, będziesz miał trudności w kontaktowaniu się z nimi; ale z czasem, jeśli utrzymasz swoją pozytywną wibracyjną postawę, albo do ciebie dołączą w twoim pozytywnym miejscu albo będą wibrowali zupełnie poza twoim doświadczeniem. Jedyną drogą, by nieszczęśliwi ludzie pozostali w twoim doświadczeniu, jest ciągłe kierowanie ku nim uwagi.

Gdybyś wędrował z dwójką innych osób po górskiej krawędzi i nie patrzył dokąd idziecie, i potknął się, i spadł w przepaść, po czym zawisł na bardzo słabej gałęzi, a jeden z twych przyjaciół byłby bardzo silny i pewnie stąpający po ziemi, a drugi bardzo niezdarny i rozkojarzony, który z nich byłby ci bardziej pomocny? Szukanie pozytywnych aspektów jest sposobem na znalezienie pewnego punktu oparcia. Jest to właśnie to, *kim-jesteś* z Wewnętrznej Perspektywy. A gdy nieustannie dążysz do harmonii z myślami dającymi lepsze samopoczucie, potężne zasoby Wszechświata stają się tobie dostępne.

Współczucie wobec innych oznacza skupianie się na ich sytuacji, aż poczujesz to, co oni, a skoro każdy ma potencjał, być czuć się wspaniale lub okropnie – spełniać swoje pragnienia lub ich nie spełniać – masz

wybór, z którymi ich aspektami sympatyzujesz. Zachęcamy ciebie do współ-
odczuwania z najlepszymi aspektami innych, jakie tylko możesz znaleźć;
a czyniąc to, możesz wpłynąć także na polepszenie ich kondycji.

NIE RANIĆ, GDY CZUJĄ SIĘ ZRANIENI?

Pewien mężczyzna spytał pewnego razu: „Jak można zakończyć związek tak, by nie zostać zranionym lub żeby druga osoba nie czuła się zraniona? Jeśli się podejmie decyzję, że czas pójść naprzód, a druga osoba nie jest na to gotowa, tak że on lub ona jest bardzo nieszczęśliwa, jak można utrzymać równowagę w takiej sytuacji?".

Odpowiedzieliśmy: Gdy starasz się kierować swoim zachowaniem poprzez zwracanie uwagi na to, co czuje ktoś inny w związku z twym zachowaniem, jesteś bezsilny, ponieważ nie możesz kontrolować jego lub jej perspektywy, a tym samym nie możesz osiągnąć żadnej stałej poprawy w swej własnej wibracji ani w punkcie przyciągania, ani w tym, jak się czujesz.

Jeśli zdecydowałeś podjąć działanie opuszczenia związku, zanim wykonasz swoją wibracyjną pracę, czyli koncentrowanie się na tym, czego chcesz i dlaczego tego chcesz, wszelkie działanie, jakie podejmiesz, przyniesie ci tylko więcej tego dyskomfortu, jakiego doświadczasz. Nawet, gdy związek się skończył i jesteś sam, albo zaczynasz inny związek z inną osobą, te pokutujące od dawna negatywne wibracje nie pozwolą na przyjemny obrót zdarzeń. Mówiąc prosto, jest o wiele lepiej odnaleźć swoją wibracyjną równowagę zanim się z kimś rozstaniesz, inaczej będziesz doświadczać raczej długotrwałego dyskomfortu.

Pozwól nam przyjrzeć się sytuacji i wnieść nieco jasności do twoich opcji: doszedłeś do wniosku, w rezultacie bycia w tym związku przez chwilę nieszczęśliwym, że będzie lepiej go zakończyć. Innymi słowy, wierzysz, że masz większe szanse na szczęście poza tym związkiem, niż w nim. Lecz gdy oznajmiasz to swemu partnerowi, twój partner staje się nieszczęśliwy. A teraz, ponieważ twój partner jest bardziej nieszczęśliwy i ty jesteś bardziej nieszczęśliwy. Jedna opcja polega na tym, by pozostać. „Nie martw się, nie bądź nieszczęśliwa. Zmieniłem zdanie. Zostaję". Ale jedyne, co się stało, to jest to, że oboje czuliście się nieszczęśliwi; podjąłeś decyzję, by odejść, co unieszczęśliwiło twego partnera; a teraz wycofujesz się z tej decyzji, dzięki czemu twój partner nie jest już tak nieszczęśliwy, jak przedtem – ale wciąż żadne z was nie jest szczęśliwe. A więc nic się nie zmieniło, poza tym, że sprawy nabrały na moment intensywności, ale ty jesteś wciąż w istocie nieusatysfakcjonowany i nieszczęśliwy w tym związku. Drugą opcją jest odejście. Mógłbyś się skupić na wszystkich rzeczach, które sprawiły, iż czujesz się w tym związku niekomfortowo i użyć tego wszystkiego jako usprawiedliwienia dla odejścia. I chociaż to negatywne skupienie na rzeczach negatywnych przekona cię do podjęcia działania i odejścia, nie poczujesz się tak naprawdę lepiej. Chociaż możesz poczuć pewną ulgę w intensywności swojego nieszczęścia, z chwilą, gdy znajdziesz się poza tym związkiem, wciąż będziesz odczuwał potrzebę usprawiedliwienia swojej decyzji odejścia, co sprawi, że będziesz nadal się utrzymywał w nieprzyjemnym stanie. A więc, chociaż odszedłeś od rzeczy, które naprawdę ciebie dręczyły, wciąż będziesz się czuł udręczony.

Naprawdę, nie ma niczego, co mógłbyś *zrobić*, by zapobiec złemu samopoczuciu innych, ponieważ nie czują się źle z powodu *twojego* zachowania. Nie ma większej pułapki w związkach ani w życiu, niż próba utrzymania innych w szczęściu poprzez obserwowanie *ich* emocji i próbowanie zrekompensowania ich *swoimi* działaniami.

Jedynym sposobem, byś mógł być szczęśliwy, jest podjęcie decyzji, by być szczęśliwym. Jeśli bierzesz na siebie odpowiedzialność za czyjeś szczęście, próbujesz osiągnąć coś niemożliwego i wystawiasz siebie na wielki osobisty konflikt.

A więc teraz pozwól nam rozważyć opcję *Przeorientowania* i *Pozytywnych Aspektów*: zostań na razie tam, gdzie jesteś, nie czyniąc wielkich zmian w swoim zachowaniu czy działaniu. Innymi słowy, jeśli żyjecie razem, niech to nadal trwa. Jeśli spędzacie razem czas, niech to nadal trwa. Ta opcja jest zmianą twojego procesu *myśli*, a nie procesu *działania*. Te procesy mają pomóc ci skoncentrować się w inny sposób i zacząć opowiadanie innej historii o swoim związku albo o twym życiu, w sposób dający lepsze samopoczucie i większą moc.

Na przykład: *Myślałem o porzuceniu tego związku, ponieważ widzę, iż nie jestem w nim szczęśliwy. Ale gdy myślę o odejściu, uświadamiam sobie, że gdy odejdę, zabiorę siebie ze sobą – ponieważ jestem nieszczęśliwy, zabiorę tę nieszczęśliwą osobę ze sobą. Powodem, dla którego chcę odejść jest to, że chcę się poczuć dobrze. Ciekaw jestem, czy możliwe jest poczuć się dobrze nie odchodząc. Ciekaw jestem, czy jest coś w tym związku, na czym mógłbym się skupić, co budziłoby dobre samopoczucie.*

Pamiętam, jak spotkałem tę osobę i jak się wtedy czułem. Pamiętam, jak się czułem kiedy ta osoba mnie pociągała i jak się kwapiłem, by pójść dalej i zobaczyć, co możemy razem odkryć. Podobało mi się uczucie odkrywania. Podobał mi się nasz związek na początku. Myślę, że im więcej czasu razem spędzamy, tym bardziej sobie uświadamiamy, że nie jesteśmy doskonałą parą. Nie wierzę, żeby była to klęska którejkolwiek ze stron. To, że nie jesteśmy dobraną parą, nie oznacza, że ktoś z nas się pomylił. Znaczy to jedynie, że istnieją gdzieś potencjalnie lepsi partnerzy dla każdego z nas.

Jest tyle rzeczy w tej osobie, które lubię i które wszyscy doceniają: jest tak bystra, pełna zainteresowań, dużo się śmieje i lubi się bawić... Cieszę się, że się połączyliśmy i wierzę, że czas spędzony razem okaże się wartościowy dla każdego z nas.

A więc nasza odpowiedź na twoje ważne pytanie brzmi: Nie możesz kontrolować cierpienia, jakie odczuwa ktokolwiek inny, poprzez modyfikowanie *swojego* zachowania. Możesz jednak kontrolować swoje cierpienie poprzez kierowanie swymi myślami, aż cierpienie przygaśnie i zostanie zastąpione lepszymi uczuciami. *Gdy obdarzasz swoją uwagą to, czego właśnie chcesz – zawsze zaczniesz czuć się lepiej. Gdy obdarzasz swoją uwagą brak tego, czego chcesz – zawsze poczujesz się źle. Lecz jeśli obdarzysz swoją uwagą brak tego, czego chce ktoś inny – także poczujesz się źle.*

Jako istoty fizyczne jesteście tak ukierunkowani na działanie, że naprawdę wierzycie, że musicie wszystko zaraz naprawić. Twój partner nie dotarł do tego miejsca ot tak, nagle. Twój partner nie doszedł do tego miejsca nawet w czasie trwania związku. To była długa droga.

I tak, nie oczekuj, że rozmowa, jaką oboje prowadzicie w tej chwili, wszystko zmieni. Patrz na siebie jak na kogoś, kto sieje ziarno – bardzo silne, pewne, potężne ziarno. Zasadziłeś je perfekcyjnie i odżywiałeś je przez pewien czas swymi słowami, tak więc długo po twoim odejściu, ziarno nadal będzie rozkwitało w to, czym ma się stać. *Istnieje wiele związków, których kontynuowanie nie jest dla ciebie właściwe, ale nigdy nie odchodzilibyśmy ze związku w gniewie, z poczuciem winy czy defensywnie. Wykonaj wibracyjną pracę, poczuj się dobrze, a potem odejdź. A wówczas to, co nadejdzie później, nie będzie powtórką tego, co właśnie pozostawiłeś.*

NIE JESTEM ODPOWIEDZIALNY ZA TO, CO TWORZĄ INNI

Nie musisz akceptować odpowiedzialności za to, co robią inni w swoim doświadczeniu życia. Patrz na nich jak na wyłaniających się z braku i wiedz, że będzie im potem lepiej – a wtedy *ty* poczujesz się lepiej. Możesz ich nawet zainspirować, gdy będą pogrążeni we śnie, do obrania lepszego kierunku. Gdy o nich myślisz, wyobrażaj ich sobie szczęśliwymi. Nie przeżywaj w swym umyśle smutnych rozmów, jakie mieliście lub pożegnań. Wyobrażaj ich sobie, jak sobie radzą ze swoim życiem dokładnie tak, jak ty radzisz sobie ze swoim. *Ufaj, że mają w sobie Przewodnictwo, by odnaleźć swoją własną drogę.*

To, co tak często zwodzi większość z was w pragnieniu, by pomóc innym, to wasze przekonanie, że *oni potrzebują mojej pomocy, bo sami nie potrafią sobie pomóc,* ale to przekonanie jest dla nich szkodliwe, ponieważ oni w głębi duszy wiedzą, że *potrafią* to zrobić i że *chcą* tego dokonać.

Zacznij mówić swemu partnerowi rzeczy takie, jak: „Jesteś tak fantastyczną osobą. A chociaż nie połączyliśmy się na wielu poziomach tak, jakbym chciał(a), wiem, że czeka na ciebie doskonały partner i zwracam ci wolność dla tej wspaniałej sposobności. Szukaj jej! Nie chcę ciebie trzymać tu w klatce, uwiązanego do czegoś, czego nie chce żadne z nas. Chcę uwolnić nas oboje ku temu, czego oboje pragniemy. Nie żegnam ciebie na zawsze; mówię: Pozwól temu naszemu związkowi osiągnąć nowy poziom zrozumienia, który będzie pochodził z pełnego pasji, pozytywnego pragnienia, a nie podtrzymywanego z obawy przed możliwymi konsekwencjami".

A potem powiedz tej osobie: „Gdy będę myśleć o tobie, zawsze będę wiedzieć, że chociaż teraz jesteś smutny, później będziesz szczęśliwy. Chcę wybrać widzenie ciebie szczęśliwego, ponieważ to wtedy podobasz mi się najbardziej i to jest to, co i ty byś wolał".

Może to brzmieć twardo albo chłodno. Ale nic innego nie ma sensu.

SŁUCHAĆ PRZEWODNICTWA, CZY SIĘGAĆ PO DOBRE UCZUCIA?

Posiadasz zdolność, by przeorientować każdą okoliczność. Nieważne, jak negatywna się wydaje – posiadasz zdolność kierowania swej uwagi ku jej pozytywnym aspektom. Jedyne rzeczy, które stoją ci na drodze, to pewne stare nawyki, albo może pewne silne wpływy innych osób.

Większość ludzi podlega nawykom z natury i twoje schematy są tak mocno ugruntowane, że czasami najszybszą drogą ku radości, której szukasz, jest dokonanie przeorientowania w czasie snu – a wówczas przebudzisz się do nowego dnia, znajdując się już na drodze tego, czego właśnie chcesz. Poprzez sięganie po myśli dające dobre samopoczucie, zanim zaśniesz, a następnie doświadczanie dobrodziejstwa spokojnego umysłu, jakie ma miejsce podczas snu – a potem, po obudzeniu, przez natychmiastowe zwracanie się ku myślom budzącym dobre uczucia – możesz osiągnąć najwyższe doświadczenie *Przeorientowania*. Kilka dni stosowania tego wzorca zapewni wielką przemianę w twoich nawykach myślowych oraz twoim punkcie przyciągania i odkryjesz poprawę w niemal każdym aspekcie swego życia.

CO BY BYŁO, GDYBYM GRAŁ W *CO-BY-BYŁO-GDYBY?*

Gdy zachęcamy was, byście robili wszystko, co w waszej mocy, by znajdować pozytywne aspekty w każdym temacie, jaki jest przed wami, zdarzają się często osoby, które pytają: „Ale co z człowiekiem, który stracił pracę i ma żonę oraz pięcioro dzieci, musi zapłacić czynsz za dwa dni, a nie ma to pieniędzy? Albo, co z kobietą, u której drzwi stoi gestapo, by ją zabrać i zabić w komorze gazowej? Jak ci ludzie mogą dokonywać przeorientowania?".

Na te skrajne pytanie, często odpowiadamy: jest to tak, jakbyś właśnie wyskoczył z samolotu na wysokości 20-stu tysięcy stóp i nie miał spadochronu, i pytał: „A więc, co mam *teraz* zrobić?".

Zwykle nie stajesz wobec tak skrajnych okoliczności, z których zdaje się, że nie ma możliwości ucieczki. Jednak te skrajne sytuacje, z całym dramatem i traumą, jaką w sobie niosą, mają w sobie też moc, która przy właściwym skupieniu uwagi, może zapewnić rozwiązania, które ktoś patrzący z zewnątrz, mógłby uznać za wręcz cudowne.

Innymi słowy, nie ma sytuacji, dla której nie mógłbyś znaleźć pozytywnego rozwiązania, ale musisz być w stanie potężnie się skoncentrować, by to rozwiązanie osiągnąć. A większość ludzi, którzy znajdują się w tych sytuacjach, nie jest adeptami tego rodzaju koncentracji uwagi – co jest właśnie przyczyną doświadczania tak negatywnej sytuacji.

Gdy jesteś uwikłany w sytuacje ekstremalne, moc przychodzi z twego wnętrza i wtedy intensywność twego pragnienia ustawi ciebie na płaszczyźnie, na której, jeśli możesz się po prostu skoncentrować, możesz doznać większego uniesienia. Innymi słowy, ci, którzy są bardzo chorzy, są w lepszym położeniu, by wrócić nawet do lepszej kondycji, niż większość ludzi, ponieważ ich *pragnienie* znakomitej formy jest wzmocnione. Ale dopóki nie będą w stanie dokonać przeorientowania (skierowania uwagi na pragnienie zdrowia, a odwrócenie jej od martwienia się chorobą), nie będą mogli ozdrowieć.

Moglibyśmy zachęcić cię do gry w „Co-by-było-gdyby"*, szukając pozytywnych aspektów. Innymi słowy, zamiast dostrzegania w swoim społeczeństwie przykładów bezsilnych ludzi, nie mających kontroli nad swoim życiem, opowiedz historię, która daje ci poczucie umocnienia. Zamiast opowiadania historii o bezsilnych ofiarach i tym samym wzmacniania także swego własnego poczucia bycia ofiarą, opowiedz odmienną historię.

Na przykład: *Co-by-było-gdyby* ta kobieta, zanim przyjdzie gestapo i zacznie walić do jej drzwi, dostrzegłaby zwiastuny grożącego Holocaustu, jakie miały miejsce na tygodnie wcześniej? *Co-by-było-gdyby* ta kobieta opuściła wspólnotę, skoro zrobiło to wielu innych? *Co-by-było-gdyby* nie bała się nieznanego? *Co-by-było-gdyby* nie trzymała się kurczowo tego, co znajome? *Co-by-było-gdyby* podjęła decyzję, by rozpocząć nowe życie w nowym kraju, ze swoją siostrą i ciotką oraz wujem, dwa tygodnie wcześniej, tak, że nie byłoby jej w domu, gdy przybyło gestapo?

---

* więcej w książce *Potęga świadomej intencji*, Studio Astropsychologii 2008.

CZĘŚĆ II

PRZYCIĄGANIE PIENIĘDZY I MATERIALIZOWANIE DOBROBYTU

Gdy grasz w „Co-było-gdyby", szukaj rzeczy, które to *ty chcesz* zobaczyć. Szukaj tych rzeczy, które poprawiają twoje samopoczucie. Nie istnieją sytuacje, z których nie byłoby wyjścia. W rzeczywistości, istnieją po drodze setki i tysiące praktycznych wyborów, ale, wskutek nawyku, większość ludzi wciąż wybiera nadal perspektywę „braku" w tych sytuacjach, aż w końcu znajdują się w niechcianym miejscu, w którym wydaje się, że nie ma już więcej możliwości wyboru.

Gdy utrzymujesz intencję, by szukać dowodów na Dobrostan i rozkwit, sukces i szczęście, zestroisz się z ich wibracjami – i wówczas te formy doświadczenia przynoszącego dobre uczucia zaczną dominować w twym życiu. *Dziś, gdziekolwiek pójdę, cokolwiek będę robił, jest moją dominującą intencją szukać tego, co chcę widzieć.*

Gdy podejmujesz decyzję, że nie będziesz zwyczajnym obserwatorem swojego świata, ale osobą świadomą i wnoszącą pozytywny wkład *w* swój świat, odkryjesz wielką przyjemność w swoim zaangażowaniu w to, co dzieje się na twojej planecie. Gdy pozostajesz świadkiem, dostrzegasz rzeczy, których nie chcesz w swoim świecie, narodzie, sąsiedztwie, w twojej rodzinie czy też w swoim własnym ciele, a pamiętasz już, że posiadasz moc, by opowiedzieć inną historię – a także wiesz, że istnieje ogromna moc w opowiadaniu innej historii – wówczas, gdy wycofasz się w głąb radosnej wiedzy, jaką miałeś, gdy zdecydowałeś się przyjść na świat, by uczestniczyć w życiu na tej planecie, aby mieć od czego zacząć.

Nie możesz być w innym miejscu, niż to, w którym jesteś teraz, ale posiadasz moc, aby zacząć wyrażać swoją perspektywę tego, gdzie jesteś, na coraz lepsze sposoby. A gdy to zrobisz świadomie i celowo, ujrzysz dowody na potęgę twojej koncentracji na każdym przedmiocie, na który kierujesz swoją uwagę.

Gdy podejmujesz decyzję, że chcesz się czuć dobrze i świadomie, szukasz pozytywnych aspektów w sprawach, w które jesteś zaangażowany każdego dnia, i gdy celowo identyfikujesz i skupiasz się na tym, czego naprawdę *chcesz* w związku z tymi sprawami, wejdziesz na ścieżkę Wiecznie rozwijającej się satysfakcji i radości.

Te procesy są łatwe do zrozumienia i zastosowania, ale nie pozwól, aby ich prostota sprawiła, że nie docenisz ich potęgi. Konsekwentnie stosuj je i pokaż sobie wpływ zharmonizowanej myśli. Odkryj moc Energii, która tworzy światy – potęgę, do której zawsze miałeś dostęp, ale teraz rozumiesz, jak ją stosować – i jak ją skupić ku swoim osobistym kreacjom.

PRZYCIĄGANIE PIENIĘDZY
I MATERIALIZOWANIE DOBROBYTU

Chociaż pieniądze nie są wcale niezbędne w twoim doświadczeniu, dla większości ludzi *pieniądze* i *wolność* to synonimy. A skoro intensywna świadomość twojego prawa do poczucia wolności jest samym sednem tego, kim jesteś, wynika stąd, że twoja relacja z pieniędzmi jest jedną z najważniejszych kwestii w twoim życiowym doświadczeniu. A więc, nic dziwnego, że odczuwasz tak silne emocje w kwestii pieniędzy.

Chociaż niektórzy ludzie odkryli wolność przyzwalania, aby wielkie sumy pieniędzy przepływały w ich doświadczeniu, najczęstszym przypadkiem jest to, że ponieważ doświadczacie o wiele mniejszej ilości pieniędzy, niż potrzebujecie czy pragniecie, większość z was nie czuje się wolna. Zwracamy tutaj na to uwagę, aby jasno wyjaśnić, dlaczego istnieje ta finansowa dysproporcja, abyś mógł zacząć dopuszczać do swojego doświadczenia obfitość, której pragniesz, i na którą zasługujesz. Ponieważ, gdy czytasz te słowa i zaczynasz rezonować prawdami opartymi na *Prawie*, zharmonizujesz swoje pragnienie z obfitością swojego świata, a dowody na twoje na nowo odkryte zharmonizowanie w krótkim czasie staną się dla ciebie widoczne, a także dla innych, którzy cię obserwują.

Czy jesteś człowiekiem, który pracuje dla zdobycia finansowej obfitości od wielu lat, czy też młodzikiem, dopiero rozpoczynającym swoją drogę do finansowego Dobrostanu, droga ta nie musi być długa. I nie wymaga ona wielkich nakładów czasu czy fizycznego wysiłku, gdyż zamierzamy wyjaśnić ci w prostych i łatwych do zrozumienia pojęciach, jak używać wpływu Energii, która jest tobie dostępna. Chcemy ci ukazać absolutną korelację pomiędzy myślami, jakie masz na temat pieniędzy i tym, jak się czujesz, gdy je myślisz – a pieniędzmi, które wpływają do twojego doświadczenia. Gdy będziesz w stanie świadomie dokonać tej korelacji i zdecydujesz celowo kierować swoimi myślami, pozostając w zgodzie z nią, uzyskasz dostęp do potęgi Wszechświata i zobaczysz, że czas i wysiłek fizyczny są raczej nieistotne dla twojego finansowego sukcesu.

A więc zaczynamy od tej prostej przesłanki Wszechświata i twojego świata: *Otrzymujesz to, o czym myślisz.* Często ludzie mówią nam: „To nie może być prawda, ponieważ chciałem i myślałem o pieniądzach od tak dawna, jak sięgam pamięcią, a wciąż borykam się z ich niedostatkiem". A to, co im wtedy mówimy, jest najważniejszą rzeczą do zrozumienia, jeśli chcesz poprawić swoją sytuację finansową: *Temat pieniędzy, to w istocie dwa tematy: 1. Pieniądze, mnóstwo pieniędzy, uczucie wolności i swobody, jakie mnóstwo pieniędzy może zapewnić; i 2. Brak pieniędzy, niedostateczna ilość pieniędzy, uczucie strachu i rozczarowania, jakie wywołuje myśl o braku pieniędzy.*

Często ludzie zakładają, że skoro wypowiadają słowa: „Chcę więcej pieniędzy", mówią o pieniądzach pozytywnie. Ale jeśli mówisz o pieniądzach (lub o czymkolwiek), mówiąc o tym czujesz strach lub dyskomfort, nie mówisz na temat pieniędzy, ale zamiast tego, mówisz na temat niedostatku pieniędzy. A różnica jest bardzo ważna, ponieważ pierwsze stwierdzenie przynosi pieniądze, a drugie utrzymuje je z dala od ciebie.

Jest sprawą dużej wagi, byś sobie uświadomił, co naprawdę *myślisz* i, co ważniejsze, jak się *czujesz*, myśląc o pieniądzach. Jeśli myślisz lub mówisz rzeczy w rodzaju: „Och, to bardzo piękna rzecz – ale nie stać mnie na to", nie jesteś w odpowiedniej wibracyjnej pozycji, aby dopuścić dobrobyt, którego pragniesz. Uczucie rozczarowania obecne w chwili, gdy uznajesz, że ciebie na to nie stać, jest wskazówką, że równowaga twojej myśli jest skierowana bardziej ku brakowi twojego pragnienia, aniżeli ku samemu pragnieniu. *Negatywna emocja, jaką odczuwasz, uznając, że nie stać ciebie na coś, czego chcesz, jest jednym sposobem rozumienia równowagi twoich myśli, a poziom dobrobytu, jakiego właśnie doświadczasz, jest innym sposobem rozumienia.*

Wielu ludzi wciąż powtarza w nieskończoność doświadczenie „nie-dosytu" w swoim życiu, po prostu dlatego, że nie wykraczają myślą poza rzeczywistość, jakiej w danej chwili doświadczają. Innymi słowy, jeśli doświadczają niedostatku pieniędzy i są tego świadomi, i mówią o tym często, utrzymują się w tym chronicznym położeniu. Tak więc, wielu ludzi protestuje, gdy im objaśniamy potęgę opowiadania innej historii o ich finansach, jak chcieliby, aby brzmiała, zamiast jaką jest teraz, ponieważ wierzą, że powinni trzymać się faktów co do tego, co się wydarza.

Ale chcemy, żebyś zrozumiał, że jeśli będziesz wciąż patrzył na to, *co-jest*, i mówił o tym, *co-jest*, nie znajdziesz poprawy, jakiej pragniesz. Możesz ujrzeć paradę zmieniających się twarzy i miejsc, ale twoje życiowe doświadczenie ukaże ci w istocie brak poprawy. Jeśli chcesz dokonać zasadniczej zmiany w swoim życiowym doświadczeniu, musisz zaproponować zasadniczo odmienne wibracje, co oznacza, że musisz przywołać myśli, które budzą w tobie inne *uczucia*.

DZIAŁANIE WYNIKAJĄCE
Z POCZUCIA BRAKU JEST NIEOPŁACALNE

JERRY: Wiele lat temu posiadałem motel niedaleko El Paso w Teksasie i H. L. Hunt, który był w owym czasie jednym z najzamożniejszych ludzi w Stanach Zjednoczonych (jednym z multibilionerów), zadzwonił do mnie. Zakupił Ojo Caliente, mały ośrodek wypoczynkowy nad Rio Grande, który finansowo podupadał i usłyszał, że mogę mieć jakieś użyteczne informacje, aby mu pomóc to odwrócić. Gdy siedzieliśmy w mojej małej kawiarence, miałem trudności w skupieniu się na naszej rozmowie, ponieważ po prostu nie mogłem zrozumieć, dlaczego człowiek tak bogaty, wciąż był niezadowolony i szukał sposobów na zarobienie większych pieniędzy. Byłem ciekaw, dlaczego po prostu nie sprzedał tego miejsca – za jakąkolwiek cenę – i dalej prowadził swoje życie, ciesząc się pieniędzmi, które już zgromadził.

Miałem innego przyjaciela, który należał do klasy multibilionerów. Byliśmy w Rio de Janeiro w Brazylii, spacerując po plaży, on opowiadał o jakichś swoich biznesowych problemach i to, co naprawdę mnie powaliło, to fakt, że człowiek tak bogaty może mieć *jakiekolwiek* problemy. Ale to, czego się od was dowiedzieliśmy, Abraham (a nauczyliśmy się od was wiele), to jest to, że nasz prawdziwy sukces w życiu nie polega na tym, ile mamy pieniędzy, ani na posiadaniu rzeczy. Czy mam rację?

NAJPIERW ODNAJDĘ
MOJĄ WIBRACYJNĄ RÓWNOWAGĘ

ABRAHAM: Rzeczy, jakie *posiadasz* i rzeczy, które *robisz*, wszystkie są stworzone po to, by spotęgować wasz stan *istnienia*. Innymi słowy, wszystko sprowadza się do tego, jak czujecie, a to, jak czujecie sprowadza się najpierw do dojścia do harmonii, a wówczas rzeczy, jakie gromadzicie i działania, jakie podejmujecie, jedynie potęgują wasz stan dobrego samopoczucia... Ale jeśli najpierw nie odnajdziecie swego stanu wibracyjnej równowagi i nie spróbujecie najpierw poczuć się lepiej, to wprowadzanie większej ilości rzeczy do swojego doświadczenia i uczestniczenie w większej ilości działań, by poczuć się lepiej, po prostu odciągnie was jeszcze bardziej od równowagi.

Nie odciągamy was od akumulowania rzeczy czy podejmowania działania, ponieważ wszystko to jest zasadniczą częścią waszego fizycznego doświadczenia. Innymi słowy, waszą intencją było cudowne doświadczenie badania szczegółów waszego fizycznego świata, aby pomóc sobie osobiście określić własny radosny rozwój oraz ekspansję, lecz gdy próbujecie ruszyć naprzód wychodząc ze stanu nierównowagi, zawsze jest to przykre. *Jeśli zaczniecie od zdefiniowania, jak chcecie się czuć, albo być, i pozwolicie swojej inspiracji akumulowania lub działania wyjść z tego ześrodkowanego miejsca, wówczas nie tylko utrzymacie równowagę, ale będziecie się cieszyć rzeczami, które gromadzicie oraz tym, co robicie.*

Większość ludzi działa najwięcej, wychodząc z miejsca braku. W wielu przypadkach, pragną różnych rzeczy po prostu dlatego, że ich nie mają, tak więc posiadanie ich w istocie nie zadowala w nich niczego głębszego, ponieważ zawsze jest coś innego, czego jeszcze nie posiadają. I tak, staje się to nigdy nie kończącą się szamotaniną, by sprowadzić jeszcze jedną rzecz (jeszcze jedną, która wciąż nie będzie satysfakcjonująca) do swojego doświadczenia: *Chcę tego, ponieważ tego nie mam.* I oni naprawdę wierzą, że otrzymanie tego wypełni pustkę. Ale jest to wbrew *Prawu*.

Każde działanie, które bierze się z poczucia braku, jest zawsze bezproduktywne i zawsze prowadzi do większego poczucia braku. Pustka, jaką ci ludzie odczuwają, nie może zostać wypełniona rzeczami ani zrekompensowana działaniem, ponieważ uczucie pustki jest w wibracyjnej niezgodzie pomiędzy pragnieniem a ich chronicznymi nawykami myślowymi.

Co by-było gdyby...

Oferowanie myśli dających lepsze samopoczucie, opowiadanie odmiennej historii, szukanie pozytywnych aspektów, *Orientowanie* w kierunku przedmiotu, którego naprawdę *chcesz*, szukanie pozytywnych „co-by-było-gdyby" – oto w jaki sposób wypełniasz pustkę. A gdy to czynisz, wydarzy się najciekawsza rzecz w twym doświadczeniu: Rzeczy, których pragnąłeś, zaczną napływać do twojego doświadczenia. Ale te rzeczy, których pragniesz, będą napływać nie po to, by wypełnić twoją pustkę, ponieważ pustka już nie istnieje – będą wpływać właśnie dlatego, że pustka już nie istnieje.

Oczywiście, zgromadzisz wiele wspaniałych rzeczy w swoim doświadczeniu. *Nasze przesłanie dla ciebie nie oznacza zaniechania pożądania, posiadania czy działania. Nasze przesłanie dla ciebie to, chcieć, akumulować i działać, wychodząc z miejsca, w którym czujesz się dobrze.*

ANI PIENIĄDZE, ANI BIEDA NIE PRZYNOSZĄ RADOŚCI

JERRY: Abraham, jest takie powiedzenie, że pieniądze nie przynoszą szczęścia. Z jednej strony, zauważyłem, że bieda również go nie przynosi, ale wciąż jest oczywiste, że pieniądze nie są *drogą* do szczęścia. A więc, jeśli *idea* osiągnięcia czegoś przynosi nam szczęście, czy oznacza to, że osiągnięcie tego jest właściwym dla nas celem? A jak dana osoba ma utrzymywać uczucie szczęścia, gdy osiągnięcie celu zabiera dużo czasu i energii? Często wydaje się, że jest rodzaj wspinaczki pod górę, by osiągnąć cel, a potem krótki płaskowyż na odpoczynek i niemal natychmiast kolejna nudna wspinaczka, by osiągnąć następny cel.

W jaki sposób człowiek ma pozostać radosny w czasie całej tej wspinaczki ku swoim celom, żeby nie było borykania się, borykania, borykania, a potem: „Ojej! Dokonałem tego!". Zaś potem znowu borykanie się, borykanie, borykanie i – „Och, znowu tego dokonałem".

ABRAHAM: Masz rację! Pieniądze nie są drogą do szczęścia i jak zauważyłeś, bieda z pewnością również nią nie jest. Jest tak ważne, aby pamiętać, że gdy inicjujesz jakiekolwiek działanie w celu osiągnięcia szczęścia, zmierzasz ku niemu naprawdę bardzo okrężną drogą. Zamiast tego użyj swej zdolności skupienia myśli i słów na rzeczach, które sprawiają, że czujesz się coraz lepiej i lepiej; a gdy raz celowo osiągniesz stan szczęścia, nie tylko pojawi się *inspiracja do* wspaniałych działań, ale w ślad za tym przyjdą wspaniałe rezultaty.

Większość ludzi kieruje uwagę głównie ku temu, co wydarza się w ich doświadczeniu właśnie teraz – co oznacza, że jeśli rezultaty im odpowiadają, czują się dobrze, ale jeśli im nie odpowiadają, czują się źle. Ale jest to naprawdę trudne podejście do życia. Jeśli potrafisz widzieć tylko to, *co-jest*, wówczas nic się nie poprawi. Musisz znaleźć sposób na to, by spojrzeć przed siebie optymistycznie, aby osiągnąć jakąkolwiek poprawę w swoim doświadczeniu.

Gdy nauczysz się, w jaki sposób celowo skupiać swe myśli na rzeczach, które dają dobre samopoczucie, nie będziesz miał trudności w znalezieniu szczęścia i utrzymaniu go, nawet zanim osiągniesz swój cel. Uczucie borykania się, jakie opisałeś, przydarza się z powodu nieustannego porównywania punktu, w którym jesteś w tej chwili w stosunku do celu, który chcesz osiągnąć. Gdy nieustannie odmierzasz odległość, jaką wciąż masz do przebycia, zwiększasz dystans, zadanie i wysiłek; oto dlaczego odczuwasz to, jak wspinanie się pod górę.

Kiedy dbasz o to, jak się czujesz i w związku z tym dobierasz myśli na podstawie uczuć, jakie przynoszą, wówczas rozwiniesz nowe wzorce myślowe, które dają szerszą perspektywę. I tak, jak *Prawo Przyciągania* odpowiada na te budzące pozytywne uczucia myśli, otrzymujesz coraz więcej przyjemnych rezultatów. *Wspinanie się, walka i walka nigdy nie prowadzą do szczęśliwego zakończenia. Jest to wbrew* **Prawu.** *„Gdy tam dotrę, będę szczęśliwy" nie jest produktywnym sposobem myślenia, ponieważ dopóki nie będziesz szczęśliwy, nie* *możesz tam dotrzeć. Gdy najpierw zdecydujesz być szczęśliwym – **wtedy** tam dotrzesz.*

JESTEM TU JAKO PEŁEN RADOŚCI TWÓRCA

ABRAHAM: Nie jesteście tu, by akumulować i ponaglać. Jesteście tutaj jako *twórcy*. Gdy patrzysz w stronę przeznaczenia miejsca, twoje uczucie braku wyolbrzymia się między tym, gdzie jesteś teraz a tym końcowym miejscem przeznaczenia – zaś ten nawyk myślowy może nie tylko spowolnić proces twej kreacji, ale utrzymywać rezultat z dala od ciebie w nieskończoność. *Jesteś magnesem swojego doświadczenia. Gdy szukasz pozytywnych aspektów i starasz się znaleźć myśli, które niosą dobre odczucia, będziesz utrzymywać się w miejscu pozytywnego przyciągania i to, czego chcesz, szybciej się pojawi.*

Rzeźbiarz, pracujący nad dziełem sztuki nie czerpie największej satysfakcji z ukończonego dzieła. To proces kreacji (rzeźbienia dzieła) daje mu przyjemność. Chcielibyśmy, abyś właśnie tak widział swoje fizyczne doświadczenie tworzenia: jest to *nieustanne radosne stawanie się.* Gdy skoncentrujesz swoją uwagę na rzeczach, które wzbudzają dobre samopoczucie i konsekwentnie osiągasz radosny stan istnienia, będziesz w punkcie przyciągania więcej tego, czego chcesz.

Czasem ludzie skarżą się, że wydaje się to niesprawiedliwe, że muszą się stać szczęśliwi, zanim rzeczy, które przynoszą szczęście, będą mogły do nich przyjść. Wierzą, że kiedy są nieszczęśliwi, „potrzebują" szczęśliwych wydarzeń, bo kiedy już są szczęśliwi, wówczas szczęśliwe wydarzenia nie są konieczne; jednakże przeczyłoby to *Prawu Przyciągania. Musisz znaleźć sposób na odczucie **esencji** tego, czego pragniesz, zanim **szczegóły** tego pragnienia będą mogły do ciebie przyjść. Innymi słowy, musisz poczuć się jak człowiek, który dobrze prosperuje, zanim sukces będzie mógł nadejść.*

Często ludzie mówią nam, że chcą więcej pieniędzy, i gdy pytamy, jakie są ich myśli na temat pieniędzy, wówczas oznajmiają, że mają do pieniędzy bardzo pozytywne nastawienie. Jednakże, gdy badamy tę sprawę głębiej, pytając, jak się czują przy opłacaniu swych rachunków, często uświadamiają sobie, że chociaż starają się, by mieć pozytywny stosunek do tego tematu, w rzeczywistości odczuwają zmartwienie, a nawet strach w związku z tematem pieniędzy. Innymi słowy, często nie zdając sobie z tego sprawy, większość ich myśli na temat pieniędzy utrzymuje się po stronie *niedostatku*, zamiast po stronie *obfitości* tego tematu.

POTĘGA WIBRACYJNEGO WYDAWANIA WIBRACYJNYCH PIENIĘDZY

ABRAHAM: Oto proces*, jaki może ci szybko pomóc, by zmienić równowagę twoich myśli dotyczących pieniędzy i ustalić ją w miejscu, w którym zaczniesz pieniądzom zezwalać na łatwiejsze wpłynięcie do twego doświadczenia: włóż do swej kieszeni banknot 100-dolarowy i noś go przy sobie przez cały czas. W ciągu dnia postaraj się świadomie dostrzegać, jak wiele rzeczy możesz za te pieniądze kupić: „Mógłbym to kupić. Mogę to zrobić".

Ktoś nam kiedyś odpowiedział, że za 100 dolarów nie można kupić wiele w obecnych czasach, ale wyjaśniliśmy mu, że jeśli mentalnie wydajesz te 100 dolarów tysiąc razy dziennie, to wibracyjnie wydałeś 100 tysięcy dolarów. Ten wibracyjny proces wydawania spowoduje, że poczujesz się inaczej w stosunku do pieniędzy; a gdy to się stanie, twój punkt przyciągania się zmieni – i więcej pieniędzy musi wpłynąć do twego doświadczenia. *Takie jest **Prawo**.*

Ktoś powiedział: „Abraham, nie miałem 100 dolarów, ale włożyłem do kieszeni weksel". A my odpowiedzieliśmy, że to psuje cały proces, gdyż chodzisz z *uczuciem* długu w kieszeni, co jest dokładnym przeciwieństwem tego, czego chcesz. Chcesz czuć, że dobrze ci się powodzi. I tak, nawet, gdy jest to tylko 20 dolarów

---

* więcej w książce *Proś a będzie ci dane*, Studio Astropsychologii 2008.

czy 50 dolarów, czy też 1000 dolarów, albo 10 tysięcy dolarów, jakie masz w kieszeni, *używaj ich skutecznie, by dopomóc sobie w dostrzeganiu, jak jest dobrze – teraz.* Ponieważ gdy dostrzegasz swoje zamożne *teraz* – twoja zamożność musi się zwiększyć.

POTRZEBA PIENIĘDZY ICH NIE PRZYCIĄGNIE

JERRY: Abraham, jednym z moich największych rozczarowań, gdy pracuję, by pomóc ludziom w osiągnięciu większego sukcesu finansowego jest to, że ci, którzy *potrzebują* pieniędzy *najbardziej,* odnosili *najmniejszy* sukces w tym, czego ich uczyłem, podczas gdy ci, którzy *potrzebowali* go *najmniej,* odnosili w tym *największy* sukces. Zawsze wydaje mi się to sprzeczne: wydawało się, że ci, którzy ich potrzebowali, będą się starali bardziej i że w końcu powinni odnieść sukces.

ABRAHAM: Ktokolwiek znajduje się w punkcie braku – nieważne, jak dużo działania podejmie – przyciąga więcej braku. Innymi słowy, potężne uczucie przeważa nad jakąkolwiek akcją, jaką podejmują. *Wszelkie działanie podejmowane z poczucia braku jest zawsze bezproduktywne.* Ci, którzy nie odczuwali silnej potrzeby zdobycia pieniędzy, nie byli w punkcie braku i tym samym, ich działanie było produktywne. Twoje doświadczenie było w absolutnej harmonii z *Prawem Przyciągania* – jak każde doświadczenie. Nie ma nigdzie we Wszechświecie niczego, co przeczyłoby temu, o czym mówimy.

JERRY: Zauważyłem też, że ci, którzy nie osiągnęli wielkiego sukcesu lub nie byli bardzo zainteresowani nawet tym, by usłyszeć o odnoszeniu sukcesu, byli ludźmi, których nauczono, że pragnienie pieniędzy jest złe lub niemoralne, a najlepszą rzeczą, jaką mają do zrobienia, jest pozostać tam, gdzie byli, nawet gdyby mieli czuć się niespełnieni.

ABRAHAM: Powodem, dla którego wielu osiąga punkt, w którym mówią, że czegoś nie pragną, jest to, że pragnęli, pragnęli,

pragnęli, ale ponieważ nie rozumieli, że każdy temat to dwa tematy, poświęcili więcej uwagi brakowi tego, czego chcieli, aniżeli temu, czego chcieli. I tak, nadal przyciągali brak tego, czego chcieli, aż w końcu poczuli się tym zmęczeni. Gdy człowiek zaczyna kojarzyć pragnienie z nieposiadaniem lub niespełnieniem, tak bardzo, że chcieć czegoś oznacza nieprzyjemne doświadczenie, wówczas mówi: „Nie chcę już więcej, bo za każdym razem, gdy chcę czegoś, dochodzę do tego nieprzyjemnego miejsca i jest mi łatwiej po prostu nie chcieć".

CO WTEDY, GDY „BIEDNY" NIE CZUJE SIĘ BIEDNY?

JERRY: Jeśli inni, którzy ciebie widzą i porównują ze sobą, dochodzą do wniosku, że jesteś biedny, ale ty nie czujesz się biedny, wówczas nie będziesz w miejscu braku – a w tym przypadku, będziesz w stanie przejść szybko w stronę większego dobrobytu, czy mam rację?

ABRAHAM: Zgadza się. Opinia innych nie wpływa na twój punkt przyciągania tak długo, jak długo ich opinia tobie nie przeszkadza. Porównywanie swego doświadczenia do doświadczeń innych może zwiększyć twoje poczucie braku, jeśli dojdziesz do wniosku, że odnieśli sukces większy od twojego i w ten sposób uaktywnisz w sobie poczucie bycia „gorszym". Również zauważanie braku dobrobytu u innych nie prowadzi do punktu przyciągania większego własnego dobrobytu, ponieważ będziesz otrzymywać to, o czym myślisz.

To, co przyciągasz do siebie – lub co odpychasz od siebie – nie ma nic wspólnego z tym, co robią inni. *Zwiększone poczucie dobrobytu, nawet, gdy obecna rzeczywistość nie usprawiedliwia tego uczucia, zawsze przyniesie ci większy dobrobyt. Zwracanie uwagi na to, co ty czujesz w związku z pieniędzmi jest o wiele bardziej owocne, niż zwracanie uwagi na to, co robią inni.*

Dopuszczenie większej ilości pieniędzy do twego doświadczenia wymaga o wiele mniej, niż myśli większość ludzi. Jedyne, co ci potrzebne, to osiągnięcie wibracyjnej równowagi w swoich myślach. Jeśli chcesz mieć więcej pieniędzy, ale wątpisz w to, że to osiągniesz – nie znajdujesz się w stanie równowagi. Jeśli chcesz mieć więcej pieniędzy, ale wierzysz, że jest coś nieodpowiedniego w posiadaniu pieniędzy – nie znajdujesz się w stanie równowagi. Jeśli masz poczucie nieadekwatności, braku bezpieczeństwa, niesprawiedliwości, czujesz zazdrość, gniew i tak dalej, twój *Emocjonalny System Przewodnictwa* pozwala ci zrozumieć, że nie jesteś zharmonizowany ze swym pragnieniem.

Większość ludzi nie podejmuje wysiłku, by dojść do osobistego zharmonizowania z tematem pieniędzy. Zamiast tego, spędzają lata, nawet całe życie, koncentrując się na rzekomej niesprawiedliwości, próbując zdefiniować, co jest słuszne, a co niewłaściwe w tym temacie, a nawet próbując ustanowić prawa regulujące przepływ pieniędzy w cywilizacji, podczas gdy raczej mały wysiłek – w porównaniu z niemożliwą próbą kontrolowania tych zewnętrznych okoliczności – mógłby im przynieść ogromną korzyść.

Nie ma nic ważniejszego, niż to, abyś czuł się dobrze, bo gdy czujesz się dobrze, jesteś w harmonii ze swoją wyższą intencją. Wielu wierzy, iż ciężka praca i walka są nie tylko konieczne dla odniesienia sukcesu, ale że ciężko pracując i długo tak walcząc, żyją w sposób godny większego szacunku. Te ciężkie czasy trudu z pewnością pomagają ci określić, czego pragniesz, ale dopóki nie uwolnisz uczucia trudu, to, czego pragniesz, nie wejdzie do twego doświadczenia.

Często ludzie czują, że muszą udowodnić swoją wartość i że gdy to wreszcie osiągną, wtedy i tylko wtedy otrzymają wszelkie nagrody – ale chcemy, byś wiedział, że już jesteś wartościowy i udowadnianie swej wartości innym jest nie tylko niemożliwe, ale zupełnie niekonieczne. To, co *jest* konieczne, byś zyskał nagrodę lub korzyści, jakich szukasz, to zharmonizowanie z esencją tych korzyści. Najpierw musisz osiągnąć wibracyjną harmonię z doświadczeniami, które chcesz przeżyć.

Mamy świadomość, że słowa nie uczą i że twoja wiedza na temat *Praw Wszechświata* i twojej wartości niekoniecznie oznacza, iż teraz, po przeczytaniu tych słów, poznasz swoją wartość. Jednakże, jeśli rozważysz przesłanki, jakie tobie ukazujemy, i rozpoczniesz stosowanie procesów, jakie tu sugerujemy, jesteśmy pewni, że odpowiedź Wszechświata na twoją udoskonaloną wibrację, przyniesie ci dowody na istnienie tych *Praw*.

Nie potrwa to długo i nie będzie wymagało zbyt wiele świadomego stosowania zasad, o jakich tutaj czytasz, żebyś zdążył się przekonać o swojej wartościowości oraz o zdolności stworzenia wszystkiego, czego pragniesz. Głównym powodem, dla którego ludzie nie wierzą we własną wartość jest to, że często nie znaleźli sposobu, by otrzymać to, czego chcą i błędnie uznają, że coś zewnętrznego ich nie aprobuje i w jakiś sposób odmawia im nagrody. Nie jest to nigdy prawdą. To ty jesteś twórcą swego doświadczenia.

Wypowiadaj twierdzenia takie, jak: *Chcę być najlepszy jak potrafię. Chcę działać, mieć i żyć w sposób będący w harmonii z moją ideą największego dobra. Chcę harmonizować fizycznie, tutaj, w tym ciele, z tym, co jak wierzę, jest najlepszym lub po prostu dobrym sposobem życia.* Gdy wypowiesz te deklaracje i nie będziesz podejmować działania do chwili, gdy poczujesz się dobrze, będziesz się zawsze poruszał po ścieżce harmonii z twoją ideą dobra.

JAKA JEST MOJA HISTORIA „FINANSOWEJ OBFITOŚCI"?

ABRAHAM: Wiara w brak jest powodem, dla którego większość ludzi nie pozwala sobie na osiągnięcie finansowej obfitości, jakiej pragną. Gdy wierzysz, że stos obfitości jest ograniczony i niewystarczający, żeby było jej dosyć dla wszystkich – i odczuwasz niesprawiedliwość, gdy ktoś posiada więcej od innych, wierząc, że skoro to mają, to inni są tego pozbawieni – utrzymujesz siebie z dala od obfitości. To nie cudze osiągnięcie sukcesu odpowiada za twój jego brak, ale raczej twoje negatywne porównanie oraz uwaga, jaką kierujesz ku brakowi swojego pragnienia. Gdy odczuwasz negatywną emocję, jaka pojawia się, gdy oskarżasz innych o niesprawiedliwość lub o trwonienie bogactwa lub gromadzenie – albo gdy po prostu wierzysz, że nie wystarczy tych dóbr dla wszystkich – negujesz możliwość poprawy swojej sytuacji.

To, co inni robią czy posiadają, nie ma nic wspólnego z tobą. Jedyna rzecz, jaka decyduje o twoim doświadczeniu, to sposób, w jaki stosujesz Energię Nie-Fizyczną dzięki swoim myślom. Twój dobrobyt lub jego brak w twym doświadczeniu nie ma nic wspólnego z tym, co robi lub posiada ktokolwiek inny. To twoja własna perspektywa decyduje o wszystkim. Decyduje o tym jedynie myśl, jaką emitujesz. Jeśli chcesz, by twój stan posiadania się zmienił, musisz zacząć opowiadać inną historię.

Innymi słowy, gdyby ktoś zadzwonił do ciebie i powiedział: „Witaj, nie znasz mnie, ale dzwonię, by ci powiedzieć, że nigdy już do ciebie nie zadzwonię", nie odczujesz emocji negatywnej co do nieobecności dzwoniącego w twoim życiu, ponieważ jego obecność nie jest tym, czego pragniesz. Ale gdyby ktoś, na kim ci zależy, powiedział coś takiego, wówczas odczułbyś silną negatywną emocję, gdyż twoje pragnienie i twoje przekonanie byłyby z tym sprzeczne.

Gdy odczuwasz emocję negatywną, co do czegokolwiek, zawsze oznacza to, że masz pragnienie, zrodzone z twego osobistego doświadczenia życia, które tu, właśnie teraz, stoi w opozycji do innych twoich myśli. *Wibracyjny konflikt jest zawsze przyczyną negatywnej emocji. A negatywna emocja jest zawsze wskazówką, by dopomóc ci w przekierowaniu twych myśli, aby znaleźć wibracyjną harmonię z tym, kim-jesteś-naprawdę i z obecnymi pragnieniami.*

CO SIĘ DZIEJE, GDY BIEDNI KRYTYKUJĄ BOGATYCH?

JERRY: Gdy byłem dzieckiem, miałem do czynienia głównie z ludźmi biednymi i miałem zwyczaj wyśmiewania ludzi zamożnych – na przykład krytykowaliśmy tych, którzy jeździli luksusowymi samochodami. I tak, jako dorosły, gdy nadszedł czas, gdy sam zapragnąłem mieć cadillaca, nie mogłem tego osiągnąć, ponieważ czułem, że ludzie będą się ze mnie śmiali tak, jak ja śmiałem się z innych. A więc jeździłem mercedesem z powodu popularnego dawnego przekonania, że są to samochody „oszczędne".

Jedynym sposobem, by doprowadzić do tego, bym jeździł cadillakiem, co ostatecznie zrobiłem, było przekształcenie moich myśli mówiąc: *Kupując ten samochód, zatrudniam do pracy tych wszystkich, którzy pracują nad tym samochodem. Stworzyłem miejsca pracy dla tych wszystkich, którzy dostarczyli części i materiały – skórę, metal, szkło – i dla rzemieślników, itd...* I dzięki temu usprawiedliwieniu byłem w końcu w stanie nabyć ten samochód. A więc w jakiś sposób odkryłem proces przekształcenia moich myśli, który pomógł mi dopuścić ten symbol sukcesu do mojego doświadczenia.

ABRAHAM: Twoja metoda przekształcenia myśli jest skuteczna. Gdy chcesz się czuć dobrze i stopniowo znajdujesz coraz przyjemniejsze myśli, doprowadzasz siebie do stanu harmonii ze swoim pragnieniem i uwalniasz opór powstrzymujący ciebie przed poprawą. *Skupianie się na opiniach innych, które są sprzeczne z twoim pragnieniem, nigdy nie może być owocne, ponieważ zawsze budzi w tobie niezgodę, która również nie pozwala na poprawę sytuacji. Zawsze będą tacy, którzy nie będą się z tobą zgadzali, a kierowanie ku nim uwagi zawsze spowoduje, że nie będziesz się **wibracyjnie** zgadzał ze swymi pragnieniami. Słuchaj swojego własnego **Systemu Przewodnictwa** – poprzez zwracanie uwagi na to, jak odczuwasz – aby określić właściwość twoich pragnień i zachowań.*

Zawsze będzie ktoś, nieważne którą stronę tematu obierzesz, kto nie będzie z tobą harmonizował. I to jest powód, dla którego mówimy to tak dobitnie i chcemy tak bardzo, byś zrozumiał, że twoim największym staraniem powinno być znalezienie harmonii z tym, *kim-jesteś-naprawdę.* Jeśli zaufasz sobie – jeśli możesz uwierzyć, że wszystko, co przeżyłeś, pozwoliło ci dojść do miejsca głębokiej wiedzy i jeśli ufasz, że to, co czujesz, jest formą osobistego Przewodnictwa co do właściwości lub niewłaściwości tego, co zamierzasz zrobić – wówczas użyłbyś swego *Systemu Przewodnictwa* w sposób, do jakiego został stworzony.

CO SIĘ DZIEJE, GDY NASZE PIENIĄDZE TRACĄ WARTOŚĆ?

JERRY: Abraham, w przeszłości pieniądze były przede wszystkim monetami – metalem, posiadającym wartość samą w sobie: na przykład 20 dolarów w złocie, gdzie złoto jako takie było warte 20 dolarów, a srebro w srebrnych dolarach miało wartość srebra. W ten sposób można było łatwo ocenić wartość monety. Ale teraz nasze pieniądze same w sobie nie mają rzeczywistej wartości: papier i monety są właściwie bezwartościowe.

Zawsze doceniałem zasadność istnienia pieniędzy jako sposobu wymieniania dóbr i talentów, zamiast wymieniania kurczaka za bańkę mleka lub kosz ziemniaków. Ale teraz nasze pieniądze są sztucznie pozbawione wartości i zrozumienie wartości dolara staje się coraz trudniejsze. Innymi słowy, przypomina mi to poszukiwanie własnej wartości: „Jak wiele wart jest mój talent? Jak wiele powinienem zażądać za czas i energię, jaką włożyłem?". Jednak teraz dowiaduję się od was, że nie musimy rozważać naszej wartości w ten sposób. Mamy jedynie rozważać, czego chcemy, a potem to do siebie dopuścić.

Jestem świadomy faktu, że wielu ludzi czuje się niepewnie, co do swej przyszłości finansowej, bo czują, że nie posiadają kontroli nad tym, co może się stać z wartością dolara – ponieważ wydaje się, że jest wielu takich, którzy ją kontrolują i manipulują nią. Wielu martwi się, że będzie większa inflacja, a nawet nowy kryzys. Chciałbym, by ludzie zrozumieli to, czego nas uczycie o *Prawie Przyciągania,* aby nie martwili się rzeczami, które są poza ich kontrolą, tak jak wartość dolara.

ABRAHAM: Trafiłeś tutaj w coś bardzo istotnego, jeśli chodzi o temat pieniędzy, bo masz rację, iż wielu z was dostrzega mniejszą wartość dolara dzisiaj, niż dawniej. Ale jest to inna pozycja braku, jakiej często się mocno trzymacie, która powstrzymuje was przed przyciąganiem dostatku, który należy do was.

Chcielibyśmy, byś zrozumiał, że dolar i przypisana mu wartość, nie jest tak ważny w twym doświadczeniu, jak sądzisz, i że gdybyś mógł skierować swoją uwagę na to, czego chcesz, w sensie *bycia*, a potem *posiadania*, wówczas wszelkie pieniądze – lub inne środki przynoszące to, czego chcesz – mogłyby wpłynąć łatwo, bez wysiłku, do twego doświadczenia.

Wciąż powracamy do tej samej terminologii: *Z miejsca braku, nie możesz osiągnąć jego przeciwieństwa. Tak więc, naprawdę jest to kwestią dostosowania swego myślenia, aby owo myślenie harmonizowało z tym, co w głębi duszy odczuwasz jako dobre.*

Każda myśl, jaka się pojawia w twym umyśle, wibruje i dzięki tej wibrującej myśli, przyciągasz. Gdy twoja myśl dotyczy braku, wibruje ona w miejscu, które jest tak obce temu, jakie zna twoja *Wewnętrzna Istota*, że twoja *Wewnętrzna Istota* nie może z tobą wcale rezonować – a wynikające z tego uczucie jest emocją negatywną. Gdy myśl, jaką masz, podnosi cię na duchu albo wyraża obfitość lub Dobrostan, jest ona w harmonii z tym, czym jest twoja *Wewnętrzna Istota*. A w tych warunkach, jesteś wypełniony uczuciem pozytywnej emocji.

Możesz zaufać temu, jak się czujesz, jako wskazówce, po której stronie tego tematu (będącego w istocie dwoma tematami) się znajdujesz. *Czy jest to temat pieniędzy lub ich braku, zdrowia lub jego braku, czy związku lub jego braku – zawsze, gdy czujesz się dobrze, jesteś w miejscu przyciągania tego, czego pragniesz.*

CZY ODWRÓCIĆ SPIRALĘ PROWADZĄCĄ W DÓŁ?

JERRY: Przywykłem martwić się o ludzi, którzy mają finansowe problemy. Patrzyłem, jak staczają się w dół, coraz niżej i niżej, aż w końcu popadali w bankructwo. Ale potem, w krótkim czasie, zdobywali nową łódź, nowy luksusowy samochód i inny piękny dom. Innymi słowy, nikt, na kogo patrzyłem, nie wydawał się pozostawać na dnie. Ale dlaczego nie mogli zatrzymać tej spirali prowadzącej w dół wcześniej i zacząć piąć się w górę zawczasu? Dlaczego tak wielu z nich musiało przebyć całą drogę do dna, zanim mogli zacząć od nowa?

ABRAHAM: Powodem istnienia każdej takiej spirali jest uwaga skierowana na brak. W swoim strachu, iż mogliby coś stracić oraz swej uwadze skierowanej na rzeczy, które tracili, koncentrowali się na braku tego, czego chcieli; a tak długo, jak długo było to obiektem ich uwagi, możliwe były jedynie większe straty. Gdy czuli się defensywnie, albo, gdy próbowali usprawiedliwiać i racjonalizować, albo obwiniać, znajdowali się po stronie braku w tym równaniu i jedynie większy brak mógł stać się ich doświadczeniem.

Jednak z chwilą, gdy osiągali dno i nie trwali dłużej w pozycji obronnej, ponieważ nie było już nic do stracenia, ich uwaga się zmieniała, a także ich wibracja się zmieniała – a więc zmieniał się ich punkt przyciągania. Osiąganie tego, co uważali za dno, sprawiało, że mogli spojrzeć w górę. Można powiedzieć, że zmusiło ich to do tego, by zaczęli opowiadać inną historię.

Wasze doświadczenie życiowe sprawia, że prosicie o wiele wspaniałych rzeczy, które torują sobie drogę do waszego doświadczenia, lecz wasze martwienie się lub zwątpienie, albo strach lub wstręt, wina lub zazdrość (albo jakiekolwiek negatywne emocje) wskazują, że zasadnicze myśli, jakim się oddajecie, blokują pojawienie się tych rzeczy. Jest to tak, jakbyście przyciągnęli je do samych waszych drzwi, ale drzwi te są zamknięte. Gdy zaczynacie opowiadać inną historię o rzeczach, jakie moglibyście kupić za studolarowy banknot, gdy się zrelaksujecie i skupicie bardziej na pozytywnych aspektach waszego życia, gdy bardziej świadomie będziecie wybierać lepszy koniec wibracyjnego kija – wówczas drzwi się otworzą i zostaniecie wręcz zalani manifestacją tych wszystkich upragnionych rzeczy, doświadczeń i związków.

WOJNA PRZECIWKO WOJNIE JEST TAKŻE WOJNĄ

ABRAHAM: Zrozumienie, że jesteś twórcą własnego doświadczenia i nauczenie się świadomego tworzenia poprzez kierowanie własnymi myślami, oznacza dla większości ludzi konieczność przestawienia się, gdyż długo wierzyli, że muszą *sprawić*, by coś się wydarzyło, za pomocą *działania*. Nie tylko błędnie wierzyłeś, że właśnie działanie sprawia, że coś się wydarza, lecz wierzyłeś także, że jeśli zastosujesz presję wobec rzeczy niechcianych, to wówczas wreszcie odejdą. Właśnie dlatego macie „wojnę z biedą" i „wojnę z narkotykami", i „wojnę z AIDS" oraz „wojnę z terroryzmem".

I chociaż możesz wierzyć, że odpychanie tych niechcianych rzeczy sprawi, że znikną z twego doświadczenia, jest to sprzeczne z działaniem Praw Wszechświata, ani nie potwierdza też tego twoje własne doświadczenie, bo wszystkie te wojny wciąż narastają. *Uwaga skierowana na brak tego, co jest chciane sprawia, że on się zwiększa i przybliża do ciebie, tak jak koncentrowanie się na tym, co jest chciane sprawia, że to się zwiększa i przybliża do ciebie.*

Gdy zrelaksujesz się, by przywrócić swój naturalny Dobrostan, gdy uczynisz deklaracje takie jak: „Poszukuję obfitości i ufam Prawom Wszechświata – określiłem rzeczy, których chcę, a teraz zamierzam się zrelaksować i dopuścić je do mojego doświadczenia", nadejdzie więcej rzeczy, których pragniesz. Jeśli twoja sytuacja finansowa przypomina walkę, odpychasz dalej swój finansowy Dobrostan, lecz gdy zaczniesz odczuwać swobodę wobec swej sytuacji finansowej, zezwolisz na to, by do twojego doświadczenia wpłynął większy dobrobyt. Jest to naprawdę aż tak proste.

A więc, gdy widzisz innych, którzy osiągnęli doskonałość w swoim przyciąganiu pieniędzy i odczuwasz w związku z tym negatywne emocje, jest to sygnał, że twoja obecna myśl nie dopuszcza dobrobytu, którego pragniesz, do twego doświadczenia. *Gdy jesteś krytyczny wobec sposobu, w jaki ktokolwiek przyciągnął lub użył pieniędzy, odpychasz pieniądze od siebie. Ale gdy zdasz sobie sprawę, że to, co inni robią z pieniędzmi, nie ma z tobą nic wspólnego i że twoim głównym zadaniem jest myślenie oraz mówienie tego, co budzi w tobie dobre uczucia, wówczas będziesz w harmonii nie tylko z kwestią pieniędzy, ale z każdym ważnym przedmiotem twojego doświadczenia.*

CZY MOŻEMY ODNIEŚĆ SUKCES NIE MAJĄC TALENTU?

JERRY: Jakie znaczenie ma talent oraz zdolności w przynoszeniu dobrobytu lub pieniędzy w naszym życiu?

ABRAHAM: Bardzo niewielkie. Wszystko to są głównie aspekty działania, a twoje działanie jest odpowiedzialne za maleńką część tego, co do ciebie przychodzi. Twoje myśli oraz słowa (słowa są wyartykułowanymi myślami) są przyczyną tego, że twoje życie rozwija się tak, jak się rozwija.

JERRY: A więc, czy powiedziałbyś, że ludzie nieposiadający poszukiwanych zdolności czy talentu, mogą osiągnąć cały finansowy dobrobyt, jakiego pragną w swoim życiu?

ABRAHAM: Absolutnie, dopóki porównując się z innymi (by stwierdzić, że nie posiadają poszukiwanych zdolności czy talentu) nie poczują się gorsi, a tym samym nie będą sabotować własnego doświadczenia swoimi negatywnymi oczekiwaniami.

Najbardziej wartościową zdolnością, jaką możesz kiedykolwiek w sobie rozwinąć, jest zdolność kierowania swymi myślami ku temu, czego chcesz – stając się adeptem w szybkim wartościowaniu wszelkich sytuacji i wówczas szybkiego dochodzenia do określenia tego, czego chcesz najbardziej – a następnie obdarzania tego swoją niepodzielną uwagą. Kierowanie własnymi myślami jest wielką zdolnością, która przyniesie rezultaty nieporównywalne z tymi, jakie daje zwyczajne działanie.

CZY MOŻEMY COŚ OTRZYMAĆ BEZ DAWANIA?

JERRY: A więc jak ludzie mogą przekroczyć przeświadczenie, że muszą *dawać* coś o wartości dolara, aby *otrzymać* coś innego o wartości dolara?

ABRAHAM: Twoja wiedza na każdy temat pochodzi jedynie z życiowego doświadczenia, lecz twoje doświadczenie życiowe jest rezultatem twoich myśli. A więc nawet, jeśli chciałeś czegoś przez bardzo długi czas, to jeśli twoje myśli były skoncentrowane na braku tej rzeczy, wówczas nie mogła ona do ciebie przyjść. I tak, dzięki własnemu doświadczeniu, doszedłeś do wniosku, że to *nie jest* możliwe, albo że *jest* nieuniknionym zmaganiem. Innymi słowy, dochodzisz do wielu uzasadnionych wniosków, że wszystko ciężko przychodzi, gdy prowadzisz trudne życie.

Pragniemy ci pomóc zrozumieć, co naprawdę jest sednem tego stworzonego przez ciebie trudu. Chcemy ci pomóc w tym, abyś wyszedł z innego założenia i zrozumiał *Prawa* leżące u podstaw wszystkiego. Nowe rozumienie *Praw Wszechświata* i gotowość rozpoczęcia opowiedzenia nowej historii przyniosą ci inne rezultaty, zaś te rezultaty dadzą następnie inne przekonania oraz inną wiedzę.

Jesteś jedyną osobą, która może ocenić własną efektywność. Nikt inny nie może określić, gdzie znajdujesz się w odniesieniu do tego, gdzie pragniesz się znaleźć i nikt inny nie może decydować, gdzie powinieneś być – nikt poza tobą.

ONI CHCĄ WYGRAĆ FORTUNĘ NA LOTERII

JERRY: Wielu ludzi ma nadzieje na wielki finansowy przypływ, który nieoczekiwanie do nich przyjdzie i uwolni z długów lub oswobodzi z nielubianej pracy, którą wykonują dla zarabiania pieniędzy. To, co słyszę od nich najczęściej, to że chcą wygrać na loterii, gdzie otrzymają swoje bogactwo w zamian za to, że ktoś przegra swoje.

ABRAHAM: Jeśli ich *oczekiwanie* znajdowałoby się w miejscu, które by na to pozwalało, wówczas mogliby znaleźć się na drodze do otrzymania pieniędzy. Ale wiedzą, jak nikłe są na to szanse, a więc ich *oczekiwanie* wygranej na loterii również nie leży w miejscu mocy.

JERRY: A więc jak ma się *nadzieja na wygraną* do *oczekiwania wygranej?*

ABRAHAM: Tak jak *nadzieja* jest bardziej produktywna od wątpliwości – *oczekiwanie* jest dużo bardziej produktywne niż *nadzieja.*

JERRY: W takim razie, jak ludzie mogą zacząć oczekiwać czegoś, czego nie pokazało im ich życiowe doświadczenie? Jak można oczekiwać czegoś, czego się nie doświadczyło?

ABRAHAM: Nie musisz *posiadać* pieniędzy, aby *przyciągać* pieniądze, ale nie możesz *czuć się biedny* i przyciągać pieniądze. Kluczem jest to, że musisz znaleźć sposób na to, by poprawić swoje odczuwanie dokładnie w tym miejscu, w którym stoisz, zanim sprawy zaczną się poprawiać: *Poprzez mniejsze koncentrowanie się na rzeczach, które idą źle i rozpoczęcie opowiadania historii kierujących się bardziej ku temu, czego chcesz, zamiast w kierunku tego, co masz, twoja wibracja się zmieni, zmieni się twój punkt przyciągania i otrzymasz inne rezultaty. I w krótkim czasie,* *w związku z rezultatami, jakie otrzymujesz, nabierzesz przekonań lub poczucia dobrobytu, który z łatwością będzie siebie powielał. Ludzie mówią często: „Bogaci się bogacą, a biedni biednieją", i oto przyczyna.* Szukaj powodów, by czuć się dobrze. Określ, czego chcesz – i utrzymuj swoje myśli w miejscu, w którym czujesz się dobrze.

ŻYCIE W DOBROBYCIE NIE JEST „MAGIĄ"

ABRAHAM: Gdy objaśniamy, z własnej perspektywy, obfitą naturę twojego Wszechświata i potencjał obfitości, jaki jest tobie zawsze dostępny, rozumiemy, że nasza wiedza nie stanie się twoją wiedzą jedynie dlatego, że przeczytałeś nasze słowa. Gdybyśmy mieli prosić, byś zaufał temu, co mówimy lub „choćby spróbował" zrozumieć, nie mógłbyś po prostu przyjąć naszego rozumienia jako swego własnego – gdyż jedynie twoje własne życiowe doświadczenie przynosi ci wiedzę.

Przekonania, jakie żywisz jako rezultat tego własnego doświadczenia są bardzo silne i rozumiemy, że nie możesz ich natychmiast uwolnić i zastąpić innymi, chociaż wiemy, że istnieje o wiele więcej produktywnych przekonań, jakie mógłbyś przyjąć. Ale jest coś, co możesz dzisiaj rozpocząć, co spowoduje głęboką zmianę w tym, jak rozwija się twoje życie, co nie wymaga natychmiastowego uwalniania przekonań, jakie obecnie utrzymujesz: *Zacznij opowiadać bardziej pozytywną, dającą lepsze samopoczucie historię o swoim życiu i rzeczach, które są dla ciebie ważne.*

Nie twórz swojej opowieści jak dokumentu opartego na faktach, ważąc wszystkie „za" i „przeciw" swojego doświadczenia, a zamiast tego opowiedz dodającą otuchy, bajeczną, magiczną historię cudu własnego życia i popatrz, co będzie. Będziesz miał uczucie, jakby to była magia, gdy twoje życie będzie się zaczynało przemieniać tuż przed twymi oczyma, ale to nie jest magia. Dzieje się to dzięki *Prawom Wszechświata* i twojemu świadomemu zharmonizowaniu z tymi *Prawami.*

SPRZEDAWANIE WOLNOŚCI ZA PIENIĄDZE?

JERRY: Wiem, że zatytułowaliśmy tę książkę *Pieniądze i Prawo Przyciągania*, ale dotyczy ona w istocie bardziej przyciągania *obfitości* we wszystkich dziedzinach swego życia. Od czasu mojego dzieciństwa, my (w Stanach Zjednoczonych) walczymy usilnie ze zbrodnią. I jest teraz o wiele więcej zbrodni niż w czasach, gdy byłem dzieckiem. Ostatnio czytam, że nasz naród ma wyższy procent populacji w więzieniach, niż jakikolwiek inny kraj w „wolnym świecie".

Walczyliśmy przeciw chorobie, a jednak jest więcej szpitali i chorych ludzi, niż kiedykolwiek przedtem – jest o tyle więcej cierpienia fizycznego według danych statystycznych tego narodu, niż kiedykolwiek widziałem.

Opieraliśmy się wojnie w poszukiwaniu świata pokoju, a jednak wydaje się, jakby całkiem niedawno wszyscy się zachwycali: „Czy to nie cudowne [gdy upadł Mur Berliński], że nareszcie mamy pokój?". Ale ledwie zaczerpnęliśmy cztery oddechy, gdy znów uwikłaliśmy się z powrotem w inne wojny, a teraz *budujemy* jeszcze więcej murów wokół *tego* narodu.

Słyszę również o tak wielkiej trosce o dobre traktowanie dzieci i innych osób, a jednak im więcej mówi się o walce z ich złym traktowaniem, tym więcej o nim słyszę.

Wydaje się, jakby wszystko, co próbujemy zrobić, aby powstrzymać to, czego nie chcemy, nie działało na naszą korzyść. Ale dziedziną, w której ten naród wydaje się zmierzać w bardziej pozytywnym kierunku, jest dobrobyt. Mamy tak wiele żywności i pieniędzy, że możemy oddawać światu ich nadmiar, a ja widzę o wiele więcej rzeczy materialnych w rękach większej ilości ludzi w tym kraju, niż w moich młodych latach, a więc nastąpiły w tym znaczne pozytywne zmiany.

Ale tak wielu ludzi, w poszukiwaniu finansowego dobrobytu, zdaje się tracić sporą część swej osobistej wolności w zamian za pieniądze. Wydaje się, jakby byli tacy, którzy mają dużo wolnego czasu, ale mają tak mało pieniędzy, że się nim nie cieszą. I są tacy, którzy mają więcej pieniędzy, ale mało czasu, by się nimi cieszyć. Za to rzadko się zdarza spotkać kogoś, kto by doświadczał obfitego przepływu pieniędzy, i jednocześnie czasu, by się nimi naprawdę cieszyć. Abraham, czy możecie skomentować ze swojej perspektywy moje spostrzeżenia?

ABRAHAM: Czy jesteś skoncentrowany na braku pieniędzy, czy też na braku czasu, wciąż jesteś skoncentrowany na braku czegoś, czego pragniesz, a tym samym utrzymujesz się w stanie oporu przed tym, czego naprawdę chcesz. Czy twoja negatywna emocja jest spowodowana poczuciem braku czasu, czy też brakiem pieniędzy, wciąż odczuwasz negatywną emocję i wciąż jesteś w stanie oporu, a tym samym pozostajesz z dala od tego, czego rzeczywiście pragniesz.

Gdy czujesz, że nie masz dostatecznie dużo czasu na zrobienie wszystkiego, co powinieneś zrobić lub co chciałbyś zrobić, twoja uwaga skierowana na brak wpływa na ciebie o wiele bardziej negatywnie, niż przypuszczasz. *Uczucie przytłoczenia jest dla ciebie wskazówką, że pozbawiasz się dostępu do idei, spotkań, warunków i wszelkiej współpracy, jakie mogłyby ci dopomóc, gdyby nie to, że ich nie dopuszczasz. Jest to nieprzyjemne, zamknięte koło, w którym odczuwasz brak czasu, koncentrujesz się na swoim przeładowanym grafiku zajęć i czujesz się przytłoczony – a w tym wszystkim oferujesz wibrację, która uniemożliwia poprawę.*

Musisz zacząć opowiadać inną historię, ponieważ nie możesz wciąż mówić o tym, jak wiele masz do zrobienia nie blokując wsparcia. W zasięgu twojej ręki znajduje się współpracujący Wszechświat, gotowy i zdolny do tego, by pomóc tobie na więcej sposobów, niż mógłbyś sobie wyobrazić, ale odmawiasz sobie tego dobrodziejstwa, gdy nadal skarżysz się na nadmiar rzeczy do zrobienia.

Gdy czujesz, iż nie masz dość pieniędzy, twoja uwaga skierowana na brak pieniędzy, nie pozwala na otwarcie się licznych dróg, które mogłyby przynieść ci ich więcej – po prostu nie możesz patrzeć na przeciwieństwo tego, czego chcesz, aby otrzymać to, czego chcesz. Musisz zacząć inną opowieść. Musisz znaleźć sposób na stworzenie poczucia dobrobytu, zanim będzie się on mógł pojawić.

Gdy zaczniesz odczuwać większą wolność w związku z wydatkowaniem czasu i pieniędzy, otworzą się drzwi, pojawią się ludzie, by ci pomóc, powstaną nowe, świeże i produktywne idee oraz pojawią się odpowiednie okoliczności i wydarzenia. Gdy zmienisz sposób, w jaki odczuwasz, uzyskasz dostęp do Energii, która stwarza światy. Możesz zawsze mieć do niej dostęp, w każdej chwili.

NEGATYWNE UCZUCIA WOBEC PIENIĘDZY LUB RAKA?

JERRY: Jaka jest różnica między negatywnymi uczuciami w stosunku do pieniędzy i tym samym ich *nieposiadaniem*, a powiedzeniem: „Nie chcę mieć raka" i *zachorowaniem* na raka?

ABRAHAM: Oto, jak to działa: Otrzymujesz esencję tego, o czym myślisz, a więc gdy myślisz o *braku* zdrowia, otrzymujesz brak zdrowia. Gdy myślisz o braku pieniędzy, otrzymujesz brak pieniędzy. Możesz to poznać po tym, jak się czujesz utrzymując daną myśl, czy przyciągasz pozytywne, czy negatywne aspekty przedmiotu.

Wszechświat nie słyszy słowa *nie*. Gdy mówisz, *Nie, nie chcę choroby*, twoja uwaga kierowana ku tematowi choroby jest mówieniem: *Tak, przyjdź do mnie, przedmiocie, którego nie chcę.*

Wszystko, co darzysz uwagą, jest zaproszeniem esencji tego, co darzysz uwagą. Gdy mówisz: *Chcę pieniędzy, ale nie przyjdą*, twoja uwaga skierowana na ich brak jest tym samym, co mówienie: *Chodź do mnie, braku pieniędzy, którego nie chcę.*

Gdy myślisz o pieniądzach w sposób, który je do ciebie przyciągnie, zawsze czujesz się dobrze. Gdy myślisz o pieniądzach w sposób, który je powstrzymuje przed pojawieniem się, zawsze czujesz się źle. W ten sposób możesz poznać różnicę.

A więc pytasz: „ Jeśli mogę zachorować na raka poprzez koncentrowanie się na braku zdrowia, to dlaczego nie mogę otrzymać pieniędzy poprzez koncentrowanie się na ich braku?". Otrzymywanie pieniędzy, *których chcesz*, jest tym samym, co otrzymywanie zdrowia, *którego chcesz. Otrzymywanie raka, którego nie chcesz, jest tym samym, co otrzymywanie braku pieniędzy, którego nie chcesz.*

Po prostu upewnij się, czy cokolwiek myślisz, albo cokolwiek wypowiadasz, wzbudza w tobie pozytywne emocje, a wówczas będziesz w trybie przyciągania tego, czego *chcesz*. Gdy obecne są negatywne emocje, wówczas jesteś w trybie przyciągania czegoś, czego *nie chcesz*.

NIE PRACOWAŁ CIĘŻKO DLA PIENIĘDZY?

[Poniżej znajduje się przykład pytania zadanego przez uczestnika warsztatu Abraham-Hicks]

Pytanie: Mam przyjaciółkę, która zasadniczo utrzymywała finansowo swojego byłego męża przez około dziesięć lat. Pracowała i opiekowała się nim przez cały ten czas, często borykając się, by zarobić dosyć pieniędzy, by ich utrzymać. Ostatecznie zmęczyła ją jego niechęć do wnoszenia własnego finansowego wkładu i rozstali się. Jej mąż nigdy nie sprawiał wrażenia, by pieniądze były dla niego ważne, ale właśnie odziedziczył ponad milion dolarów – a teraz nie podzielił się swymi pieniędzmi z byłą żoną (moją przyjaciółką), która utrzymywała go przez wszystkie te lata.

Nie wydaje się sprawiedliwe, że ona dbała o pieniądze i ciężko pracowała, a otrzymała tak niewiele, podczas gdy on ledwie pracował, zdawał się nie dbać o pieniądze, a teraz odziedziczył ponad milion dolarów. Jak może tak być?

ABRAHAM [ciąg dalszy rozdziału to słowa Abrahama]: W rozumieniu *Prawa Przyciągania* tak, jak my je rozumiemy, ta historia ma absolutny sens. Ta kobieta ciężko pracowała, czuła urazę, koncentrowała się na braku – a Wszechświat precyzyjnie odpowiedział na te *uczucia*. Jej mąż odczuwał swobodę, odmówił czucia się winnym, oczekiwał, iż wszystko przyjdzie mu łatwo – a Wszechświat precyzyjnie odpowiedział na te *uczucia*.

Wielu ludzi wierzy, że muszą ciężko pracować, zmagać się, płacić cenę i odczuwać cierpienie, a wówczas zostaną wynagrodzeni za swoje zmagania – ale nie jest to zgodne z *Prawami Wszechświata: nie możesz znaleźć szczęśliwego zakończenia nieszczęśliwej podróży. Jest to wbrew Prawu.*

Nie ma najmniejszego dowodu na to, co sprzeczne z *Prawem Przyciągania*; a ty miałaś dobrodziejstwo znać obie te osoby, widzieć ich postawy oraz zobaczyć rezultaty: jedno zmagające się, pracujące bardzo ciężko, robiąc to, czego nauczyło ją społeczeństwo – i nie otrzymujące tego, czego chce... Drugie odmawiające zmagań, obstające przy poczuciu swobody – i otrzymujące środki, które podtrzymują jeszcze większą swobodę.

Wielu mogłoby powiedzieć: „Cóż, może nie jest to spójne z *Prawami Wszechświata*, ale jest to wciąż nie w porządku", ale chcemy, abyście wiedzieli, że gdy zsynchronizujecie się z tym potężnym *Prawem*, wówczas zrozumiecie jego absolutną sprawiedliwość.

Skoro macie kontrolę nad tym, co przejawiacie, co więc mogłoby być bardziej sprawiedliwe, niż Wszechświat dający wam dokładnie to, co wibracyjnie emitujecie? Co mogłoby być bardziej sprawiedliwe, niż potężne *Prawo Przyciągania* odpowiadające na równi każdemu, kto emituje wibrację? Gdy raz uzyskacie kontrolę nad swoimi myślami, wasze poczucie niesprawiedliwości ustąpi i zostanie zastąpione radosnym podnieceniem i entuzjazmem do tworzenia, z którym się urodziliście. *Pozwólcie, by wszystko we Wszechświecie było dla was przykładem na to, jak działają* **Prawa Wszechświata.**

Jeśli wierzycie, że musicie ciężko pracować, aby zasłużyć na pieniądze, jakie otrzymujecie, wówczas pieniądze nie mogą przyjść do was, dopóki nie będziecie ciężko pracować. Ale pieniądze, które przychodzą w odpowiedzi na fizyczne działanie, są bardzo małe w porównaniu z tym, co przychodzi dzięki zharmonizowaniu myśli. Z pewnością zauważyliście ogromną różnicę między niektórymi ludźmi, którzy podejmują ogromne działania za małe wynagrodzenie, podczas gdy inni zdają się działać bardzo niewiele, uzyskując ogromne zyski. Chcemy, byście zrozumieli, iż ta rozbieżność istnieje tylko w porównaniu działań, jakie przejawiają – ale nie ma rozbieżności, ani niesprawiedliwości, jeśli chodzi o zharmonizowanie ich Energii.

Sukces finansowy oraz żadna inna forma sukcesu, nie wymaga ciężkiej pracy ani działania, ale wymaga zharmonizowania myśli. Po prostu nie możesz oferować negatywnej myśli na temat tego, czego pragniesz, a następnie osiągnąć to działaniem, albo ciężką pracą. Kiedy nauczysz się kierować swymi własnymi myślami, odkryjesz prawdziwy wpływ zharmonizowania Energii.

Większość z was jest bliższa finansowej fortuny, niż nawet pozwolilibyście sobie prawdziwie zapragnąć, ponieważ w myśli, że mogłaby nadejść, natychmiast zaczynacie myśleć, jak będziecie rozczarowani, jeśli nie nadejdzie. A więc, w swojej pełnej braku myśli, nie pozwalacie sobie pragnąć ani oczekiwać niczego imponującego w kategoriach pieniędzy; i oto powód, dlaczego, w większości, przeżywacie raczej przeciętne finansowe doświadczenia.

Macie rację, myśląc, że *Pieniądze nie są wszystkim.* Z pewnością nie potrzebujecie pieniędzy, by radość była obecna w waszym doświadczeniu. Ale w waszym społeczeństwie – gdzie tak wiele tego, co przeżywacie, jest związane w jakiś sposób z pieniędzmi – większość z was wiąże pieniądze z wolnością. A skoro wolność jest podstawową wartością waszej Istoty, wówczas dojście do harmonii z pieniędzmi pomoże wam ustanowić zrównoważony punkt oparcia, mający wartość we wszystkich innych aspektach waszego doświadczenia.

CZY WYDAWANIE PIENIĘDZY PRZYNOSI KOMFORT?

Bardzo rozpowszechnione widzenie pieniędzy przekazała nam kobieta, która opowiadała, że zawsze czuła się bardzo skrępowana, wydając swoje pieniądze. Z czasem, udało się jej zaoszczędzić znaczną sumę pieniędzy, ale gdy tylko myślała o wydaniu jakiejś ich części, „drętwiała" i „bała się pójść nawet o krok dalej".

Wyjaśniliśmy: Jest to z pewnością zrozumiałe, że gdy wierzysz, iż twoje pieniądze przychodzą do ciebie dzięki działaniu, jakie podejmujesz oraz wierzysz też, że nie zawsze będziesz w stanie podjąć takie działanie, chciałabyś zatrzymać swoje pieniądze i wydawać je oszczędnie, by pozostały jak najdłużej. Jednakże to uczucie ograniczenia spowalnia proces wpływania większej ilości pieniędzy do twego doświadczenia.

Jeśli czujesz się nieprzyjemnie na myśl o wydawaniu pieniędzy, wówczas pod żadnym pozorem nie zachęcamy ciebie do ich wydawania, gdy czujesz się nieprzyjemnie, ponieważ żadne działanie podjęte w duchu negatywnej emocji, nigdy nie jest dobrym pomysłem. Ale przyczyna twojego dyskomfortu nie dotyczy działania polegającego na wydawaniu pieniędzy, dyskomfort jest wskazówką, że twoje myśli na temat pieniędzy nie są Wibracyjnym Odpowiednikiem twojego pragnienia. *Wiara w deficyt nigdy nie będzie rezonować z twoją głębszą wiedzą, ponieważ deficyt nie istnieje. Wszelka uwaga skierowana na brak czegoś upragnionego zawsze stworzy w tobie negatywną emocję, ponieważ twoje Przewodnictwo daje ci do zrozumienia, że zbłądziłeś, oddalając się od swojego głębszego, podstawowego zrozumienia obfitości i Dobrostanu.*

Znajdź sposób na zmniejszenie swojego *dyskomfortu*, a w końcu przekształcisz go w uczucie nadziei, a następnie pozytywnego *ocze-*

kiwania; a potem z tego stabilnego miejsca lepszego samopoczucia, to poczucie „drętwienia" zostanie zastąpione *ufnością* i *entuzjazmem*. Czy jesteś skupiony na deficycie pieniędzy – czy też na widzeniu siebie mającego tylko tyle *lat* do przeżycia (a więc każdy przeżyty dzień oznacza o jeden dzień bliżej końca twoich lat) – to uczucie schyłkowości jest sprzeczne z twoim głębszym rozumieniem Wiecznej natury twojej Istoty.

W ten sam sposób, w jaki rozumiesz, że nie musisz podejmować niemożliwego zadania wciągania dostatecznej ilości powietrza do swych płuc, aby przetrwać cały dzień, albo tydzień, albo rok – lecz zamiast tego z łatwością wdychasz i wydychasz, zawsze otrzymując to, czego chcesz lub potrzebujesz, kiedy tylko tego chcesz lub potrzebujesz – pieniądze mogą wpływać i wypływać z twojego doświadczenia z taką samą łatwością, z chwilą, gdy osiągniesz owo oczekiwanie Wiecznej obfitości.

Wszelkie pieniądze, jakich pragniesz, są tobie dostępne i możesz je otrzymać. Jedyne, co musisz zrobić, to *dopuścić* je do swego doświadczenia. A gdy pieniądze wpływają, możesz łagodnie pozwolić im odpływać, bo jak w przypadku powietrza, którym oddychasz, zawsze będzie napływało ich więcej. Nie musisz strzec swoich pieniędzy (jak wstrzymywanie oddechu i nie dopuszczanie do wydechu), bo więcej nie nadejdzie. Więcej zawsze *nadchodzi*.

Ludzie czasem protestują, snując swoje opowieści o deficycie, wskazując na „rzeczywistość" deficytu, jakiego doświadczyli, jakiego byli świadkami, albo o którym słyszeli. A my rozumiemy, że jest mnóstwo przykładów ukazujących ludzi, którzy doświadczają deficytu wielu rzeczy, których pragną. Ale chcemy, byście zrozumieli, że te doświadczenia deficytu nie są spowodowane niedostępnością dobrobytu, ale tym, że na niego *nie pozwalacie*.

Kontynuowanie opowieści o deficycie jedynie przedłuża przeciwstawianie się twemu pragnieniu dobrobytu, a nie możesz go osiągnąć na obydwa sposoby: nie możesz skoncentrować się na tym, co *niechciane* i otrzymać to, co upragnione. Nie możesz się koncentrować na opowieściach o pieniądzach, które budzą w tobie nieprzyjemne uczucia i dopuścić do swego doświadczenia to, co sprawi, że poczujesz się przyjemnie. Musisz zacząć opowiadać inną historię, jeśli chcesz otrzymać inne rezultaty. Zaczęlibyśmy mówiąc: *Chcę się czuć dobrze. Chcę się czuć produktywnie i ekspansywnie.*

Moje myśli są podstawą przyciągania wszystkiego, co uważam za dobre, co dotyczy dostatecznej ilości pieniędzy dla mojego komfortu i radości, co dotyczy zdrowia oraz wspaniałych ludzi wokół mnie, stymulujących, podnoszących na duchu i ekscytujących...

Zacznij snuć opowieść o twym pragnieniu, a następnie dodaj do niej szczegóły pozytywnych aspektów, jakie możesz znaleźć, aby odpowiadały tym pragnieniom. A potem upiększ swoje pozytywne oczekiwanie przykładami zabawy ze swoim dobrym samopoczuciem: *Czyż nie byłoby miło, gdyby...?*

Mów takie rzeczy, jak *Przychodzą do mnie tylko rzeczy dobre. Chociaż nie mam wszystkich odpowiedzi i chociaż nie znam wszystkich kroków, i nie mogę określić wszystkich drzwi, jakie się dla mnie otworzą, wiem, że w miarę, gdy będę się poruszać w czasie i przestrzeni, właściwa ścieżka stanie się dla mnie oczywista. Wiem, że będę mógł ją sobie wyobrazić, gdy będę iść dalej.* Za każdym razem, gdy będziesz opowiadać swoją historię, dającą lepsze samopoczucie, będziesz czuł się lepiej, a szczegóły twojego życia ulegną poprawie. Im lepiej się dzieje, tym lepiej się dzieje.

JAK ZMIENIĆ SWÓJ PUNKT PRZYCIĄGANIA?

Czasem ludzie martwią się, że opowiadali swoją historię o tym, czego nie chcą, przez tak długi czas, że teraz nie mają dość czasu w swoim życiu, by odwrócić te lata koncentrowania się na deficycie pieniędzy – jednak nie mają powodu do zmartwienia.

Chociaż prawdą jest, że nie możesz się cofnąć, by odwrócić to negatywne myślenie, nie ma powodu, by to czynić nawet, gdybyś mógł, ponieważ cała twoja moc zawiera się w twoim *teraz*. Gdy znajdziesz myśl dającą lepsze odczucia właśnie teraz, twój punkt przyciągania również się zmienia – właśnie teraz! *Jedynym powodem, dla którego wydaje się, że negatywne myślenie, jakie zainicjowałeś wiele lat temu, ma wciąż wpływ na twoje życie, jest to, że nadal podtrzymujesz ten negatywny bieg myśli lub przekonań przez lata. Przekonanie jest jedynie myślą, którą nadal podtrzymujesz. Przekonanie jest niczym więcej, jak chronicznym schematem myślowym, a ty posiadasz zdolność – jeśli choć trochę się postarasz – by stworzyć nowy schemat, by opowiedzieć nową historię, by osiągnąć inną wibrację, by zmienić swój punkt przyciągania.*

Nawet zwykły akt dostrzeżenia, jak wiele rzeczy możesz kupić tego jednego dnia za 100 dolarów, jakie nosisz ze sobą, może dramatycznie zmienić twój finansowy punkt przyciągania. Ten jeden prosty proces jest wystarczający, by przechylić równowagę twojej Wibracyjnej Skali, aby ukazać ci aktualne rezultaty w twym przyciąganiu pieniędzy. Mentalnie wydawaj swoje pieniądze i wyobrażaj sobie ulepszony styl życia. Celowo łącz z tym uczucie wolności poprzez wyobrażanie sobie, jak czułbyś się, mając wielką sumę pieniędzy do swej dyspozycji.

Widzisz, *Prawo Przyciągania* odpowiada na twoją wibrację, a nie na rzeczywistość, jaką obecnie przeżywasz – ale jeśli twoja wibracja nadal dotyczy rzeczywistości, jaką przeżywasz, nic nie może się zmienić. *Możesz z łatwością zmienić swój wibracyjny punkt przyciągania poprzez wizualizowanie stylu życia, jakiego pragniesz i utrzymywanie swej uwagi na tych obrazach tak długo, aż poczujesz ulgę, co będzie oznaczało, że zaszła prawdziwa wibracyjna zmiana.*

DO MNIE NALEŻY
OKREŚLENIE WŁASNYCH STANDARDÓW

Czasem, ze świadomości deficytu pieniędzy, myślisz, że chcesz wszystko, co tylko zobaczysz. Budzi się w tobie rodzaj niekontrolowanej żądzy, która jest dla ciebie torturą, gdy nie masz pieniędzy do wydania, albo powoduje jeszcze większą rozpacz, gdy się jej poddajesz i wydajesz pieniądze, których nie masz, pogłębiając długi. Ale żądza wydania pieniędzy w tych warunkach jest w istocie fałszywym sygnałem, gdyż nie pochodzi z rzeczywistego pragnienia posiadania tych rzeczy. *Kupienie jeszcze jednej rzeczy i przyniesienie jej do domu nie zaspokoi takiej żądzy, ponieważ tym, co w rzeczywistości czujesz, jest pustka, którą może zapełnić osiągnięcie jedynie wibracyjnej harmonii z tym, **kim-jesteś-naprawdę**.*

W chwili obecnej czujesz się pozbawiony bezpieczeństwa, podczas gdy ten, *kim-jesteś-naprawdę*, jest kimś, kto jest absolutnie bezpieczny. Czujesz się teraz niedostatecznie wartościowy, podczas gdy ten, *kim-jesteś-naprawdę*, jest wartościowy. Czujesz niedostatek, podczas gdy ten, *kim-jesteś-naprawdę*, jest bogaty. To, za czym tęsknisz tak bardzo, to wibracyjna zmiana, a nie kupowanie czegoś. Gdy raz uda ci się osiągnąć i konsekwentnie utrzymać osobiste zharmonizowanie, wówczas wiele pieniędzy wpłynie do twojego doświadczenia (jeśli to jest twoim pragnieniem) i bardzo prawdopodobnie wydasz duże sumy pieniędzy na rzeczy, których pragniesz, ale twoje wydatki będą wtedy budzić w tobie bardzo odmienne uczucia. Nie będziesz czuł przymusu ani pustki, którą próbujesz zapełnić kupowaniem, a zamiast tego będziesz odczuwał zadowalające zainteresowanie czymś, co z łatwością utoruje sobie drogę do twojego doświadczenia, a każda część tego procesu – od poczęcia tej idei po jej rozkwitającą manifestację w twoim doświadczeniu – przyniesie ci uczucie satysfakcji i radości.

*Nie pozwól innym na ustanawianie standardów co do tego, ile pieniędzy powinieneś mieć – albo co powinieneś z nimi robić – ponieważ jesteś jedyną osobą, która może to kiedykolwiek właściwie określić. Wejdź w stan harmonii z tym, **kim-jesteś-naprawdę**, i pozwól rzeczom, których zapragnąłeś dzięki życiu, wpłynąć do twojego doświadczenia.*

CZY „OSZCZĘDZANIE DLA BEZPIECZEŃSTWA" MA SENS?

Pewien mężczyzna opowiedział nam, że miał kiedyś nauczyciela, który rzekł mu, że odkładanie pieniędzy na czarną godzinę jest tym samym, co „planowanie katastrofy" oraz że w istocie samo usiłowanie poczucia się bezpieczniej może prowadzić w rzeczywistości do większego braku poczucia bezpieczeństwa, ponieważ przyciągnęłoby niechcianą katastrofę. Chciał wiedzieć, czy ta filozofia zgadza się z naszymi naukami o *Prawie Przyciągania.*

Powiedzieliśmy mu: Nauczyciel miał rację, wskazując, że uwaga skierowana na cokolwiek przynosi tobie więcej esencji tej rzeczy, a więc jeśli miałbyś się skupić na idei prawdopodobnych złych wydarzeń zagrażających ci w przyszłości, dyskomfort, jaki byś czuł, zastanawiając się nad tymi niechcianymi rzeczami, byłby dla ciebie wskaźnikiem, że w istocie jesteś w trakcie procesu ich przyciągania. Ale jest absolutnie możliwe krótkie rozważenie zajścia czegoś niechcianego w przyszłości, takiego, jak sytuacja finansowa, która pozbawia ciebie poczucia bezpieczeństwa, gdy ją rozważasz, co może spowodować, że zaczniesz rozważać finansową *stabilizację,* której *pragniesz.* A gdy skoncentrujesz się na bezpieczeństwie, którego *pragniesz,* możesz zostać równie dobrze zainspirowany do działania, które wzmacnia stan bezpieczeństwa.

Działanie polegające na oszczędzaniu pieniędzy, albo inwestowaniu w kapitał, nie jest samo w sobie ani pozytywne, ani negatywne, ale ów nauczyciel może mieć rację twierdząc, że nie możesz dostać się do strefy bezpieczeństwa, wychodząc z punktu pozbawionego poczucia bezpieczeństwa. *Zachęcamy cię do użycia potęgi twego umysłu, aby skupić się na bezpieczeństwie dającym dobre samopoczucie, jakiego szukasz, a następnie podjąć wszelkie działanie, jakie zostanie zainspirowane w tym punkcie dobrego samopoczucia. Cokolwiek budzi w tobie dobre samopoczucie jest w harmonii z tym, czego chcesz.*

Cokolwiek budzi w tobie złe samopoczucie, nie jest w harmonii z tym, czego chcesz. To jest naprawdę aż tak proste.

Niektórzy mówią, że nie powinieneś pragnąć pieniędzy, bo pragnienie pieniędzy jest materialistyczne i nie jest Duchowe. Ale chcemy, byś pamiętał, że jesteś tutaj, w tym bardzo fizycznym świecie, w jakim zmaterializował się Duch. Jesteście tu w swych bardzo fizycznych ciałach na tej bardzo fizycznej planecie, na której to, co jest Duchem i to, co jest fizyczne lub materialne stapiają się ze sobą. *Nie możecie oddzielić siebie od tego aspektu siebie, który jest Duchowy, a dopóki jesteście tutaj w tym ciele, nie możecie się odseparować od tego, co fizyczne lub materialne. Wszystkie wspaniałe rzeczy natury fizycznej, jakie was otaczają, są Duchowe w swej naturze.*

OPOWIADANIE NOWEJ HISTORII O DOBROBYCIE, PIENIĄDZACH I FINANSOWYM DOBROSTANIE

Prawo Przyciągania nie odpowiada na rzeczywistość, jaką obecnie przeżywasz i powielasz, lecz odpowiada na wibracyjne schematy myśli, jakie z ciebie emanują. A więc, gdy zaczynasz opowiadać historię o tym, kim jesteś – w odniesieniu do pieniędzy – z perspektywy tego, czego pragniesz, zamiast z perspektywy tego, co obecnie przeżywasz, zmienią się twoje wzorce myślowe, a tym samym twój punkt przyciągania.

To, co-jest, nie ma wpływu na to, co nadchodzi, o ile będziesz się wciąż koncentrować na historii o tym, co-jest. Myśląc i mówiąc więcej o tym, jak chcesz, by twoje życie naprawdę wyglądało, pozwalasz, by to, co obecnie przeżywasz, stało się trampoliną dla czegoś o wiele większego. Jeśli jednak mówisz głównie o tym, co-jest, wówczas tworzysz również – pomnażając wciąż to, co-jest.

A więc rozważ poniższe pytania, pozwalając napływać swoim odpowiedziom naturalnie, a następnie przeczytaj kilka przykładów na to, jak mogłaby brzmieć twoja nowa historia dotycząca pieniędzy. A potem zacznij opowiadać swoją własną, nową i udoskonaloną historię o swojej sytuacji finansowej i popatrz, jak szybko i pewnie okoliczności i zdarzenia zaczynają się wokół ciebie rozwijać, aby uczynić twoją nową historię rzeczywistością:

- Czy posiadasz tyle pieniędzy, ile pragniesz w tej chwili, w swoim doświadczeniu życia?
- Czy Wszechświat jest pełen obfitości?
- Czy istnieje dla ciebie opcja posiadania mnóstwa pieniędzy?
- Czy suma pieniędzy, jaką miałbyś otrzymać w tym życiu, została już ustalona z góry, zanim się urodziłeś?
- Czy wprawiasz teraz w ruch, dzięki potędze swej obecnej myśli, sumę pieniędzy, jakiej oczekujesz?
- Czy masz możliwość zmiany swojej sytuacji finansowej?
- Czy masz kontrolę nad swoją sytuacją finansową?
- Czy chcesz mieć więcej pieniędzy?
- Gdy wiesz już to, co wiesz teraz, czy masz gwarancję swojego finansowego dobrobytu?

PRZYKŁAD MOJEJ „STAREJ" HISTORII O PIENIĄDZACH

Jest tyle rzeczy, których chcę, na które mnie po prostu nie stać. Zarabiam dziś więcej, niż kiedykolwiek wcześniej, lecz czuję, że pieniędzy brakuje jak zawsze. Wydaje mi się po prostu, jakbym nigdy nie mógł zrobić kroku do przodu.

Wydaje się, że przez całe moje życie martwiłem się pieniędzmi. Pamiętam, jak ciężko pracowali moi rodzice i ciągłe martwienie się mojej matki o pieniądze, i przypuszczam, że odziedziczyłem po nich to wszystko. Ale nie jest to takie dziedzictwo, na jakie liczyłem. Wiem, że są naprawdę zamożni ludzie na świecie, którzy nie muszą się martwić o pieniądze, ale nie ma ich nigdzie wokół mnie. Wszyscy, których obecnie znam, borykają się z tym i martwią, co będzie dalej.

Zauważ, jak się zaczyna ta opowieść – od dostrzegania bieżącej niechcianej sytuacji; następnie przechodzi do usprawiedliwienia sytuacji; następnie do spojrzenia w przeszłość dla uwydatnienia bieżącego problemu, co powiększa zniechęcenie jeszcze bardziej; następnie przechodzi do szerszego spojrzenia na postrzegany niedostatek. *Gdy zaczynasz opowiadać historię negatywną,* **Prawo Przyciągania** *pomoże ci sięgnąć z twojej obecnej perspektywy w przeszłość, a nawet w przyszłość – ale pozostanie ten sam wibracyjny schemat braku.*

Gdy skupisz się na braku w postawie uskarżania się, ustalisz wibracyjny punkt przyciągania, który da ci dostęp jedynie do większej ilości myśli w duchu skargi, bez względu na to, czy będziesz skoncentrowany na swojej teraźniejszości, przeszłości czy też swojej przyszłości.

Twój świadomy wysiłek, by opowiedzieć nową historię, to zmieni. Twoja nowa historia ustanowi nowy wzorzec myślowy, zapewniając nowy punkt przyciągania, wychodząc od twojej teraźniejszości, co do twojej przeszłości, jak i przyszłości. Prosty wysiłek, by znaleźć pozytywne aspekty poczynając od miejsca, w którym właśnie stoisz, ustanowi nowy wibracyjny ton, który wpłynie nie tylko na to, co czujesz teraz, ale rozpocznie natychmiastowe przyciąganie myśli, ludzi, okoliczności i rzeczy, które ci odpowiadają.

PRZYKŁAD MOJEJ „NOWEJ" HISTORII O PIENIĄDZACH

Podoba mi się koncepcja, że pieniądze są dostępne jak powietrze, którym oddycham. Podoba mi się idea wdychania i wydychania większej ilości pieniędzy. Zabawnie jest wyobrażać sobie, jak mnóstwo pieniędzy do mnie napływa. Mogę zobaczyć, jak moje uczucia wobec pieniędzy wpływają na pieniądze, które do mnie przychodzą. Jestem szczęśliwy, zrozumiawszy, że w miarę praktyki mogę kontrolować moje nastawienie wobec pieniędzy lub czegokolwiek innego. Dostrzegam, że im częściej opowiadam moją historię o obfitości, tym lepiej się czuję.

Lubię wiedzieć, że jestem twórcą mojej własnej rzeczywistości i że pieniądze, jakie wpływają do mojego doświadczenia, są bezpośrednio zwią-

zane z moimi myślami. Lubię wiedzieć, że mogę dostroić sumę pieniędzy, jaką otrzymuję, poprzez dostrojenie moich myśli.

Teraz, gdy rozumiem już formułę kreacji; teraz, gdy rozumiem, że otrzymuję esencję tego, o czym myślę; a co najważniejsze, teraz, gdy rozumiem, że po tym, co czuję, mogę ocenić, czy jestem skoncentrowany na pieniądzach, czy na braku pieniędzy, czuję pewność, że z czasem, zestroję moje myśli z dobrobytem – a pieniądze wpłyną z mocą do mojego doświadczenia.

Rozumiem, że ludzie wokół mnie utrzymują różne poglądy na temat pieniędzy, dobrobytu, wydawania, oszczędzania, dobroczynności, dawania pieniędzy, zarabiania pieniędzy i tak dalej, i że nie jest konieczne, abym rozumiał ich opinie czy doświadczenia. Odczuwam ulgę wiedząc, że nie muszę tego wszystkiego rozwiązywać. Bardzo miło jest wiedzieć, że jedyną moją pracą jest zestrojenie moich myśli na temat pieniędzy z moimi własnymi pragnieniami dotyczącymi pieniędzy, i że gdy tylko czuję się dobrze, znaczy to, że odnalazłem to zestrojenie.

Lubię wiedzieć, że jest naturalne, że od czasu do czasu odczuwam negatywne emocje w związku z pieniędzmi. Ale jest moją intencją, żeby szybko skierować moje myśli w kierunku dającym lepsze samopoczucie, gdyż jest dla mnie logiczne, że myśli, które budzą we mnie dobre odczucia, przyniosą pozytywne rezultaty.

Rozumiem, że pieniądze niekoniecznie natychmiast zamanifestują się w moim doświadczeniu wraz ze zmianą mojego myślenia, ale oczekuję, że będę widzieć stałą poprawę w wyniku mojego celowego starania, by oddawać się myślom budzącym lepsze samopoczucie. Pierwszym dowodem na moje zharmonizowanie z pieniędzmi będzie moje poprawione samopoczucie, lepszy nastrój i moja udoskonalona postawa – po czym szybko nastąpią realne zmiany w mojej sytuacji finansowej. Jestem tego pewien.

Jestem świadomy absolutnej korelacji pomiędzy tym, co myślę, a uczuciami w związku z pieniędzmi i tym, co się obecnie dzieje w moim doświadczeniu życia. Mogę dostrzec dowody na absolutną i nieomylną odpowiedź **Prawa Przyciągania** *na moją myśl i oczekuję więcej dowodów w odpowiedzi na moje udoskonalone myśli.*

126

Mogę odczuć potężny wpływ Energii, będąc bardziej świadomym moich myśli. Wierzę, że na głębszym poziomie zawsze o tym wiedziałem, i jest to wspaniałe uczucie, powrócić do moich najgłębszych przekonań co do mojej mocy, moich zalet i wartościowości.

Przeżywam bardzo bogate życie i jest tak miłym uczuciem zrozumienie, że jakiekolwiek pragnienia budzi we mnie to doświadczenie życia – mogę to osiągnąć. Uwielbiam wiedzieć, że jestem nieograniczony.

Odczuwam ogromną ulgę zrozumiawszy, że nie muszę czekać na to, by pieniądze czy rzeczy się zmaterializowały, zanim będę mógł poczuć się lepiej. I teraz rozumiem, że kiedy czuję się lepiej, rzeczy i doświadczenia, i pieniądze, których chcę, muszą nadejść.

Tak łatwo, jak powietrze wpływa i wypływa z mojej istoty – tak jest z pieniędzmi. Moje pragnienia je przyciągają, a swoboda moich myśli pozwala im odpływać. Przypływ i odpływ. Ciągły przepływ. Zawsze swobodny. Czegokolwiek zapragnę, kiedykolwiek zapragnę, tak wiele, jak zapragnę – przypływ i odpływ.

Nie ma właściwego lub niewłaściwego sposobu opowiadania twojej udoskonalonej historii. Może to dotyczyć twoich przeszłych, teraźniejszych lub przyszłych doświadczeń. Jedynym ważnym kryterium jest to, żebyś był świadomy swojej intencji, aby opowiedzieć udoskonaloną, budzącą lepsze samopoczucie, wersję swojej historii. Opowiadanie wielu krótkich, budzących dobre odczucia historii w ciągu dnia zmieni twój punkt przyciągania. Po prostu pamiętaj, że historia, którą ty opowiadasz, jest podstawą twojego życia. A więc opowiedz ją tak, jak chcesz, by ono wyglądało.

CZĘŚĆ III

UTRZYMYWANIE MOJEGO FIZYCZNEGO DOBROSTANU

MOJE MYŚLI TWORZĄ MOJE FIZYCZNE DOŚWIADCZENIE

Dla większości ludzi, idea „sukcesu" obraca się wokół pieniędzy, albo zdobywania nieruchomości, lub innych form własności – my jednak jako największy sukces uważamy stan prawdziwej radości. I chociaż zdobycie pieniędzy czy innych wspaniałych obiektów posiadania, może z pewnością zwiększyć stan radości, osiągnięcie kondycji ciała fizycznego dającego dobre samopoczucie jest o wiele większym czynnikiem utrzymania ciągłego stanu radości i Dobrostanu.

Doświadczasz każdej sfery swego życia z perspektywy swojego ciała fizycznego, a gdy czujesz się dobrze, wszystko wydaje ci się lepsze. Z pewnością możliwe jest utrzymanie dobrego nastroju, nawet, gdy twoje ciało fizyczne zostaje w jakiś sposób ograniczone, jednak dobrze czujące się ciało jest potężną bazą dla trwałego dobrego nastroju. I tak, nie jest rzeczą zaskakującą, że skoro to, co czujesz, wpływa na twoje myśli i postawę wobec wszystkiego, i skoro twój punkt przyciągania odpowiada temu, w jaki sposób rozgrywa się twoje życie – niewiele jest rzeczy o większej wartości, niż osiągnięcie ciała dającego dobre samopoczucie.

Dość interesujące jest spostrzeżenie, że nie tylko dobrze czujące się ciało wspiera pozytywne myśli, ale również pozytywne myśli wspierają dobre samopoczucie ciała. Oznacza to, że nie musisz być w stanie doskonałego zdrowia, aby odkryć uczucie ulgi, które może doprowadzić do cudownego nastroju czy samopoczucia, gdyż jeśli jesteś zdolny znaleźć ulgę nawet wówczas, gdy twoje ciało boli lub jest chore, doznasz fizycznej poprawy, ponieważ twoje myśli tworzą rzeczywistość.

USKARŻANIE SIĘ NA USKARŻANIE SIĘ JEST RÓWNIEŻ USKARŻANIEM SIĘ

Wielu ludzi skarży się, że łatwo być optymistą, gdy się jest młodym, w dobrym zdrowiu, ale że jest to bardzo trudne, gdy się jest starszym i chorym... Jednakże my nigdy nie zachęcamy do używania waszego wieku lub obecnego stanu pogorszonego zdrowia jako ograniczającej myśli, która by nie pozwalała na poprawę czy powrót do zdrowia.

Większość ludzi nie ma pojęcia o potędze swoich własnych myśli. Nie są świadomi, że gdy nadal szukają powodów do uskarżania się, nie pozwalają na własny fizyczny Dobrostan. Wielu nie uświadamia sobie, że zanim zaczęli się skarżyć na ból w swoim ciele lub na chroniczną chorobę, skarżyli się najpierw na wiele innych rzeczy. Nie ma znaczenia, czy obiektem twej skargi jest ktoś, na kogo się gniewasz, ktoś, kto cię zdradził, zachowanie innych, które według ciebie jest złe, czy też coś niewłaściwego w twoim własnym ciele – uskarżanie się jest uskarżaniem się i nie pozwala na wyzdrowienie.

A więc, czy czujesz się dobrze i szukasz sposobu na utrzymanie stanu dobrego samopoczucia, czy też twoje ciało fizyczne jest w jakimś stopniu ograniczone i szukasz wyzdrowienia, proces jest ten sam: *Naucz się kierować swoje myśli ku rzeczom, które budzą dobre samopoczucie i odkryj moc, pochodzącą z wibracyjnego zestrojenia ze Źródłem.*

Czytając dalej tę książkę, przypomnisz sobie wszystko, co wiedziałeś na długo przedtem, zanim się urodziłeś, i poczujesz rezonans z tymi Prawami i procesami, które dadzą ci poczucie umocnienia. Zaś potem jedyne, co jest potrzebne dla uzyskania zdrowego, dobrze czującego się ciała, to doza świadomej uwagi skierowanej na myśli i uczucia, i na szczere pragnienie, by czuć się dobrze.

MOGĘ CZUĆ SIĘ DOBRZE W SWOIM CIELE

Jeśli nie czujesz się dobrze lub szukasz drogi, by wyglądać tak jak chcesz, odzwierciedla się to we wszystkich innych aspektach twego życiowego doświadczenia i z tego właśnie powodu chcemy podkreślić wartość doprowadzenia twego ciała fizycznego do równowagi, komfortu i Dobrostanu. Nic we wszechświecie nie odpowiada szybciej na twoje myśli, niż twoje własne fizyczne ciało, a więc zharmonizowane myśli przynoszą szybkie i oczywiste rezultaty.

Twoje fizyczne dobre samopoczucie jest naprawdę najłatwiejszym obiektem, nad którym masz absolutną kontrolę – ponieważ to jest właśnie to, co *sam* robisz ze *sobą*. Jednakże, ponieważ przepuszczasz wszystko w tym świecie poprzez soczewkę tego, jak czuje się twoje fizyczne ciało, jeśli tracisz stan równowagi, może to wpłynąć negatywnie na o wiele szerszą część twojego życia, niż tylko na twoje ciało fizyczne.

Nigdy nie masz większej jasności co do pragnienia bycia zdrowym i dobrego samopoczucia, niż wtedy, gdy się czujesz chory lub czujesz się źle, a więc doświadczenie choroby jest potężnym punktem startowym, by poprosić o dobrą kondycję fizyczną. A więc, gdybyś mógł, w chwili, gdy choroba sprawiła, że prosisz o dobrą kondycję, skierować swoją niepodzielną uwagę na ideę bycia zdrowym, natychmiast by tak się stało – lecz dla większości, w chwili, gdy czujesz się źle, twoją uwagę zajmuje złe samopoczucie. *Z chwilą, gdy zachorujesz, jest rzeczą logiczną, że zauważysz, jak się czujesz, a wczuwając się w to, będziesz przedłużał chorobę... ale to nie twoja uwaga skierowana na brak dobrej formy sprawiła, że zachorowałeś. Była to raczej uwaga zwrócona ku brakowi wielu rzeczy, jakich pragniesz.*

Uwaga chronicznie zwrócona ku rzeczom niechcianym utrzymuje cię w miejscu nieprzyzwalania na twój fizyczny Dobrostan, podobnie jak nieprzyzwalania na rozwiązanie innych kwestii, na których się koncentrujesz. *Gdybyś mógł skupić swoją uwagę na idei doświadczenia fizycznego Dobrostanu z równie wielką pasją, z jaką skupiasz się na jego braku, to nie tylko twój powrót do zdrowia mógłby nastąpić bardzo szybko, ale utrzymanie swego fizycznego Dobrostanu i równowagi byłoby również bardzo łatwe.*

SŁOWA NIE UCZĄ,
ALE UCZY ŻYCIOWE DOŚWIADCZENIE

Samo wysłuchanie słów, nawet, jeśli są to słowa doskonałe, trafnie wyjaśniające istotne prawdy, nie przyniesie zrozumienia, lecz przynosi je połączenie uważnych słów wyjaśnienia z życiowym doświadczeniem, które zawsze jest spójne z Prawami Wszechświata. Oczekujemy, że czytając tę książkę i przeżywając swoje życie, osiągniesz całkowite zrozumienie tego, w jaki sposób wszystko odbywa się w twoim doświadczeniu i osiągniesz całkowitą kontrolę nad wszystkimi aspektami swojego własnego życia, a zwłaszcza nad tym, co ma związek z twoim własnym ciałem.

Być może twoja kondycja fizyczna jest dokładnie taka, jakiej pragniesz. Jeśli tak właśnie jest, to koncentruj się nadal na swoim ciele, takim, jakim jest, doceniając te aspekty, które ci odpowiadają – a kondycję tę utrzymasz. Lecz jeśli są jakieś zmiany, jakie chciałbyś wprowadzić, czy to w wyglądzie, czy w swojej kondycji, wówczas wielką wartość będzie miało rozpoczęcie opowiadania innej historii – nie tylko o twoim ciele, ale o wszystkich sprawach, które ciebie martwią. Gdy zaczniesz się koncentrować pozytywnie, osiągając tak dobre samopoczucie w tak wielu dziedzinach, że często będziesz odczuwać narastającą w tobie pasję, zaczniesz odczuwać, jak moc Wszechświata – potęga, która stwarza światy – przepływa przez ciebie.

Jesteś jedynym, który tworzy w twoim doświadczeniu – nikt inny. Wszystko, co do ciebie przychodzi, pojawia się dzięki mocy twojej myśli.

Gdy koncentrujesz się dostatecznie długo, aby poczuć pasję, osiągasz większą moc i osiągasz większe rezultaty. Inne myśli, chociaż są ważne i posiadają twórczy potencjał, zwykle podtrzymują jedynie to, co już stworzyłeś. I tak, wielu ludzi nadal podtrzymuje niechciane fizyczne doświadczenia po prostu poprzez przejawianie stałych – choć wcale nie tak potężnych, ani nie połączonych z silną emocją – myśli. Innymi słowy, kontynuują zaledwie opowiadanie wciąż tych samych historii o rzeczach, które zdają się być niesprawiedliwe lub o rzeczach niechcianych, z którymi się nie zgadzają, a czyniąc tak, podtrzymują te niechciane sytuacje. *Prosta intencja opowiedzenia historii dającej lepsze samopoczucie na wszelkie tematy, nad którymi się skupiasz, będzie miała wielki wpływ na twoje ciało fizyczne. Ale ponieważ słowa nie uczą, naszą sugestią jest, żebyś spróbował opowiedzieć odmienną historię przez chwilę i sam zaobserwował, co się stanie.*

PRAWO PRZYCIĄGANIA ROZWIJA KAŻDĄ MOJĄ MYŚL

Prawo Przyciągania stanowi, że *to, co jest do siebie podobne, jest przyciągane.* Innymi słowy, to, co myślisz, w każdej chwili przyciąga do siebie inne myśli, które są do tego podobne. Oto, dlaczego, kiedykolwiek myślisz o nieprzyjemnym temacie, szybko przyciąganych jest jeszcze więcej nieprzyjemnych myśli w związku z nim. W bardzo krótkim czasie, doświadczasz nie tylko tego, czego doświadczasz w *tym* momencie, ale sięgania w przeszłość dla większej ilości danych, które odpowiadają tej wibracji – i teraz, poprzez *Prawo Przyciągania,* tak, jak się proporcjonalnie rozprzestrzenia twoja negatywna myśl, tak rozwija się negatywna emocja.

Wkrótce okazuje się, że dyskutujesz na ów nieprzyjemny temat z innymi, a teraz *oni* dodają do niego, często sięgając do *swojej* przeszłości... Aż w końcu, *w krótkim czasie, większość z was, na każdy temat, który długo roztrząsacie, przyciąga dostatecznie podtrzymują-*

ce go dane, co przynosi esencję przedmiotu tych myśli do twego doświadczenia.

Jest naturalne, iż wiedząc, czego nie chcesz, możesz sprecyzować to, czego chcesz; i nie ma niczego złego w identyfikowaniu problemu, zanim się poszuka rozwiązania. Ale wielu ludzi z czasem ukierunkowuje się na problem, zamiast zorientowania ku rozwiązaniu, a w swym badaniu i wyjaśnianiu problemu, kontynuują jego przedłużanie.

Raz jeszcze, opowiadanie innej historii ma wielką wartość: opowiedz historię zorientowaną na rozwiązanie zamiast historię zorientowaną na problem. *Jest dużo trudniej, gdy czekasz, aż będziesz chory, zanim zaczniesz się koncentrować bardziej pozytywnie, niż gdy rozpoczynasz opowieść o Dobrostanie, wychodząc z miejsca dobrego samopoczucia... Ale w każdym przypadku, twoja nowa historia z czasem przyniesie inne rezultaty. To, co jest do siebie podobne, jest przyciągane – a więc opowiedz historię, jaką chcesz przeżyć, a w końcu ją przeżyjesz.*

Niektórzy ludzie martwią się, że skoro są już chorzy, nie mogą czuć się dobrze, ponieważ ich choroba zajmuje teraz ich uwagę, a tym samym ich uwaga zwrócona ku chorobie pomnaża tę chorobę. Zgadzamy się. Byłoby to poprawne, gdyby tylko posiadali zdolność skoncentrowania się na tym, *co-jest*. Ale skoro możliwe jest, by myśleć o innych sprawach, niż o tym, co dzieje się właśnie w tej chwili, jest możliwe, by sprawy się zmieniły. Jednakże, nie możecie się koncentrować na bieżących problemach, by spowodować zmianę. Musicie się koncentrować na pozytywnych rezultatach, których szukacie, aby osiągnąć coś innego.

Prawo Przyciągania odpowiada na twoją myśl, a nie na obecną rzeczywistość. Kiedy zmieniasz swoją myśl, twoja rzeczywistość musi za nią podążyć. Jeśli teraz sprawy mają się bardzo dobrze w twoim życiu, wówczas koncentrowanie się na tym, co się dzieje sprawi, iż Dobrostan będzie trwał dalej, ale jeśli sprawy, które dzieją się teraz, tobie nie odpowiadają, musisz znaleźć sposób na wycofanie swojej uwagi z tych niechcianych rzeczy.

Posiadasz zdolność koncentrowania swoich myśli – na swój temat, na temat swego ciała i na temat wszystkiego, co ma dla ciebie znaczenie – w innym kierunku niż to, co dzieje się obecnie. Posiadasz zdolność wyobrażenia sobie tego, co nadchodzi lub pamiętania tego, co wydarzyło się wcześniej, a gdy czynisz to z zamierzoną intencją znalezienia rzeczy dających dobre samopoczucie, by o nich myśleć i mówić, możesz szybko zmienić swoje schematy myślowe, a tym samym wibrację, i w końcu... twoje życiowe doświadczenie.

15 MINUT NA MÓJ ZAMIERZONY DOBROSTAN

Nie jest łatwo sobie wyobrazić zdrową nogę, gdy odczuwasz rwący ból palca u stopy, ale zrobienie wszystkiego, co możliwe, by odwrócić uwagę od rwącego palca ma dla ciebie wielkie znaczenie. Jednakże, czas dokuczliwego fizycznego dyskomfortu nie jest najlepszy dla prób wizualizowania Dobrostanu. Najlepszym momentem, by to zrobić, jest czas, gdy czujesz się najlepiej. Innymi słowy, jeśli zwykle czujesz się lepiej w pierwszej części dnia, wybierz ten czas na wizualizowanie swojej nowej historii. Jeśli zwykle czujesz się lepiej po długiej, ciepłej kąpieli, to wybierz ten czas na wizualizację.

Przeznacz około 15 minut na relaks w miejscu, gdzie możesz zamknąć oczy i wycofać swoją świadomość tak bardzo, jak tylko możliwe, z tego, co-jest. Spróbuj znaleźć spokojne miejsce, gdzie nie będzie ciebie nic rozpraszać i wyobraź siebie w stanie fizycznego rozkwitu. Wyobraź sobie, jak energicznie spacerujesz i głęboko oddychasz, rozkoszując się zapachem świeżego powietrza, które wdychasz. Wyobraź sobie, jak energicznie wchodzisz na łagodne wzniesienie i uśmiechasz się, doceniając znakomitą kondycję swego ciała. Zobacz, jak się schylasz i rozciągasz, ciesząc się jego giętkością.

Daj sobie czas na zgłębianie tych przyjemnych scenariuszy z głęboką intencją radowania się swoim ciałem i doceniania jego siły, wytrzymałości i giętkości oraz jego piękna. *Gdy wizualizujesz dla samej radości wizualizowania, zamiast z intencją poprawienia jakiejś niedoskonałości, twoje myśli są czystsze i tym samym, potężniejsze. Kiedy zaś wizualizujesz, by pokonać coś, co jest niewłaściwe, twoje myśli rozpraszają się poprzez drugą stronę równania – stronę braku.*

Czasem ludzie tłumaczą, że mają długo żywione pragnienia, które nie zostały spełnione i dowodzą, że *Prawo Przyciągania* dla nich nie działa – ale jest tak dlatego, że proszą o poprawę z miejsca dojmującej świadomości braku tego, czego pragną. Przeorientowanie twoich myśli wymaga czasu, aby zostały skoncentrowane głównie na tym, czego chcesz, ale z czasem stanie się to dla ciebie całkowicie naturalne. Z czasem, twoja nowa historia będzie tą, którą opowiadasz z największą łatwością.

Jeśli poświęcisz czas na pozytywne wyobrażanie swego ciała, owe myśli budzące dobre samopoczucie zaczną dominować, a wówczas twoja kondycja fizyczna będzie musiała dostosować się do tych myśli. Gdy będziesz się koncentrować tylko na sytuacji, jaka istnieje w danej chwili, nic się nie zmieni.

Gdy wyobrażasz sobie i wizualizujesz, i werbalizujesz swoją nową historię, z czasem *uwierzysz* w tę nową historię, a gdy to nastąpi, jej manifestacja natychmiast wpłynie do twojego doświadczenia. *Przekonanie* jest tylko myślą, którą wciąż ponawiasz, a gdy przekonania dopasują się do twoich pragnień, wtedy twoje pragnienia muszą stać się rzeczywistością.

Pomiędzy tobą, a jakąkolwiek rzeczą, której pragniesz, nie stoi nic poza twoim schematem myślowym. Nie istnieje ciało fizyczne, bez względu na stopień upadku i bez względu na okoliczności, które nie mogłoby osiągnąć poprawy swej kondycji. Nic innego w twoim doświadczeniu nie odpowiada tak szybko na twój wzorzec myślowy, jak twoje ciało.

NIE JESTEM OGRANICZONY PRZEKONANIAMI INNYCH

Przy niewielkim wysiłku skupionym we właściwym kierunku, osiągniesz niezwykle rezultaty, a z czasem przypomnisz sobie, iż możesz być lub robić, albo mieć cokolwiek, na czym się skupisz i z czym osiągniesz wibracyjne zharmonizowanie.

Wszedłeś w to ciało fizyczne i w ten fizyczny świat ze swej perspektywy Nie-Fizycznej, mając wielką jasność, co do swojej intencji istnienia tutaj. Nie określiłeś wszystkich szczegółów swego fizycznego doświadczenia przed swoim przybyciem, ale z góry określiłeś jasne intencje, co do witalności swego ciała fizycznego, z której będziesz tworzył swoje życiowe doświadczenie. Czułeś ogromny zapał do istnienia tutaj.

Gdy przybyłeś tu na początku w maleńkim ciele niemowlęcia, byłeś bliżej Wewnętrznego Świata niż świata fizycznego i twój zmysł Dobrostanu oraz twoja siła były bardzo mocne; jednak gdy minął pewien czas i skupiłeś się bardziej na świecie fizycznym, zacząłeś obserwować innych, którzy utracili silne Połączenie z Dobrostanem i – krok po kroku – twój zmysł Dobrostanu również zaczął słabnąć.

Jest możliwe, by narodzić się w tym świecie fizycznym i zachowywać swoje Połączenie z tym, *kim-jesteś-naprawdę* oraz z twym absolutnym Dobrostanem; jednakże większość ludzi, gdy już raz się skoncentruje na tej czasoprzestrzeni, nie potrafi go zachować. Głównym powodem osłabienia twojej świadomości osobistego Dobrostanu jest krzyk innych wokół ciebie, domagających się, byś zachowywał się tak, by im to odpowiadało. *Chociaż twoi rodzice i nauczyciele mają, w większości, dobre intencje, są jednak bardziej zainteresowani tym, byś dostosował się do ich oczekiwań oraz znalazł sposób na to, by im sprawiać przyjemność, aniżeli tym, byś sprawiał przyjemność sobie. I tak, w procesie uspołeczniania, niemal wszyscy ludzie, w niemal każdym społeczeństwie, gubią swoją drogę, ponieważ są wręcz siłą odciągani od swojego **Systemu Emocjonalnego Przewodnictwa.***

Większość społeczeństw wymaga, byś swoim głównym priorytetem uczynił działanie. Rzadko zachęca się was do brania pod uwagę własnego wibracyjnego zharmonizowania lub Połączenia ze swym Wewnętrznym Światem. Motywacją dla większości ludzi staje się w końcu aprobata lub dezaprobata innych – i tak, błędnie koncentrując się na realizowaniu działania, które jest najbardziej cenione przez świadków ich życia, tracą swoje zharmonizowanie, w związku z czym wszystko w ich doświadczeniu zostaje pomniejszone.

Ale pragnąłeś tak mocno narodzić się w tym fizycznym świecie tak zadziwiającej różnorodności, bo rozumiałeś wartość tego kontrastu, z którego możesz budować swoje własne doświadczenie. Wiedziałeś, że osiągniesz zrozumienie z własnego doświadczenia tego, co preferujesz w tej różnorodności możliwych wyborów, jakie są tobie dostępne.

Za każdym razem, gdy wiesz, czego *nie chcesz*, rozumiesz jaśniej, czego *chcesz*. Jednakże tak wielu ludzi robi ten pierwszy krok, polegający na określeniu tego, czego *nie* chcą i zamiast zwrócić się ku temu, czego *chcą* i osiągnąć z tym wibracyjne zestrojenie, nadal myślą i mówią o tym, czego *nie* chcą – i z czasem, witalność, z jaką się narodzili, zaczyna gasnąć.

MAM DOŚĆ CZASU, BY TO ZREALIZOWAĆ

Gdy nie rozumiesz potęgi myśli i nie poświęcasz czasu na zharmonizowanie swojej myśli, aby dopuścić tę potęgę, jesteś skazany na tworzenie poprzez moc swego działania – która, w porównaniu z mocą myśli, nie jest zbyt wielka. Tym sposobem, jeśli pracujesz ciężko dzięki swemu działaniu, czujesz się często przeciążony i niezdolny, by je zrealizować. Niektórzy ludzie po prostu czują, że nie zostaje im w życiu dość czasu na to, by być, robić i mieć to, o czym wciąż marzą. Chcemy, byś zrozumiał, że jeśli poświęcisz czas na to, by świadomie zestroić się z Energią, która stwarza światy poprzez moc skoncentrowania swych myśli, odkryjesz potężne oddziaływanie, które pozwoli ci szybko zrealizować rzeczy, które przedtem zdawały się niemożliwe.

Nie istnieje nic, czym nie mógłbyś być, czego nie mógłbyś robić lub mieć od chwili, gdy osiągniesz niezbędne zharmonizowanie, a gdy już je osiągniesz, twoje własne doświadczenie życia przyniesie ci dowody na to zestrojenie. Zanim twe pragnienia się zmaterializują, dowód na twoje zestrojenie będzie miał formę przyjemnej emocji; a gdy to zrozumiesz, wówczas będziesz mógł konsekwentnie utrzymywać swój kierunek, podczas gdy manifestacje rzeczy, których pragniesz, będą torować sobie drogę ku tobie. *Prawo Przyciągania* stanowi: *To, co jest podobne, jest przyciągane. Jakikolwiek jest twój stan istnienia – jakkolwiek się czujesz – przyciągasz jeszcze więcej z esencji tego stanu.*

Chcenie lub pragnienie czegoś zawsze jest przyjemne, gdy wierzysz, że możesz to osiągnąć, ale pragnienie wobec zwątpienia budzi duży dyskomfort. Chcemy, byś zrozumiał, że pragnienie czegoś połączone z wiarą w zrealizowanie tego pragnienia jest stanem zharmonizowania, podczas gdy pragnienie czegoś połączone z wątpliwością jest stanem dysharmonii.

Pragnienie i wiara jest zharmonizowaniem.
Pragnienie i oczekiwanie jest zharmonizowaniem.
Oczekiwanie czegoś niechcianego nie jest zharmonizowaniem.
Możesz *odczuć* swoje zharmonizowanie lub stan dysharmonii.

DLACZEGO PRAGNĘ DOSKONAŁEJ FIZYCZNEJ KONDYCJI?

Chociaż może się wydawać to dziwne, nie możemy mówić o twoim ciele fizycznym bez mówienia o twoich Nie-Fizycznych korzeniach i twoim Wiecznym Połączeniu z tymi korzeniami, ponieważ ty, w swoim ciele fizycznym, jesteś przedłużeniem swojej *Wewnętrznej Istoty*. W bardzo prostym ujęciu: abyś żył w optymalnym stanie zdrowia i Dobrostanu, musisz być w wibracyjnej harmonii ze swoją *Wewnętrzną Istotą* – aby tak było, musisz być świadomy swoich emocji lub uczuć.

Twój fizyczny Dobrostan jest bezpośrednio związany z wibracyjnym zharmonizowaniem z twoją *Wewnętrzną Istotą* lub *Źródłem*, co oznacza, że każda myśl, jaką myślisz na każdy temat, może pozytywnie lub negatywnie wpływać na to Połączenie. Innymi słowy, nie jest możliwe utrzymanie zdrowego ciała fizycznego bez głębokiej świadomości swoich emocji oraz determinacji, by kierować swoje myśli ku tematom przynoszącym dobre samopoczucie.

Gdy będziesz pamiętał, że dobre samopoczucie jest naturalne i będziesz się starał znaleźć pozytywne aspekty tematów, które rozważasz, przyzwyczaisz swoje myśli do tego, by odpowiadały myślom twojej **Wewnętrznej Istoty**, *a to jest ogromną korzyścią dla twego fizycznego ciała. Gdy twoje myśli chronicznie przynoszą dobre odczucia – twoje ciało fizyczne będzie rozkwitać.*

Oczywiście, istnieje szeroki wachlarz emocji – od tych, które budzą złe samopoczucie po te, które budzą dobre – ale w każdym momencie, z powodu tego, na czym jesteś skupiony, *masz w rzeczywistości do wyboru dwie emocje – tę dającą lepsze samopoczucie* oraz **drugą, dającą gorsze samopoczucie**. A więc możesz trafnie ocenić, że istnieją jedynie dwie emocje, a używasz skutecznie swojego **Systemu Emocjonalnego Przewodnictwa** wówczas, gdy świadomie wybierasz spośród tych opcji tę, która przynosi lepsze samopoczucie. A czyniąc to, z czasem będziesz mógł się precyzyjnie zestroić z częstotliwością swojej *Wewnętrznej Istoty* – i gdy tak się stanie, twoje fizyczne ciało będzie kwitło.

MOGĘ ZAUFAĆ MOJEJ ODWIECZNEJ
WEWNĘTRZNEJ ISTOCIE

Twoja *Wewnętrzna Istota* jest tą częścią ciebie, która jest *Źródłem*, ewoluującym nadal poprzez tysiące doświadczeń, jakie przeżywasz. A z każdym badanym i klasyfikowanym doświadczeniem, Źródło w tobie zawsze wybiera to, co daje najlepsze uczucia, co oznacza, że twoja *Wewnętrzna Istota zestraja się* wiecznie z *miłością* i *radością* oraz wszystkim, co dobre. To właśnie powód, dla którego, kiedy postanawiasz kochać drugiego lub siebie zamiast szukać w nim wad, czujesz się dobrze. Dobre samopoczucie jest potwierdzeniem zestrojenia z twoim Źródłem. Gdy wybierasz myśli, które znajdują się poza harmonią ze Źródłem, co powoduje emocjonalną reakcję taką jak lęk, albo gniew, albo zazdrość, te uczucia wskazują na twoją wibracyjną niezgodność ze Źródłem.

Źródło nigdy nie odwraca się od ciebie, lecz oferuje stałą wibrację Dobrostanu, a więc gdy odczuwasz negatywną emocję, oznacza to, że nie dopuszczasz do wibracyjnego dostępu do Źródła i Strumienia Dobrostanu. Gdy zaczniesz opowiadać historię o swym ciele i życiu, o twojej pracy oraz o ludziach w twoim życiu, która budzi dobre samopoczucie, gdy ją opowiadasz, osiągniesz stałe Połączenie z tym Strumieniem Dobrostanu, który zawsze płynie ku tobie. A gdy skupiasz się na rzeczach, których pragniesz, odczuwając pozytywną emocję, gdy się na nich koncentrujesz, zyskujesz dostęp do mocy, która stwarza światy i kierujesz ją ku obiektowi swojej uwagi.

JAKA JEST ROLA MYŚLI
W TRAUMATYCZNYCH URAZACH?

JERRY: Czy traumatyczne urazy są przez nas tworzone w ten sam sposób, w jaki tworzone są choroby i czy można tę kwestię rozwiązać dzięki myśli? Czy są one jak uszkodzenie czegoś, które nastąpiło w chwilowym incydencie, w opozycji do długotrwałego ciągu myśli, który do tego doprowadził?

ABRAHAM: *Bez względu na to, czy fizyczny uraz zdawał się nastąpić nagle w wyniku wypadku, czy też pojawił się jako choroba, taka, jak rak,* *stworzyłeś tę sytuację poprzez swoją myśl – a uzdrowienie nadejdzie również dzięki myśli.*

Chroniczne myśli dające poczucie komfortu* promują dobry stan zdrowia, podczas gdy chroniczne *stresujące*, czy pełne *urazy*, albo *nienawiści* lub *lęku* myśli promują chorobę**, jednakże bez względu na to, czy rezultaty pojawiają się nagle (jak przy upadku i złamaniu kości), czy też powoli (jak rak), *cokolwiek przeżywasz, zawsze odpowiada to równowadze twoich myśli.*

Gdy raz doświadczysz ograniczenia Dobrostanu, czy w formie złamania kości, czy choroby wewnątrz ciała, najprawdopodobniej nie odnajdziesz tak szybko budzących dobre samopoczucie myśli, które by odpowiadały myślom twojej *Wewnętrznej Istoty*. Innymi słowy, jeśli przed wypadkiem lub chorobą nie wybierałeś myśli harmonizujących cię z Dobrostanem, jest mało prawdopodobne, byś nagle odnalazł to zharmonizowanie, wobec dyskomfortu, bólu, albo przerażającej diagnozy.

Jest dużo łatwiej osiągnąć wspaniałe zdrowie ze stanu umiarkowanego zdrowia, aniżeli osiągnąć wspaniałe zdrowie poczynając od słabego zdrowia. Jednak, możesz osiągnąć wszystko, czegokolwiek chcesz, wychodząc z miejsca, w którym się znajdujesz, jeśli tylko potrafisz odwrócić swoją uwagę od niechcianych aspektów swego życia i skoncentrować się na bardziej odpowiadających ci aspektach. Jest to w istocie kwestia koncentracji.

Czasami przerażająca diagnoza lub traumatyczny uraz stają się potężnym katalizatorem w skoncentrowaniu twej uwagi bardziej świadomie na tym, co budzi dobre samopoczucie. Rzeczywiście, niektórzy z naszych najlepszych uczniów Świadomego Tworzenia to ci, którym postawiono przerażające diagnozy, a lekarze powiedzieli im, że nic już więcej nie można dla nich zrobić, a teraz oni (nie mieli już innego wyboru) świadomie koncentrują swoje myśli.

---

*od tłumacza: ang. *ease* – swoboda, beztroska, komfort
Disease* – choroba, dające się sparafrazować jako **dis-ease, czyli stan przeciwstawny komfortowi, beztrosce i dobremu samopoczuciu.

Jest rzeczą interesującą, że tak wielu ludzi nie robi tego, co naprawdę przynosi im pożytek, dopóki nie wyczerpią wszystkich innych możliwości, ale rozumiemy, iż przystosowaliście się do swego świata zorientowanego na działanie, a więc działanie wydaje się wam najlepszą opcją. *Nie odciągamy was od działania, ale zachęcamy, abyście najpierw znaleźli myśli budzące lepsze samopoczucie, a potem podjęli działanie, do którego czujecie inspirację.*

CZY MOŻNA ROZWIĄZAĆ WIBRACYJNIE CHOROBĘ WRODZONĄ?

JERRY: *Czy choroba wrodzona* – coś, z czym dana osoba przyjęła formę fizyczną przy urodzeniu – może zostać rozwiązana dzięki myśli?

ABRAHAM: Tak, w jakimkolwiek miejscu stoisz, możesz z niego dojść, dokądkolwiek zechcesz. Gdybyś mógł zrozumieć, że twoje „teraz" jest jedynie trampoliną dla tego, co ma nadejść, mógłbyś poruszać się szybko (nawet wychodząc od dramatycznych, niechcianych sytuacji) ku temu, co ci odpowiada.

Jeśli to doświadczenie życia zawiera dane sprawiające, że powołujesz do życia pewne pragnienie, wówczas potrzebne środki do jego spełnienia będą tobie dostępne. Ale musisz skoncentrować się na miejscu, w którym chcesz być – nie na tym, w którym jesteś – albo nie będziesz mógł ruszyć ku swemu pragnieniu. Jednakże, nie możesz tworzyć poza własnymi przekonaniami.

POWAŻNE CHOROBY PRZYCHODZĄ I ODCHODZĄ, ALE DLACZEGO?

JERRY: W moich młodych latach, istniały poważne choroby (gruźlica i polio), o których słyszymy już bardzo niewiele. Nie brakuje nam chorób, bo mamy teraz choroby serca oraz raka, o których wtedy niemal się nie słyszało. *Za to ciągle słyszało się o syfilisie i rzeżączce, o których teraz niewiele się mówi, za to AIDS i opryszczka są najczęściej omawiane. Dlaczego wciąż się wydaje, że pojawia się jeszcze więcej chorób? Skoro wciąż odkrywa się na nie lekarstwa, dlaczego w końcu nie wyczerpiemy możliwych chorób?*

ABRAHAM: Z powodu waszej koncentracji na braku. Uczucia bezsilności i podatności na zranienie powodują jeszcze większe uczucia bezsilności i kruchości. Nie możesz się koncentrować na pokonywaniu choroby bez koncentrowania uwagi na chorobie. Ale jest także bardzo ważne, by zrozumieć, że szukanie lekarstw na choroby, nawet, gdy je znajdujecie, jest krótkowzroczne i na dłuższą metę, nieskuteczne, ponieważ, jak zauważyłeś, wciąż tworzone są nowe choroby. *Gdy zaczniecie znajdować i rozumieć **wibracyjne przyczyny** chorób, zamiast poszukiwać lekarstw, wówczas dojdziecie do kresu tego szeregu chorób. Gdy jesteście w stanie świadomie osiągnąć uczucie komfortu oraz towarzyszące mu wibracyjne zharmonizowanie, to możliwe jest życie wolne od chorób.*

Większość ludzi spędza niewiele czasu na rozkoszowaniu się uznaniem dla swojej dobrej kondycji, jakiej w danym czasie doświadczają, czekając raczej, aż zachorują, by wtedy dopiero skierować uwagę ku ozdrowieniu. Budzące dobre samopoczucie myśli tworzą i podtrzymują fizyczny Dobrostan. Żyjecie w bardzo pracowitych czasach i znajdujecie wiele powodów do irytacji lub zamartwiania się, a czyniąc to, pozostajecie z dala od harmonii – zaś choroba jest tego skutkiem. Jednak możecie przerwać ten cykl w każdej chwili. Nie musicie czekać, aż społeczeństwo to zrozumie, aby osiągnąć wspaniałą formę fizyczną. *Waszym naturalnym stanem jest doskonałe zdrowie.*

BYŁEM ŚWIADKIEM, JAK MOJE CIAŁO SAMO SIĘ UZDROWIŁO

JERRY: Bardzo wcześnie uświadomiłem sobie, że moje ciało zdrowieje bardzo szybko. Gdy się skaleczyłem, mogłem niemal ujrzeć, jak się zabliźnia na moich oczach. W ciągu pięciu minut mogłem dostrzec, że uzdrawianie się rozpoczęło, a potem, w bardzo krótkim czasie, rana była całkowicie uleczona.

ABRAHAM: Twoje ciało jest zbudowane z inteligentnych komórek, które zawsze osiągają równowagę, a im lepiej się czujesz, tym mniej interweniujesz wibracyjnie w komórkowy powrót do równowagi. Jeśli jesteś skoncentrowany na rzeczach, które sprawiają ci przykrość, utrudniasz komórkom swego ciała ich naturalny proces równoważenia – a z chwilą, gdy choroba zostanie zdiagnozowana, kierujesz uwagę na chorobę, przez co przeszkadzasz im jeszcze bardziej.

Skoro komórki twego ciała wiedzą, co robić, aby dojść do równowagi, jeśli możesz znaleźć sposób, aby skupić swoją uwagę na myślach budzących dobre samopoczucie, zatrzymasz negatywny wpływ i rozpocznie się twoje uzdrowienie. Każda choroba, bez wyjątku, jest spowodowana wibracyjną dysharmonią lub oporem, a skoro większość ludzi jest nieświadoma swych nieharmonijnych myśli poprzedzających chorobę (zwykle czyniąc niewielkie starania, by praktykować przyjemne myśli), to gdy choroba już się pojawi, jest bardzo trudno znaleźć czyste, pozytywne myśli.

Ale gdybyście mogli zrozumieć, że to wasze myśli i tylko wasze myśli powodują opór, który powstrzymuje was przed pełnią zdrowia – i gdybyście mogli skierować swoje myśli w bardziej pozytywnym kierunku – wasze uzdrowienie nastąpiłoby bardzo szybko. Nieważne, co to za choroba, i nieważne, jak jest zaawansowana, pytanie brzmi: *Czy możecie pozytywnie skierować swe myśli bez względu na obecną kondycję?*

Zwykle w tym punkcie ktoś pyta: „Ale co w przypadku małego dziecka, które dopiero co się urodziło?". Nie sądźcie, że skoro dziecko jeszcze nie mówi, to nie myśli i nie emituje wibracji. Póki jest jeszcze w łonie matki albo tuż po urodzeniu, zachodzą kolosalne wpływy związane ze zdrowiem lub chorobą.

CZY UTRZYMAM DOBRĄ FORMĘ, KONCENTRUJĄC SIĘ NA NIEJ?

JERRY: Ponieważ widziałem, jak zdrowieje moje ciało i ponieważ to uzdrowienie było dla mnie widoczne, oczekuję tego. Ale jak możemy osiągnąć pewność, że wszystkie części naszego ciała wyzdrowieją? Wydaje się, że ludzie najbardziej boją się o te części ciała, których nie mogą zobaczyć – ukryte w ciele, że tak powiem.

ABRAHAM: Jest wspaniałą rzeczą ujrzeć rezultaty swoich myśli jak na dłoni, w oczywisty sposób, i tak, jak twoje skaleczenie czy choroba są dowodem dysharmonii, twoje uzdrowienie lub świetna forma są dowodem zharmonizowania. *Wasza predyspozycja do dobrej formy jest dużo silniejsza, niż predyspozycja do choroby i z tego powodu nawet przy pewnej dozie negatywnego myślenia, większość z was utrzymuje się w stanie zdrowia.*

Doszedłeś do tego, że oczekujesz, że twoje skaleczenia czy rany się zagoją, co pomaga ogromnie w procesie gojenia, ale gdy dowód na twoją chorobę jest dla ciebie niewidoczny – gdzie musisz polegać na badaniach lekarza używającego testów medycznych lub sprzętu, by pobrać próbkę – często czujesz się bezradny i pełen lęku, co nie tylko spowalnia proces zdrowienia, ale jest też silnym impulsem do wykreowania choroby. Wielu ludzi zaczęło odczuwać własną kruchość, jeśli chodzi o niewidoczne części ciała, a to uczucie kruchości jest bardzo silnym katalizatorem przedłużania się choroby.

Większość ludzi idzie do lekarza, gdy są chorzy, prosząc o informację, co jest nie w porządku, a gdy szukasz czegoś, co jest nie w porządku, to zwykle to znajdujesz. *Prawo Przyciągania w istocie na to właśnie kładzie nacisk. Ciągłe poszukiwanie niedobrych rzeczy w twoim ciele z czasem stworzy dowód na coś niedobrego, nie dlatego, że to czyhało tam przez cały czas, a ty pobierałeś próbki dostatecznie długo, by to znaleźć, ale dlatego, że wciąż powtarzana myśl tworzy w końcu swój odpowiednik.*

KIEDY POJAWIA SIĘ INSPIRACJA, BY ODWIEDZIĆ LEKARZA?

ABRAHAM: Wielu jest ludzi, którzy będą protestować wobec naszego punktu widzenia, mówiąc, że jesteśmy nieodpowiedzialni, skoro nie zachęcamy do regularnych badań lekarskich w poszukiwaniu tego, co jest nie w porządku, albo mogłoby potencjalnie być nie w porządku z twoim fizycznym ciałem. I gdybyśmy nie rozumieli potęgi twoich myśli, moglibyśmy nawet powiedzieć, że jeśli daje ci to większe poczucie bezpieczeństwa, to lepiej idź do lekarza.

Rzeczywiście, czasami, gdy szukasz problemu, ale go nie znajdujesz, czujesz się lepiej. Jednak o wiele częściej, ponawiane poszukiwanie czegoś złego z czasem to stwarza. To naprawdę jest aż tak proste. Nie mówimy, że medycyna jest zła, albo że wizyta u lekarza nie ma wartości. Medycyna, lekarze oraz wszelkie lecznicze profesje nie są generalnie ani dobre, ani złe same w sobie, a posiadają wartość o tyle, o ile pozwoli im na to twoja wibracyjna postawa.

Zachęcamy cię, abyś zwracał uwagę na swoją emocjonalną równowagę, starając się celowo znajdować myśli budzące najlepsze odczucia, jakie tylko możesz znaleźć i abyś je tak długo praktykował, aż staną się twoim nawykiem... a czyniąc to, będziesz się skłaniał najpierw ku swemu wibracyjnemu zharmonizowaniu – a potem podążał za nim, podejmując dzia-

łanie, do którego poczujesz inspirację. Innymi słowy, wyprawa do lekarza – albo jakiekolwiek inne działanie – jeśli będzie związana z radością, albo miłością, albo dającą dobre odczucia emocją, będzie zawsze wartościowa; podczas gdy działanie motywowane *strachem* lub poczuciem *słabości*, albo jakąkolwiek inną budzącą złe samopoczucie emocją, nigdy nie jest wartościowe.

Twoja fizyczna kondycja, podobnie jak wszystko inne, podlega potężnemu wpływowi twoich *przekonań*. Zwykle, gdy jesteś młodszy, twoje oczekiwanie dobrej formy fizycznej jest silniejsze, ale gdy stajesz się starszy, większość z was podlega degeneracji na podobieństwo malejącego wykresu, co odzwierciedla to, co widzicie u innych wokół siebie. I wasze obserwacje są trafne. *Starsi ludzie często doświadczają większej ilości chorób oraz mniejszej witalności. Ale przyczyną ich podupadania z wiekiem nie jest to, że ich fizyczne ciała są zaprogramowane z czasem na upadek, ale to, że im dłużej żyją, tym więcej znajdują powodów do irytacji i zmartwień, powodujących opór w ich naturalnym Strumieniu Dobrostanu.* **Choroba jest kwestią oporu, a nie kwestią wieku.**

EUFORIA W SZCZĘKACH LWA?

JERRY: Słyszałem o pewnym słynnym człowieku, doktorze Livingstone, który podczas pobytu w Afryce, został zaatakowany przez lwa, który chwycił go w swoje szczęki. Powiedział, że doznał czegoś w rodzaju stanu euforii i nie czuł wcale bólu. Widziałem, jak ofiara zachowuje się podobnie, gdy ma zostać zjedzona przez większe zwierzę. Wygląda to tak, że ma miejsce poddanie się i walka jest skończona. Ale moje pytanie dotyczy jego stwierdzenia, że nie odczuwał bólu: czy to, co nazwał euforią, było stanem mentalnym, czy fizycznym? I czy jest to coś, co zdarza się tylko w sytuacjach skrajnych, gdy jest się blisko bycia zabitym lub zjedzonym, czy też każdy może to zastosować wobec czegoś bolesnego, aby nie czuć bólu?

ABRAHAM: Po pierwsze, powiemy, że nie możesz dokładnie odróżnić tego, co fizyczne od tego, co mentalne, od tego, co pochodzi od twego Wyższego Ja lub *Wewnętrznej Istoty*. Innymi słowy, jesteś istotą skoncentrowaną fizycznie, *tak*; jesteś myślącą, mentalną Istotą, tak; ale Siła Życiowa czy też Energia, która przez ciebie przepływa, pochodzi z Szerszej Perspektywy. W sytuacji takiej jak ta, gdy prawdopodobnie nie mógłbyś po tym powrócić do zdrowia – innymi słowy, w chwili, gdy lew ma ciebie w swych szczękach (zwykle, to on jest zwycięzcą) – *interweniuje twoja Wewnętrzna Istota, przynosząc przypływ Energii, który otrzymujesz jako rodzaj euforycznego stanu.*

Nie musisz czekać, aż znajdziesz się w tak ekstremalnej sytuacji, aby mieć dostęp do pochodzącego ze Źródła Strumienia Dobrostanu, choć większość ludzi go nie dopuszcza, dopóki nie ma innego wyboru. Słusznie dobrałeś słowa, mówiąc, że to *poddanie się* sprawiło, że Strumień Dobrostanu mógł potężnie wpłynąć. Ale chcemy, byś zrozumiał, iż to, co zostało w istocie „poddane", to była *walka*, opór – a nie *pragnienie* dalszego życia w tym ciele fizycznym. Musisz wziąć to wszystko pod uwagę, badając tak specyficzne sytuacje. Ktoś z mniejszym entuzjazmem wobec życia, z mniejszą determinacją, aby żyć i coś osiągać mógłby równie dobrze doświadczyć innego zakończenia i zginąć, będąc pożartym przez lwa. *Wszystko, czego doświadczasz, dotyczy równowagi myśli pomiędzy twymi pragnieniami a oczekiwaniami.*

Stan *przyzwalania* jest czymś, co musi być praktykowane w zwykłych codziennych okolicznościach, nie zaś podczas ataków lwów. Ale nawet pośrodku tak ekstremalnej sytuacji, potęga twoich intencji zawsze jest przyczyną ostatecznego rezultatu. Praktykowane zharmonizowanie – zapewnione dzięki konsekwentnym, budzącym dobre samopoczucie myślom – jest ścieżką prowadzącą do życia bez bólu. Ból jest tylko bardziej dobitnym wskaźnikiem oporu. Najpierw jest negatywna emocja, potem więcej negatywnych emocji, potem jeszcze więcej negatywnych emocji (macie tu ogromne możliwości), potem dolegliwość, następnie ból.

Mówimy naszym fizycznym przyjaciołom: Jeśli odczuwacie negatywną emocję i nie macie świadomości, iż jest ona wskazówką informującą was o myśli pełnej oporu i nie zrobicie czegoś, by poprawić swoją pełną oporu myśl, wówczas za sprawą *Prawa Przyciągania*, wasza pełna oporu myśl stanie się mocniejsza. Jeśli nadal nie uczynicie czegoś, by osiągnąć zharmonizowanie oraz myśli budzące lepsze samopoczucie, będzie się stawać coraz mocniejsza, aż w końcu doświadczycie bólu i choroby, albo innych wskaźników waszego oporu.

CZY KTOŚ ODCZUWAJĄCY BÓL MOŻE SIĘ SKONCENTROWAĆ NA CZYMŚ INNYM?

JERRY: Dobrze, a więc słyszałem, jak mówiliście, że aby siebie uleczyć, mamy odsunąć nasze myśli od problemu i skierować je ku temu, czego chcemy. Ale jeśli czujemy ból, jak możemy go nie odczuwać? Jak możemy wycofać uwagę z bólu na tak długo, by skoncentrować się na czymś, czego chcemy?

ABRAHAM: Masz rację. Bardzo trudno jest nie myśleć o „rwącym palcu u nogi". Większość z was nie myśli jasno o tym, czego chce, dopóki nie doświadczy tego, czego nie chce. Większość z was dryfuje przez swój dzień, błądząc to tu, to tam, nie przejawiając żadnej świadomej myśli. Ponieważ nie rozumiecie potęgi swojej myśli, zwykle nie oferujecie żadnej naprawdę celowej myśli, dopóki nie staniecie wobec czegoś, czego nie chcecie. A wtedy, gdy już staniecie wobec tego, czego nie chcecie, atakujecie to z całą siłą. Następnie obdarzacie to swoją uwagą, która – znając *Prawo Przyciągania* – jedynie pogarsza sprawę... I tak, naszą zachętą byłoby: *Szukaj chwil (lub krótkich odcinków), w których nie odczuwasz tak intensywnego, rwącego bólu – a wtedy skup się na Dobrostanie.*

Musicie znaleźć sposób na oddzielenie tego, co dzieje się w waszym doświadczeniu, od waszej emocjonalnej reakcji na to, co się dzieje. Innymi słowy, możesz odczuwać ból w swoim ciele i odczuwając ból, czuć *strach*, albo możesz odczuwać ból w swoim ciele, odczuwając *nadzieję*. Ból nie musi dyktować ci twojej postawy, ani twoich myśli. Jest rzeczą możliwą, by myśleć o czymś innym, niż ból. Jeśli potrafisz to osiągnąć, wówczas, z czasem, ból ustąpi. Jednakże, jeśli ból się pojawi, a ty obdarzysz go swoją niepodzielną uwagą, wówczas będziesz jedynie zwielokrotniać to, czego nie chcesz.

Ktoś, kto był negatywnie skoncentrowany na różnorodnych tematach, a teraz doświadcza bólu, musi teraz ominąć ból oraz skupić się pozytywnie. Widzisz, wasz zwyczaj negatywnego myślenia przyniósł chorobę, a nagłe przełączenie się na pozytywne myśli, konieczne dla przywrócenia dobrej formy, prawdopodobnie nie będzie szybkim procesem, ponieważ teraz musisz powstrzymywać ból, lub chorobę, albo jedno i drugie, by je zwalczyć. *Profilaktyka dobrej formy jest o wiele łatwiejsza do osiągnięcia, niż poprawianie swego zdrowia, jednakże, w każdym przypadku, myśli dające lepsze uczucia – myśli przynoszące coraz większą i większą ulgę – są kluczem.*

Nawet w sytuacjach, w których doświadcza się dużo bólu, są chwile większego i mniejszego dyskomfortu. Wybierz chwile, w których czujesz się najlepiej, by znaleźć pozytywne aspekty i wybrać myśli dające lepsze samopoczucie. Gdy będziesz kontynuował sięganie po myśli dające największe uczucie ulgi, ten pozytywny kierunek doprowadzi cię w końcu z powrotem do Dobrostanu – za każdym razem, bez wyjątków.

STAN DOBROSTANU JEST MOIM NATURALNYM STANEM

ABRAHAM: Sednem waszego bytu jest świetna forma oraz Dobrostan, a jeżeli doświadczacie czegokolwiek mniejszego, oznacza to, że w waszej wibracji istnieje opór. *Opór* jest spowodowany koncentrowaniem się na braku tego, czego chcecie... *Przyzwalanie* jest spowodowane koncentrowaniem się na tym, czego chcecie... *Opór jest spowodowany myślą, która nie jest w harmonii z perspektywą twego Źródła... Przyzwalanie ma miejsce wtedy, gdy twoje obecne myśli harmonizują z perspektywą twego Źródła.*

Twój naturalny stan jest stanem doskonałej formy, stanem absolutnego zdrowia, stanem doskonałej kondycji fizycznej – a jeśli doświadczasz czegokolwiek innego, niż to, jest tak jedynie dlatego, że równowaga twoich myśli ciąży ku **brakowi** *tego, czego chcesz, zamiast ku temu, czego* **chcesz**.

To twój opór jest pierwszą przyczyną choroby, to twój opór wobec choroby następnie ją podtrzymuje, gdy raz się ona pojawi.

To twoja *uwaga* skierowana na to, czego *nie chcesz*, tworzy niechciane rzeczy w twoim doświadczeniu, a więc jest logiczne, iż twoja uwaga skierowana ku temu, czego *chcesz*, byłaby właściwa.

Czasem sądzisz, że myślisz o dobrej formie, martwiąc się w istocie, że możesz zachorować. A jedynym sposobem, by mieć pewność co do wibracyjnej różnicy, jest zwrócenie uwagi na emocję, która zawsze towarzyszy twojej myśli.

Odczuwanie na swój sposób myśli sprzyjających dobrej formie fizycznej jest o wiele łatwiejsze, niż próby myślenia o niej.

Złóż sobie obietnicę, że będziesz czuć się dobrze i pokieruj swoimi myślami zgodnie z tym celem, a wówczas odkryjesz, że nawet nie uświadamiając sobie tego, nosisz w sobie różne urazy, poczucie bezwartościowości lub bezradności. Jednak teraz, gdy zdecydowałeś zwracać uwagę na swoje emocje, te pełne oporu, stwarzające choroby myśli, nie przemkną już niezauważone. Nie jest dla ciebie rzeczą naturalną, by być chorym, oraz nie jest naturalne utrzymywanie negatywnej emocji – ponieważ, w swoim rdzeniu, jesteś jak swoja *Wewnętrzna Istota: jesteś zdrowy i czujesz się bardzo, bardzo dobrze.*

ALE CZY MYŚLI NIEMOWLĘCIA MOGĄ PRZYCIĄGNĄĆ CHOROBĘ?

JERRY: W jaki sposób nowonarodzone dziecko przyciąga chorobę, nie będąc jej jeszcze świadomym?

ABRAHAM: Po pierwsze, chcemy stwierdzić jednoznacznie, iż nikt poza tobą nie tworzy twojej rzeczywistości, ale jest rzeczą ważną zrozumienie, że „ty", jakim siebie znasz, nie zacząłeś się wraz z tym małym niemowlęciem urodzonym przez twoją matkę. Jesteś Wieczną Istotą, która przeżyła wiele doświadczeń i przyszła do tego fizycznego ciała z długą historią tworzenia.

Ludzie myślą często, iż byłby to dużo lepszy świat, gdyby nowonarodzone dzieci mogły się rodzić odpowiadając standardom „doskonałego" ciała fizycznego, ale niekoniecznie musi to być intencją każdej Istoty, która wchodzi w ciało fizyczne. Jest wiele Istot, które, jako że kontrast stwarza interesujący wpływ, posiadający swoją wartość pod wieloma względami, celowo zamierzają odbiegać od tego, co jest „normalne". Innymi słowy, nie możesz po prostu założyć, że coś potoczyło się źle, gdy niemowlęta rodzą się nieco inne.

Wyobraź sobie atletkę, która stała się bardzo dobra w grze w tenisa. Ludzie siedzący na widowni, oglądający mecz, mogą przypuszczać, iż gracz byłby najszczęśliwszy, grając z przeciwnikiem, który ma mniejsze umiejętności, którego mógłby łatwo pokonać, ale atletka może woleć coś wręcz przeciwnego: może woleć tych, którzy są najlepsi w grze w tenisa, którzy wydobywają z niej koncentrację i precyzję, której wcześniej nikt nie stymulował. I w podobny sposób, *wielu tych, którzy są najlepsi w swojej grze w fizyczne tworzenie, pragnie sposobności, aby widzieć życie inaczej, tak, aby mogły pojawić się nowe opcje i nowe doświadczenia. A te Istoty rozumieją również, że może to być ogromnym dobrodziejstwem dla innych, którzy są blisko, gdy doświadczają czegoś innego, niż „normalność".*

Ludzie często błędnie zakładają, że skoro niemowlę nie może mówić, nie może kreować swej rzeczywistości, ale tak nie jest. Nawet ci, którzy używają mowy, nie tworzą za pomocą swoich słów, ale swych myśli. Wasze niemowlęta myślą przy narodzinach, a zanim się narodzą, są wibracyjnie świadome. Ich wibracyjne częstotliwości ulegają natychmiast wpływom wibracji, jakie

155

je otaczają w miejscu urodzenia, ale nie trzeba się o nie martwić, ponieważ urodziły się, tak jak wy, z *Systemem Emocjonalnego Przewodnictwa*, który ma im pomóc w rozpoznaniu różnicy pomiędzy oferowaniem dobroczynnych myśli a niedopuszczaniem myśli Dobrostanu.

DLACZEGO NIEKTÓRZY RODZĄ SIĘ Z CHOROBAMI?

JERRY: Mówicie o „równowadze myśli", ale czy mówicie o równowadze myśli nawet zanim się narodzimy? Czy to jest powodem, dla którego ktoś może się urodzić z fizycznym problemem?

ABRAHAM: Tak jest. Tak jak równowaga myśli jest teraz równa temu, co przeżywasz, równowaga myśli, jaką utrzymywałeś przed swoim narodzeniem, również równała się temu, co przeżywałeś. Ale musisz zrozumieć, że są tacy, którzy przyszli pragnąc świadomie fizycznej „ułomności", ponieważ pragnęli korzyści, jaka z niej przyjdzie. Chcieli dodać równowagi do swojej perspektywy.

Zanim wszedłeś w to ciało fizyczne, rozumiałeś, że gdziekolwiek stoisz, zawsze możesz podjąć nową decyzję co do tego, czego chcesz. A więc, nie było obaw, co do twojego punktu startu w ciele fizycznym, ponieważ wiedziałeś, że gdy ta kondycja zainspiruje pragnienie czegoś innego, nowe pragnienie będzie osiągalne. Jest wielu ludzi, którzy osiągnęli kolosalny sukces w wielu dziedzinach życia, a urodzili się w czymś, co można uznać za warunki skrajnie przeciwstawne wobec sukcesu. Jednak ten trudny początek posłużył im nad wyraz dobrze, ponieważ w tej biedzie czy dysfunkcji zrodziło się silne pragnienie, które dało początek *prośbie*, co było konieczne, żeby sukces mógł do nich przypłynąć.

Wszystkie Istoty, które wchodzą do ciała fizycznego, rozumieją w pełni ciało, do jakiego wchodzą i możesz zaufać, że jeśli w nie wchodzą i w nim pozostają, było to ich intencją na poziomie Nie-Fizycznym. I, bez wyjątków, gdy miejsce, w którym obecnie jesteś powoduje, że podejmujesz inną decyzję, co do tego, czego teraz pragniesz – posiadasz zdolność osiągnięcia esencji tej kreacji, jeśli skoncentrujesz swoją myśl. Większość tych, którzy przyciągają mniej zdrowia, czyni to przypadkowo. Mogą pragnąć dobrej kondycji, podczas gdy większość ich myśli wiąże się z tematami, które nie podtrzymują tego pragnienia. *Nie jest dobrym pomysłem, aby z waszej perspektywy próbować ocenić właściwość tego, co przeżywa ktoś inny, ponieważ nigdy nie będziecie mogli sobie tego wyobrazić. Ale wiecie zawsze, gdzie wy się znajdujecie w odniesieniu do tego, czego chcecie. A jeśli będziecie zwracać uwagę na to, co myślicie i pozwolicie swym myślom, by kierowało nimi uczucie, jakie w was się pojawia, okaże się, że prowadzicie swoje myśli przez większą część czasu w kierunku, który ostatecznie wam odpowiada.*

PRZEDYSKUTUJMY POJĘCIE
CHORÓB „NIEULECZALNYCH"

JERRY: Najnowszą z tak zwanych chorób „nieuleczalnych" jest AIDS, a jednak widzimy teraz tych, którzy ją przetrwali – ludzi, którzy przeżyli na długo przedtem, zanim im powiedziano, iż to przeżyją. Co byście zasugerowali komuś, kto jest już zarażony AIDS i potrzebuje teraz pomocy?

ABRAHAM: *Nie istnieje taki aparat fizyczny, bez względu na stopień uszkodzenia, który nie mógłby osiągnąć doskonałego zdrowia...* Lecz to, w co *wierzycie* jest całkowicie związane z tym, na co pozwalacie w waszym doświadczeniu. Gdy jesteście przekonani, że coś jest nieuleczalne – że jest „beznadziejne" – a potem by wam powiedziano, że to wam właśnie dolega, zwykle będziecie *wierzyć*, że nie przeżyjecie... i tak się stanie.

Jednak wasze przetrwanie nie ma nic wspólnego z chorobą, za to jest całkowicie związane z waszymi myślami. I tak, gdy powiecie sobie: To może być prawdą dla innych, lecz nie dla mnie, gdyż jestem twórcą mo-

jego doświadczenia i tym razem wybieram wyzdrowienie, a nie śmierć...
wtedy będziecie mogli wyzdrowieć.

Te słowa wypowiadamy łatwo, za to z trudem są one przyjmowane przez tych, którzy nie wierzą w swoją moc tworzenia, jednak wasze doświadczenie zawsze odzwierciedla równowagę waszych myśli. Wasze doświadczenie jest jasną wskazówką, jakie są wasze myśli. *Gdy zmienicie wasze myśli, wasze doświadczenie, lub wskaźnik, będą musiały się również zmienić. Takie jest Prawo.*

SKONCENTROWAĆ SIĘ NA ZABAWIE, BY ODZYSKAĆ ZDROWIE?

JERRY: Norman Cousins był pisarzem, który zaraził się chorobą uważaną za nieuleczalną. (Nie przypuszczam, by ktokolwiek z niej się wyleczył). Ale jednak ją przetrwał i mówił, że mógł tego dokonać dzięki oglądaniu komediowych programów telewizyjnych. Rozumiem z tego, że po prostu je oglądał – oraz śmiał się – i choroba odeszła. Co według was stało za jego wyzdrowieniem?

ABRAHAM: Jego wyzdrowienie nastąpiło dzięki temu, że osiągnął wibracyjne zestrojenie z Dobrostanem. Są dwa główne czynniki związane z odnalezieniem wibracyjnego zharmonizowania: pierwszy, to: *jego pragnienie zdrowia zostało potężnie wzmocnione dzięki chorobie*; a drugi: *programy, które oglądał, odwracały jego uwagę od choroby – przyjemność, jaką odczuwał, śmiejąc się z komediowych sytuacji, była wskazówką, że jego nieprzyzwalanie na Dobrostan zostało przerwane.*

Oto dwa czynniki niezbędne w tworzeniu czegokolwiek: *chcieć* tego i *przyzwolić* na to.

Zwykle, gdy ludzie się raz skoncentrowali na problemach itp. na tyle, że nie dopuszczali swego Dobrostanu i są poważnie chorzy, wówczas kierują swoją niepodzielną uwagę na chorobę – tym sposobem ją powiększając. Czasami lekarz może wzmocnić twoją wiarę w wyzdrowienie, gdy posiada sposób lub lekarstwo, które według niego, może pomóc. W tym przypadku, *pragnienie* zostaje zwiększone dzięki chorobie, a *przekonanie* lub *wiara* zostają wzmocnione dzięki proponowanemu remedium – jednak zarówno w przypadku choroby rzekomo nieuleczalnej, jak w przypadku choroby rzekomo *uleczalnej*, oba czynniki, które doprowadziły do wyzdrowienia były te same: *pragnienie* i *wiara*.

Każdy, kto dochodzi do oczekiwania Dobrostanu może go osiągnąć w każdych warunkach. Trik polega na *oczekiwaniu* Dobrostanu albo – jak zrobił człowiek w podanym przez ciebie przykładzie, po prostu na odwróceniu uwagi od *braku* Dobrostanu.

CZY IGNOROWANIE CHOROBY ROZWIĄZAŁO PROBLEM CHOROBY?

JERRY: W dorosłym życiu, nigdy nie byłem na tyle chory, bym nie mógł wykonać pracy, jaką zamierzałem danego dnia. Innymi słowy: zawsze czułem, że moja praca jest tak ważna, iż nie brałem pod uwagę nie wykonania jej. Zauważyłem jednak, że gdy zaczynałem się czuć nieco gorzej – na przykład w początkowym stadium zaziębienia lub grypy – gdy się skoncentrowałem na tym, co miałem zrobić w związku z moją pracą, wszelkie symptomy znikały. Czy było tak dlatego, że się skupiałem na tym, czego chciałem?

ABRAHAM: Ponieważ miałeś silną *intencję*, aby wykonać tę pracę – i ponieważ cieszyła cię, gdy ją wykonywałeś – miałeś przewagę posiadania silnego impetu w kierunku swego Dobrostanu. A więc, gdy wydawało się, że coś ciebie odciąga od twego Dobrostanu z powodu koncentrowania się na czymś niechcianym, musiałeś się skupić jedynie na swojej zwykłej intencji, a twoje zharmonizowanie szybko powróciło – i objawy dysharmonii szybko znikały.

Często próbujecie osiągnąć zbyt wiele dzięki działaniu, a czyniąc to, czujecie się zmęczeni lub przeciążeni; uczucia te są dla was wskazówką, że nadszedł czas, by się zatrzymać i odświeżyć. Jednak często przecie dalej ku działaniu, zamiast się zatrzymać, odświeżyć i ponownie zharmonizować, i jest to bardzo powszechnym powodem pojawiania się nieprzyjemnych symptomów. Większość ludzi, gdy czują objawy choroby, zaczyna kierować uwagę na objawy i zwykle szybko pogrąża się w dyskomforcie i dysharmonii. Kluczem jest wczesne wykrycie dysharmonii. Innymi słowy, gdy odczuwasz negatywną emocję, jest to dla ciebie sygnałem, iż czas sięgnąć po inną myśl, żeby poprawić wibracyjną równowagę – zaś jeśli tego nie zrobisz, sygnał stanie się mocniejszy, aż w końcu możesz odczuć dyskomfort fizyczny. Ale nawet wówczas, jak w przykładzie, który właśnie podałeś, możesz się wciąż skoncentrować na nowo na tym, czego pragniesz (wycofując swoją uwagę z tego, co utrzymuje cię z dala od równowagi) i powrócić do zharmonizowania, a wówczas symptomy choroby muszą zniknąć. *Nie istnieje taki stan, z którego nie mógłbyś powrócić do zdrowia, ale dużo łatwiej jest wychwycić ją we wczesnych, subtelnych stadiach.*

Czasami choroba daje ci możliwość ucieczki od czegoś, czego nie chcesz robić, w związku z czym istnieje dużo *przyzwolenia* na chorobę w twoim otoczeniu, żeby uniknąć przymusu robienia czegoś innego. Jednak, gdy zaczniesz ze sobą taką grę, otwierasz drzwi do większej, i jeszcze większej choroby.

JAKI JEST WPŁYW SZCZEPIEŃ NA CHOROBY?

JERRY: Skoro tworzymy nasze choroby poprzez myśl, to dlaczego szczepienia – jak na przykład szczepionka przeciw polio – wydają się niemal kłaść kres rozpowszechnianiu tych szczególnych chorób?

ABRAHAM: Choroba zwiększa twoje *pragnienie*, a szczepienie zwiększa twoja *wiarę*. Dlatego też, osiągnęliście subtelną równowagę tworzenia: *Chcecie tego i przyzwalacie na to, albo* **wierzycie** *w to – więc tak się dzieje.*

A CO Z LEKARZAMI MEDYCYNY, UZDRAWIACZAMI, WIARĄ I SZAMANAMI?

JERRY: Cóż, to prowadzi do mojego następnego pytania. Ludzie tacy jak *szamani, uzdrawiacze wiarą* oraz *lekarze medycyny*... wszyscy uważani są za tych, którzy *uzdrawiają* ludzi, a także za tych, którzy tracą swoich pacjentów. Gdzie jest ich miejsce w sferze myśli, albo w życiu?

ABRAHAM: Ważną rzeczą, która ich łączy jest to, że stymulują oni *wiarę* w pacjentach. Pierwszy element równowagi tworzenia został osiągnięty, ponieważ choroba wzmocniła pragnienie zdrowia, a wszystko, co przynosi *wiarę lub oczekiwanie*, przyniesie pozytywne rezultaty. Gdy medycyna i nauka przestaną szukać *leków*, a zaczną szukać *wibracyjnych przyczyn* nierównowagi, zobaczycie wielki wzrost powrotów do zdrowia.

Jeśli lekarz nie *wierzy*, że możesz wyleczyć się z choroby, twój związek z lekarzem staje się skrajnie szkodliwy. A często, mający dobre intencje lekarze, będą bronić swych wątpliwości co do twego wyzdrowienia, wskazując na nikłe szanse na to, mówiąc ci, że jest małe prawdopodobieństwo, iż będziesz wyjątkiem. Kłopot z taką logiką – nawet, jeśli jest ona oparta na faktach i dowodach, jakich zaczęła oczekiwać medycyna oraz nauka – polega na tym, iż nie ma to nic wspólnego z tobą. Istnieją tylko dwa czynniki, które mają związek z twoim wyzdrowieniem: twoje *pragnienie* oraz twoja *wiara/przekonanie**. Natomiast ta negatywna diagnoza kwestionuje twoją *wiarę*.

Jeśli masz *silne* pragnienie wyzdrowienia, a lekarze nie dają ci *nadziei*, jest rzeczą logiczną, że zwracasz się ku alternatywnym metodom, które nie tylko pozwolą na nadzieję, ale i do niej za-

---

* od tłumacza: ang. *belief* oznacza jednocześnie przekonanie, przeświadczenie, jak i wiarę (od *believe* – wierzyć).

chęcą, gdyż jest wiele dowodów wskazujących, że ludzie mogą wyzdrowieć z rzekomo „nieuleczalnych" chorób.

TWÓJ LEKARZ JAKO ŚRODEK DO OSIĄGNIĘCIA DOBROSTANU

ABRAHAM: Nie potępiajcie swojej współczesnej medycyny, ponieważ została stworzona dzięki myślom, pragnieniom i przekonaniom członków waszego społeczeństwa. Ale chcemy, abyście wiedzieli, że posiadacie moc osiągnięcia wszystkiego, czego pragniecie, lecz nie możecie szukać tego uprawomocnienia poza sobą; to uprawomocnienie przyjdzie z waszego wnętrza w formie emocji.

Poszukaj najpierw swojego wibracyjnego zharmonizowania, a potem podejmij działanie, które zostanie nim zainspirowane. Pozwól swojej medycznej wspólnocie pomóc ci w wyzdrowieniu, ale nie oczekuj od nich rzeczy niemożliwej – nie proś, aby dali ci lekarstwo, które by zrekompensowało twoją własną dysharmonię Energii.

Bez *prośby*, nie może być *odpowiedzi* na nią, a uwaga skierowana na problem jest w istocie *prośbą* o rozwiązanie, a więc nie jest rzeczą niezwykłą, że lekarze będą badać twoje fizyczne ciało w poszukiwaniu problemów, na które mogą znać rozwiązanie. Ale *szukanie problemów* jest potężnym katalizatorem ich *przyciągania*, a więc często lekarze, w dobrych intencjach, są instrumentem zwielokrotniania choroby, a nie szukania na nią lekarstw. *Nie sugerujemy, że nie chcą wam pomóc; mówimy, że ich dominującą intencją, gdy was badają, jest znalezienie dowodów na to, iż coś jest nie w porządku. A skoro jest to ich dominującą intencją – jest to tym, co przyciągają bardziej, niż cokolwiek innego.*

Z czasem, będąc w to zaangażowanymi przez dłuższy czas, zaczynają wierzyć w słabość człowieka. Zaczynają dostrzegać częściej to, co jest złe, niż to, co jest w porządku i staje się to przyczyną tego, że sami zaczynają przyciągać chorobę do własnego doświadczenia.

JERRY: Czy to jest właśnie powodem tego, że lekarze często nie potrafią wyleczyć siebie samych?

ABRAHAM: Oto właśnie przyczyna. Nie jest łatwo koncentrować się na negatywności innych bez doświadczania negatywnej emocji w sobie samym – a choroba istnieje z powodu przyzwolenia na negatywność. *Ktoś, kto nie doświadcza negatywności, nigdy nie zachoruje.*

CO MOGĘ ZROBIĆ, BY IM POMÓC?

JERRY: *Co jest najlepszą rzeczą, jaką mogę zrobić, jako jednostka, dla tych, którzy mają fizyczne dolegliwości?*

ABRAHAM: *Nigdy nie pomagasz innym, będąc pudłem rezonansowym dla ich skarg.* Widzenie ich takimi, jakimi wiesz, że chcieliby być, jest najwartościowszą rzeczą, jaką możesz dla nich zrobić. Czasami oznacza to, że musisz się wycofać z ich sąsiedztwa, ponieważ pozostając blisko, nie jest łatwo nie dostrzegać ich skarg. Mógłbyś im powiedzieć: „Poznałem potęgę mojej koncentracji i mojej myśli, a więc gdy słyszę, jak mówisz o tym, czego wiem, że nie chcesz, muszę ci powiedzieć, że muszę się usunąć, gdyż nie chcę się przykładać do tej chybionej kreacji". Spróbuj ich oderwać od ich skarg; spróbuj pomóc im się skupić na jakiś pozytywnych aspektach... Zrób, co możesz, by sobie wyobrazić ich wyzdrowienie.

Będziesz wiedzieć, kiedy stanowisz wartość dla innych, gdy będziesz mógł myśleć o tej osobie i jednocześnie czuć się dobrze. Gdy kochasz innych bez obaw, jesteś dla nich pożyteczny. Gdy się nimi cieszysz, pomagasz im. Gdy oczekujesz, że się im powiedzie, pomagasz im. Innymi *słowy, gdy widzisz ich tak, jak widzi ich twoja **Wewnętrzna Istota**, wtedy i tylko wtedy twój związek z nimi jest dla nich korzyścią.*

ALE CO WTEDY, GDY SĄ W STANIE ŚPIĄCZKI?

JERRY: Od czasu do czasu ktoś nam mówi: „Mam przyjaciela albo członka rodziny, który pozostaje w stanie śpiączki".

ABRAHAM: Komunikujesz się z osobami wokół ciebie wibracyjnie, o wiele bardziej niż za pomocą słów, a więc nawet jeśli ktoś bliski nie reaguje, nie oznacza to, że przekaz nie został w jakimś stopniu odebrany.

Możecie się komunikować nawet z tymi, którzy dokonali fizycznego przejścia w to, co nazywacie „śmiercią", a więc nie zakładajcie, iż pozornie nieświadomy stan jest barierą w komunikacji.

Głównym powodem, dla którego ludzie pozostają w stanie śpiączki lub nieświadomości jest to, że poszukują odpoczynku od myśli pełnych braku, które im przeszkadzały. Innymi słowy, gdy wycofują swoją świadomą uwagę ze szczegółów swego normalnego życia, znajdują się w stanie wibracyjnej komunikacji ze swoją *Wewnętrzną Istotą*. Jest to sposobność do odnowy oraz jest to często czas na podjęcie decyzji, gdzie w istocie mogą określić, czy odnajdą swoje zharmonizowanie powracając do wymiaru Nie-Fizycznego, czy też obudzą się znów w swym ciele fizycznym. Pod wieloma względami, nie różni się to zbytnio od urodzenia się w swoim fizycznym ciele na początku swej drogi.

Oto najlepsza postawa, jaką możecie przyjąć w związku z tymi osobami: *Chcę, abyś zrobił to, co ważne dla ciebie. Aprobuję każdą twoją decyzję. Kocham cię bezwarunkowo. Jeśli zostaniesz, będę w ekstazie... A jeśli odejdziesz, będę w ekstazie. Zrób to, co dla ciebie najlepsze.* Oto, co możecie dla nich zrobić najlepszego.

JERRY: A więc ci ludzie, którzy pozostają w tym stanie przez lata... robią to, co *chcą* zrobić?

ABRAHAM: *Większość z nich, jeśli trwa to tak długo, podjęła decyzję, aby nie wracać, dawno temu, ale ktoś w ich fizycznym otoczeniu zlekceważył ich decyzję i trzyma ich podłączonych do aparatury, choć ich Świadomość dawno odeszła i nie powróci do tego ciała.*

CZY MOGŁEM ODZIEDZICZYĆ CHOROBĘ PO BABCE?

JERRY: Słyszę, jak ludzie mawiają: „Mam migreny, bo moja babka miała migreny", albo: „Moja matka ma nadwagę, moja babka miała nadwagę, a więc moje dzieci też mają nadwagę". Czy niektórzy ludzie dziedziczą problemy fizyczne?

ABRAHAM: To, co się wydaje być odziedziczoną skłonnością, jest zwykle odpowiedzią *Prawa Przyciągania* na *myśli*, jakich nauczyliście się od swych rodziców. Jednakże, komórki waszego ciała są mechanizmami myślącymi, ponadto wasze komórki – tak jak wy – mogą nauczyć się wibracji od otaczających was osób. Jeśli jednak określisz pragnienie i znajdziesz myśli zapewniające dobre samopoczucie – które oznacza wibracyjne zestrojenie z twoją *Wewnętrzną Istotą* lub Źródłem – komórki twego ciała szybko zestroją się z wibracją Dobrostanu, jaką ustanowiła twoja myśl. Komórki twego ciała nie mogą rozwinąć tendencji negatywnych prowadzących do choroby, gdy jesteś w harmonii ze swym Źródłem. Twoje komórki mogą stracić zharmonizowanie tylko wtedy, gdy *ty* je tracisz.

Twoje ciało jest przedłużeniem twojej myśli. Negatywne objawy zarażenia czy „odziedziczenia" czegoś są podtrzymywane przez twoją negatywną myśl i nie mogą się pojawić w obecności chronicznie pozytywnych myśli, jaka by była choroba doświadczana przez twoich rodziców.

JERRY: Czyli jeśli moja matka mówi o swych bólach głowy i ja to akceptuję, to potem sam będę mieć bóle głowy?

ABRAHAM: *Czy słyszysz o tym od swojej matki, czy od kogokolwiek innego, twoja uwaga skierowana na coś, czego nie chcesz, przyniesie ci to z czasem esencję tej rzeczy.* Objawy bólu głowy są przejawem oporu przed Dobrostanem, który ma miejsce wówczas, gdy utrzymujesz się w wibracyjnej sprzeczności z Dobrostanem twej *Wewnętrznej Istoty.* Na przykład, martwienie się pracą, albo gniew, mogą spowodować fizyczne symptomy – *nie musisz się koncentrować na bólu głowy, by go mieć.*

JERRY: A jeśli słyszę, jak moja matka narzeka na bóle głowy i świadomie odrzucę to i powiem: „To może być prawda dla ciebie, ale nie dla mnie", czy to mnie ochroni do jakiegoś stopnia?

ABRAHAM: Mówienie o tym, czego chcesz, zawsze jest dla ciebie korzystne, ale nie możesz pozostać w harmonii z tym, *kim-jesteś-naprawdę* i jednocześnie koncentrować się na bólu głowy twej matki. *Mówienie o tym, czego* **chcesz**, *patrząc na to, czego* **nie chcesz***, nie harmonizuje ciebie z tym, czego chcesz. Wycofaj swoją uwagę z rzeczy, których* **nie chcesz** *i skieruj ją ku rzeczom, które* **chcesz** *przyciągnąć.* Skoncentruj się na jakimś aspekcie twojej matki, który budzi w tobie dobre uczucia, albo skoncentruj się na innym obiekcie, niż twoja matka, a który budzi w tobie dobre samopoczucie.

JAKA JEST ROLA MEDIÓW W EPIDEMIACH?

JERRY: Słyszę ostatnio w mediach, że są bezpłatne szczepienia przeciw grypie dla tych, którzy chcą je zrobić. Czy taka nowina może wpłynąć na rozpowszechnienie wirusa grypy?

ABRAHAM: Tak, będzie to znaczącym czynnikiem rozpowszechniania wirusa grypy. Nie ma dziś większego źródła negatywnych wpływów w waszym otoczeniu, niż telewizja. Oczywiście, jak wszędzie w waszym otoczeniu, istnieje to, co jest chciane oraz to, co niechciane, a wy posiadacie zdolność koncentrowania się i tym samym, otrzymywania tego, co wartościowe w telewizji czy mediach – jednakże te źródła przynoszą ogromnie zniekształcony, niezrównoważony punkt widzenia.

Szukają one po całym świecie ognisk problemów, rzucając na nie światła reflektorów i powiększając je, wzmacniając jeszcze problem dramatyczną muzyką, a następnie kierują je do waszych domów, dając wam nieprawdopodobnie zniekształcony obraz problemu, w opozycji do Dobrostanu waszej planety.

Nieustająca fala medycznych reklam jest potężnym źródłem negatywnych wpływów, gdy wmawiają wam, że „jeden na pięciu ludzi ma w sobie zalążki tej choroby, a ty jesteś prawdopodobnie jednym z nich". Wpływają na ciebie, poddając ci tę myśl, a następnie mówiąc: „Idź do lekarza". A gdy idziesz do lekarza (pamiętaj, że intencją lekarza jest znalezienie czegoś, co jest nie w porządku), to pojawia się – lub wzmacnia – twoje negatywne oczekiwanie. A z odpowiednią dozą tych wpływów, twoje ciało zaczyna manifestować dowody tych mnożących się myśli. Wasza medycyna jest dziś bardziej zaawansowana, niż kiedykolwiek przedtem, a jednak choruje więcej ludzi, niż kiedykolwiek.

Pamiętaj, aby stworzyć cokolwiek, musisz jedynie poświęcić temu myśl – a potem oczekiwać tego – i tak się stanie. Pokazują wam statystyki, opowiadają wam przerażające historie, stymulują wasze myśli, a gdy jesteście stymulowani daną myślą w dużym stopniu, odczuwasz emocję: *grozę, strach... Nie chcę tego!* I pierwsza połowa równania jest dopełniona. Następnie zachęcają cię, byś poszedł na badania, albo wykonał bezpłatne szczepienia przeciw grypie: „Oczywiście, wiemy, że jest epidemia, bo inaczej nie proponowalibyśmy bezpłatnych szczepień", a to dopełnia część *oczekiwania*, a następnie *przyzwalania* – i teraz jesteś w doskonałym położeniu, żeby zapaść na grypę, albo esencję czegokolwiek innego, o czym mówią.

Otrzymujesz to, o czym myślisz, bez względu na to, czy tego chcesz, czy też nie. A więc ma dla ciebie wielkie znaczenie, abyś zaczął praktykowanie własnej opowieści o swym Dobrostanie, abyś mógł, gdy telewizja pokaże przerażający reportaż (o czymś, czego nie chcesz przeżyć), usłyszeć ich wersję i odczuć humorystyczną stronę tego, zamiast strachu.

CZY NALEŻY WYCHWYCIĆ NIEPRZYJEMNE ODCZUCIA, GDY SĄ MAŁE?

ABRAHAM: Pierwsza wskazówka, że nie dopuszczasz swojego fizycznego Dobrostanu, przychodzi do ciebie w formie negatywnej emocji. Nie dostrzeżesz załamania swego fizycznego ciała przy pierwszych oznakach negatywnej emocji, ale koncentrowanie się na obiektach, które powodują przedłużone odczuwanie negatywnej emocji, ostatecznie spowoduje chorobę.

Jeśli jesteś nieświadomy tego, że negatywna emocja wskazuje na wibracyjną dysharmonię, która przeciwstawia się poziomowi Dobrostanu, o który prosisz, możesz, jak większość ludzi, akceptować pewien stopień negatywnej emocji i nie odczuwać potrzeby, by temu zaradzić. Większość ludzi, nawet gdy czują sygnał alarmowy na poziomie negatywnej emocji lub stresu, jaki odczuwają, nie wie, co z tym zrobić, ponieważ wierzą, że reagują na warunki lub okoliczności zewnętrzne, będące poza ich kontrolą. I tak, skoro nie mogą kontrolować tych nieprzyjemnych okoliczności, czują się bezradni nie wiedząc, jak zmienić swój sposób odczuwania.

Chcemy, żebyś zrozumiał, iż twoje emocje pojawiają się w odpowiedzi na twoją uwagę i że w każdych warunkach, masz moc znalezienia myśli zapewniających nieco lepsze samopoczucie, albo nieco gorsze – a gdy konsekwentnie wybierasz te nieco lepsze, *Prawo Przyciągania* przyniesie ci stałą poprawę w tym, czego doświadczasz. *Kluczem do osiągnięcia i utrzymania fizycznego Dobrostanu jest dostrzeganie sygnałów dysonansu na wczesnym etapie. Jest dużo* łatwiej skoncentrować na nowo swoje myśli we wczesnych, subtelnych stadiach, niż wtedy, gdy **Prawo Przyciągania** odpowiedziało już na chroniczne negatywne myśli, przynosząc bardziej gorzkie, negatywne rezultaty.

Gdybyś podjął decyzję, aby nigdy nie pozwalać negatywnej emocji na dłuższe pozostawanie w tobie – i jednocześnie przyjął, że do ciebie należy skoncentrowanie uwagi na nowo, by poczuć się lepiej, zamiast oczekiwać od drugiego, żeby zrobił coś innego, albo żeby jakieś okoliczności się zmieniły, żebyś mógł poczuć się lepiej – to nie tylko będziesz bardzo zdrowym człowiekiem, ale będziesz człowiekiem pełnym radości. *Radość, docenianie, miłość i zdrowie – wszystkie są synonimami. Uraza, zazdrość, depresja, gniew i choroba – wszystkie są synonimami.*

CZY ARTRETYZM LUB CHOROBA ALZHEIMERA SĄ W JAKIŚ SPOSÓB ULECZALNE?

JERRY: Czy można rozwiązać kwestie zdeformowanych stawów, albo utratę pamięci spowodowaną chorobą Alzheimera? Czy można przy tych chorobach powrócić do zdrowia w każdym wieku?

ABRAHAM: Sytuacja twego fizycznego ciała jest naprawdę wibracyjnym wskaźnikiem równowagi twoich myśli – a więc jeśli zmienisz swoje myśli, wskaźniki te także muszą się zmienić. Jedynym powodem, dla którego pewne choroby wydają się uparte i niezmienne jest to, że twoje myśli są uparte i niezmienne.

Większość ludzi uczy się swoich wzorców bezproduktywnego myślenia, często opartych na „prawdach", jakie zaobserwowali lub jakich nauczyli się od innych, a gdy uparcie podtrzymują te wzorce myślowe (które im nie służą), wówczas doświadczają rezultatów tych myśli. A wtedy rozpoczyna się nieprzyjemny cykl, w którym myślą o rzeczach *niechcianych* (realnych, prawdziwych, *niechcianych* rzeczach), a czyniąc to, dzięki *Prawu Przyciągania*, powstrzymują rzeczy *chciane* od pojawienia się w ich doświadczeniu,

169

za to przyzwalają na pojawienie się rzeczy *niechcianych* – wtedy koncentrują się jeszcze bardziej na rzeczach niechcianych, sprowadzając do siebie jeszcze więcej rzeczy niechcianych. *Możesz osiągnąć przemianę w każdym doświadczeniu, ale musisz spojrzeć na świat inaczej. Musisz opowiedzieć historię o tym, czego pragniesz, zamiast opowiadać ją tak, jak jest.* Gdy wybierzesz kierunek swoich myśli i rozmów z innymi, opierając się na tym, jakie uczucia budzą w tobie, gdy o nich myślisz lub mówisz, wówczas zaczniesz *celowo* emitować wibracje. Jesteście Istotami Wibracyjnymi, bez względu na to, czy wiecie o tym, czy też nie, a *Prawo Przyciągania* wiecznie odpowiada na emitowane przez was wibracje.

JERRY: Czy substancje chemiczne, takie jak alkohol, nikotyna, albo kokaina, wpływają na ciało negatywnie?

ABRAHAM: *Wasza fizyczna forma o wiele bardziej podlega wpływowi waszej wibracyjnej równowagi, niż rzeczy, które wprowadzacie do waszego ciała. A nawet bardziej znaczący dla twojego pytania jest fakt, że wychodząc z twego miejsca wibracyjnego zharmonizowania, nie czułbyś skłonności ku substancjom, które zaburzałyby tę równowagę.* Niemal zawsze, bez wyjątków, poszukiwanie tych substancji pochodzi z miejsca pewnej dysharmonii. *W rzeczywistości, impuls zażywania tych substancji pochodzi z pragnienia wypełnienia pustki, spowodowanej wibracyjną nierównowagą.*

CZY ĆWICZENIA I ODŻYWIANIE SĄ WARUNKAMI ZDROWIA?

JERRY: Czy lepsze odżywianie albo większa ilość ćwiczeń polepszają nasze zdrowie?

ABRAHAM: Być może zauważyłeś, że są ludzie, którzy świadomie dobierają sposób odżywiania i uprawiają ćwiczenia lub sport, a ich fizyczne zdrowie jest oczywiste. I są też tacy, którzy zdają się podejmować wielkie starania w kwestii odżywiania i ćwiczeń fizycznych, walcząc latami o ich efekty, wciąż bez sukcesu w kwestii zachowania dobrej formy. To, co czynisz w kategoriach działania jest o wiele mniej ważne, niż twoje myśli, niż to, co czujesz, niż twoja wibracyjna równowaga, albo historia, którą opowiadasz.

Gdy poświęcasz czas na znalezienie wibracyjnej równowagi, fizyczny wysiłek, jaki wkładasz, przyniesie ci wspaniałe rezultaty, ale jeśli nie osiągniesz najpierw wibracyjnej równowagi, wówczas nie ma w świecie działania, które mogłoby zrekompensować tę zaburzoną Energię. Wychodząc z punktu zharmonizowania, będziesz czuł inspirację do pożytecznych działań, podobnie jak wychodząc z punktu dysharmonii, odczuwasz inspirację do postępowania przynoszącego szkody.

JERRY: Pamiętam, że słyszałem przemowę Winstona Churchilla. (Był przywódcą brytyjskim podczas II wojny światowej). Powiedział: „Nigdy nie biegnę, kiedy idę, nigdy nie idę, kiedy stoję, ani nie stoję, kiedy siedzę, ani nie siedzę, kiedy leżę", i zawsze palił wielkie cygaro. Żył 90 lat i był, o ile mi wiadomo, w dobrym zdrowiu. Ale jego styl życia z pewnością nie był tym, co dzisiaj uważamy za zdrowy, czy było to więc kwestią *wiary*?

ABRAHAM: Odszedł w tak młodym wieku? (Śmiech) Przyczyną tego, że tak wielu ludzi jest zagubionych w kwestii wyboru właściwego postępowania dla osiągnięcia zdrowego trybu życia, jest to, że biorą pod uwagę jedynie swe postępowanie, pozostawiając tę część równania, która odpowiada za każdy rezultat: sposób, w jaki myślisz, emocje, jakie odczuwasz, oraz historię, jaką opowiadasz.

CO WTEDY, GDY ZDROWA OSOBA CZUJE SIĘ GŁÓWNIE ZMĘCZONA?

JERRY: Jeśli dana osoba jest zdrowa, choć czuje się przeważnie zmęczona lub apatyczna, jakie sugerowalibyście rozwiązanie?

ABRAHAM: Ludzie często odnoszą się do zmęczenia lub apatii jako niskiego poziomu energii i jest to rzeczywiście dobre określenie. Chociaż nie możesz się odciąć od swojego Źródła Energii, to gdy oddajesz się myślom, które są w sprzeczności z tym Źródłem, to wynikiem tego jest uczucie oporu lub niskiego poziomu energii. *To, co czujesz, zawsze odzwierciedla poziom twojego zharmonizowania, lub też poziom braku harmonii z twoim Źródłem. Nie ma tu wyjątków.* Gdy opowiadasz historię o tym, czego chcesz (będącą historią, jaką Źródło w tobie zawsze podtrzymuje), czujesz się szczęśliwy i pełen energii. Poczucie niskiego poziomu energii jest zawsze wynikiem opowiadania innej historii, niż ta, którą opowiada rozwinięta część twojej Istoty – Źródło Energii. Kiedy opowiadasz historię, która koncentruje się na pozytywnych aspektach twego życia – czujesz się pełen energii. Kiedy opowiadasz historię skoncentrowaną na negatywnych aspektach – czujesz się pozbawiony sił. Gdy koncentrujesz się na braku czegoś, czego pragniesz w swoim obecnym doświadczeniu – odczuwasz emocję negatywną. Kiedy wyobrażasz sobie udoskonaloną sytuację – odczuwasz emocję pozytywną. *To, co odczuwasz, zawsze odzwierciedla relacje między obiektem twej uwagi a twym prawdziwym pragnieniem. Kierowanie myśli ku temu, co upragnione, da ci pokrzepienie, którego szukasz.*

CO JEST GŁÓWNĄ PRZYCZYNĄ CHOROBY?

JERRY: A więc, co uważacie za główną przyczynę choroby?

ABRAHAM: Choroba jest spowodowana kierowaniem myśli na *niechciane* obiekty, odczuwaniem negatywnej emocji, ignorowaniem jej i dalszym koncentrowaniem się na tym, co niechciane, tak, że w końcu negatywna emocja staje się coraz silniejsza – ciągłym ignorowaniem jej i utrzymywaniem skupienia na *niechcianym*... Aż w końcu, poprzez *Prawo Przyciągania*, przyciąganych jest wciąż więcej myśli negatywnych oraz negatywnych doświadczeń. *Choroba powstaje, gdy ignorujesz wczesne, subtelne sygnały dysharmonii, pojawiające się w formie emocji.*

Jeśli odczuwasz negatywną emocję i nie zmieniasz swojej myśli, ona zawsze wzrasta, aż w końcu staje się fizycznym doznaniem – a potem fizycznym pogorszeniem zdrowia. *Jednakże, choroba jest tylko wskaźnikiem twojej wibracji, a gdy tylko zmienisz swoją wibrację, wówczas zmieni się wskaźnik, aby dopasować się do nowej wibracji. Choroba jest niczym więcej, jak fizycznym wskaźnikiem Energii w stanie nierównowagi.*

Wielu ludzi doświadczających choroby, nie zgadza się z naszym wyjaśnieniem, mówiącym, że przyczyną ich choroby jest odpowiedź *Prawa Przyciągania* na ich myśli, protestując, że nigdy nie myśleli o *tej* konkretnej chorobie. Ale choroba nie pojawia się, dlatego, że myślisz o tej chorobie, ani o jakiejkolwiek chorobie. *Choroba jest wyolbrzymionym wskaźnikiem negatywnych myśli, tym pierwotnie subtelnym wskaźnikiem, który zwiększył się, ponieważ negatywna emocja pozostała. Negatywna emocja jest oporem, bez względu na przedmiot negatywnej emocji. To jest właśnie powodem ciągłego powstawania nowych chorób, a dopóki rzeczywista przyczyna choroby nie zostanie zrozumiana, nie będzie na nią ostatecznego lekarstwa.*

Posiadacie teraz potencjał każdej choroby w swym ciele i równocześnie posiadacie w swym ciele potencjał doskonałego zdrowia – a wy wybieracie jedno, albo drugie, albo ich połączenie, w zależności od równowagi waszych myśli.

JERRY: A więc, mówiąc inaczej, z Waszej perspektywy nie istnieje fizyczna przyczyna choroby czy dolegliwości? Wszystko to jest *myślą*?

ABRAHAM: Rozumiemy waszą potrzebę, by uprawomocnić działanie, czy postępowanie, w próbie wyjaśnienia przyczyn. Gdy wyjaśniacie, skąd bierze się woda, będziecie słusznie wskazywali na kran, jako źródło wody w waszej umywalni. Jednak temat „skąd bierze się woda" jest o wiele szerszy, niż tylko kran. I w podobny sposób, o wiele szerszy jest temat źródła zdrowia lub choroby. *Wasz komfort lub dyskomfort są symptomami równowagi waszych myśli, a równowaga zamanifestuje się dzięki ścieżce najmniejszego oporu, tak niechybnie, jak woda płynąca w dół ze wzgórza.*

PRZYKŁAD MOJEJ „STAREJ" HISTORII
O MOIM FIZYCZNYM DOBROSTANIE

Dostrzegam w moim ciele objawy, które mnie martwią. Z wiekiem czuje się słabszy, mniej odporny, mniej zdrowy, mniej bezpieczny. Martwię się, w jakim kierunku zmierza moje zdrowie. Próbuję się o siebie troszczyć, ale nie zauważyłem, aby to wiele pomagało. Myślę, że to normalne, że człowiek czuje się gorzej z wiekiem. Widziałem to u moich rodziców, tak więc naprawdę martwię się o moje zdrowie.

PRZYKŁAD MOJEJ „NOWEJ" HISTORII
O MOIM FIZYCZNYM DOBROSTANIE

Moje ciało odpowiada na moje myśli na jego temat i na moje myśli na każdy inny temat. Im lepsze uczucia budzą we mnie moje myśli, tym bardziej pozwalam na mój osobisty Dobrostan.

Lubię wiedzieć, że istnieje absolutna korelacja pomiędzy tym, jak się czuję a moimi chronicznymi myślami i tym, jakie uczucia budziły moje myśli. Lubię wiedzieć, że te uczucia mają mi pomagać w wybieraniu myśli budzących lepsze samopoczucie, co stworzy budzące lepsze samopoczucie wibracje, co stworzy lepsze samopoczucie mojego ciała. Moje ciało jest tak podatne na moje myśli i tak dobrze jest o tym wiedzieć. Staję się coraz lepszy w dobieraniu moich myśli. Bez względu na to, w jakiej jestem obecnie kondycji, posiadam moc, by to zmienić. Stan mojego fizycznego zdrowia jest po prostu wskaźnikiem stanu moich chronicznych myśli – mam kontrolę nad jednym i nad drugim.

Ciało fizyczne jest zadziwiające: zaczęło istnieć jako kropla płodowych komórek, aby stać się ciałem człowieka w pełnym rozkwicie. Jestem pod wrażeniem trwałości ludzkiego ciała oraz inteligencji komórek, które tworzą ludzkie ciało, gdy dostrzegam, jak moje ciało wypełnia tak wiele ważnych funkcji bez mego świadomego udziału.

Podoba mi się, że nie ponoszę świadomej odpowiedzialności za to, by krew płynęła w moich żyłach i by powietrze wpływało do moich płuc. Podoba mi się, iż moje ciało wie, jak to czynić i robi to tak dobrze. Ludzkie ciało jest w ogóle zadziwiającym fenomenem: inteligentnym, elastycznym, trwałym, sprężystym, widzącym, słyszącym, czującym zapachy, smaki i to, czego dotyka.

Moje własne ciało służy mi bardzo dobrze. Uwielbiam zgłębianie życia poprzez moje fizyczne ciało. Cieszy mnie moja wytrzymałość i giętkość. Lubię przeżywać życie w moim ciele.

Jestem tak zadowolony z moich oczu, które patrzą na ten świat, widząc z bliska i z daleka, rozróżniając kształty i kolory z tak żywą percepcją głębi i odległości. Tak cieszę się zmysłami słuchu, węchu i smaku oraz dotyku, jakie posiada moje ciało. Kocham namacalność, zmysłowość tej planety i życie w moim cudownym ciele.

Odczuwam uznanie i fascynację dla zdolności regeneracji mojego ciała, gdy widzę, jak skaleczenia czy rany pokrywają się nową skórą i gdy odkrywam szybko odzyskiwaną giętkość mojego ciała po doznanych obrażeniach.

Jestem tak bardzo świadomy elastyczności mojego ciała, zręczności moich palców i natychmiastowej reakcji moich mięśni, jaką okazują przy każdym zadaniu, jakie podejmuję.

Cieszy mnie świadomość, że moje ciało wie, jak być w formie i zawsze zmierza ku dobrej kondycji i że jeśli nie wchodzę mu w drogę z negatywnymi myślami, dobra forma musi dominować.

Cieszę się, rozumiejąc wartość moich emocji i rozumiem, iż posiadam zdolność osiągnięcia i utrzymania fizycznego Dobrostanu, ponieważ posiadam zdolność znajdowania i utrzymania szczęśliwych myśli.

Każdego dnia na tym świecie, nawet wtedy, gdy pewne rzeczy w moim ciele nie są w optymalnej formie, jestem zawsze świadomy, że o wiele, wiele, wiele, wiele więcej rzeczy funkcjonuje tak, jak powinno i że dominują w moim ciele aspekty Dobrostanu.

A nade wszystko, kocham szybką odpowiedź mego ciała na moją uwagę i na moje intencje. Uwielbiam świadomość połączenia pomiędzy moim umysłem, ciałem i duchem oraz potężne, twórcze cechy mojego celowego zharmonizowania.

Uwielbiam przeżywanie życia w moim ciele.

Tak bardzo doceniam to doświadczenie.

Czuję się dobrze.

Nie ma właściwego lub niewłaściwego sposobu na opowiadanie twojej udoskonalonej historii. Może ona dotyczyć twoich przeszłych, teraźniejszych lub przyszłych doświadczeń. Jedynym ważnym kryterium jest to, abyś był świadomy swojej intencji opowiedzenia ulepszonej, budzącej lepsze samopoczucie, wersji twojej historii. Opowiadanie wielu krótkich, budzących dobre odczucia historii w ciągu dnia zmieni twój punkt przyciągania. Po prostu pamiętaj, że historia, którą ty opowiadasz jest bazą *twojego* życia. A więc opowiedz ją tak, jak chcesz, aby było.

CZĘŚĆ IV

PERSPEKTYWY ZDROWIA, WAGI CIAŁA ORAZ UMYSŁU

CHCĘ SIĘ CIESZYĆ ZDROWYM CIAŁEM

Doprowadzenie ciała fizycznego do stanu harmonii jest ogromnie istotne z dwóch powodów:

- Po pierwsze, nie ma rzeczy, o której ludzie nie myśleliby więcej, niż o własnym ciele. (A jest to logiczne, ponieważ zabieracie je wszędzie ze sobą).

- Po drugie, skoro każda perspektywa myśli, jaka się w tobie pojawia, przepływa przez soczewkę twego ciała, twoja postawa wobec dosłownie każdego obiektu pozostaje pod wpływem tego, co czujesz wobec swego ciała.

Ponieważ nauka i medycyna powoli dochodzą do zrozumienia połączenia związku pomiędzy ciałem a umysłem, pomiędzy myślami a rezultatami, większość ludzi błądzi pośród niezliczonej ilości zaleceń w odniesieniu do swego ciała. *Kiedy podstawa rozumienia jest wadliwa, żadna ilość metod, eliksirów czy lekarstw, mających ją załatać, nie przyniesie wiarygodnych rezultatów. A ponieważ stopień zharmonizowania Energii jest inny u każdego człowieka, w związku z tak wielką różnorodnością czynników wiary, przekonań, pragnień, oczekiwań oraz wcześniejszych i bieżących wpływów, trudno się dziwić, że lekarstwa, które by „działały za każdym razem" – nie istnieją, i trudno się dziwić, że większość ludzi jest naprawdę zagubiona w kwestii swego fizycznego ciała.*

Gdy próbujesz zgromadzić i przetworzyć informacje na temat tego, co dzieje się z ciałem innych osób, zamiast użyć własnego *Systemu Emocjonalnego Przewodnictwa*, by zrozumieć swoje obecne zharmonizowanie lub też dysharmonię Energii, to jest to równoznaczne z użyciem mapy drogowej innego kraju, żeby zaplanować trasę we własnym: ta informacja po prostu nie ma związku z tobą, ani z tym, w jakim punkcie się teraz znajdujesz.

Otrzymałeś tak wiele informacji, które są sprzeczne z naszą wiedzą (oraz z *Prawami Wszechświata*), że cieszymy się niezmiernie, że możemy z tobą pomówić o tobie oraz o twoim ciele w odniesieniu do szerszej całości. Chcemy ci pomóc w znalezieniu jasnego zrozumienia, jak być zdrową Istotą, będącą fizycznie sprawną, wyglądającą tak, jak chcesz wyglądać (w pełni, czyli w pojęciu umysłu, ducha i ciała); zaś kiedy użyjesz swego umysłu, aby celowo skoncentrować swoje myśli, żeby je zharmonizować z myślami twej *Wewnętrznej Istoty* (lub ducha), twoje ciało fizyczne stanie się zmaterializowanym dowodem na to zharmonizowanie.

CHCĘ ZRÓWNOWAŻYĆ SWOJE PRAGNIENIA I DOŚWIADCZENIA

Nie jest możliwe, żebyś doprowadził swoje ciało fizyczne do stanu doskonałego zdrowia, myśląc jedynie o fizycznych aspektach twego istnienia, a następnie podejmując działanie w odniesieniu do twego fizycznego ciała. Bez zrozumienia Połączenia pomiędzy twoim fizycznym ja a twoim Nie-Fizycznym Wibracyjnym Wewnętrznym Ja, nie możesz osiągnąć pełnego zrozumienia ani kontroli. Innymi słowy, chociaż możesz mieć wrażenie, że ścieżka dobrze czującego się i dobrze wyglądającego ciała będzie rezultatem działania w kategoriach żywienia i aktywności, polega to naprawdę o wiele bardziej na wibracyjnej harmonii pomiędzy fizycznymi a Nie-Fizycznymi aspektami twej Istoty.

Z chwilą, gdy zaakceptujesz całokształt swojej Istoty i uczynisz to wibracyjne zharmonizowanie swoim absolutnym priorytetem, znajdziesz się na drodze do osiągnięcia i utrzymania swego upragnionego ciała fizycznego. Ale jeśli kondycja innych osób, ich doświadczenia oraz opinie stają się twoim kryterium dobrej formy, nie będziesz w stanie kontrolować kondycji własnego fizycznego ciała. Innymi słowy, gdy usiłujesz osiągnąć fizyczny standard oparty na porównaniu z doświadczeniami innych, zamiast starania o osobistą harmonię pomiędzy tobą a *Tobą*, nigdy nie odkryjesz klucza do kontroli nad swym własnym ciałem.

NIE MUSZĘ PORÓWNYWAĆ SWEGO CIAŁA Z INNYMI

Chcielibyśmy wam pomóc w zrozumieniu, że nie istnieje tylko jeden stan istnienia, który byłby właściwy, ani nawet najbardziej upragniony, ponieważ istnieje nieskończona różnorodność form ciała fizycznego, jakich przybranie było waszym zamiarem, gdy pojawiliście się w tym ciele fizycznym. Gdyby było waszą intencją, być takim, jak wszyscy, większość z was byłaby jednakowa – ale tak nie jest. Przychodzicie w najróżniejszych formach, rozmiarach i kształtach oraz z różnym stopniem giętkości czy sprawności. Niektórzy są silniejsi, inni bardziej zwinni... Przyszliście w wielkiej różnorodności, dodając wszystkie różnice, które stanowią ogromną wartość dla całości. Przyszliście w swej wielkiej różnorodności, aby dodać równowagi temu miejscu i chwili.

A więc chcielibyśmy was zachęcić: zamiast patrzeć na siebie i stwierdzać, że brakuje wam takiej czy innej cechy, jak to czyni większość z was, chcielibyśmy wam pomóc w spojrzeniu na silne strony tego, jacy *jesteście wy*. Innymi słowy, gdy oceniacie lub analizujecie swoje ciało fizyczne, spędzajcie więcej czasu patrząc na dobre strony, jakie ono oferuje nie tyle wam, lecz równowadze *Wszystkiego-Co-Jest*.

JERRY: Przypominam sobie, że gdy wykonywałem ćwiczenia na trapezie (z cyrkiem), byłem zbyt ciężki, aby być tak zwanym „latawcem" i byłem za lekki, aby być tzw. „łapaczem". Tak więc trapez nie był miejscem, gdzie czułbym się swobodnie, dopóki nie pojawił się cięższy łapacz, albo lżejszy latawiec, że tak powiem. Tak więc byłem wciąż akrobatą powietrznym, ale wykonywałem to, co zwano aktem powietrznej belki, gdzie nikt nie musiał mnie łapać, ani ja nie musiałem nikogo łapać. Jednak nie uważałem, że mi czegoś brakowało, ponieważ nie sądziłem, abym musiał być większy lub mniejszy. Po prostu znalazłem coś, co lubiłem robić, co wciąż dawało mi to samo ogólne uczucie życia jako akrobata powietrzny. [ABRAHAM: dobrze. To wspaniale.]

CO BY BYŁO, GDYBYM WIDZIAŁ SIEBIE JAKO DOSKONAŁEGO?

JERRY: Czy nie moglibyśmy więc patrzeć na naszą wagę, albo na nasze zdolności umysłowe czy talent w ten sam sposób? Czy każdy z nas może postrzegać siebie jako doskonałego?

ABRAHAM: Niekoniecznie zachęcalibyśmy was do patrzenia na cokolwiek, co jest waszym obecnym stanem i określenia go jako „doskonały", ponieważ zawsze będziecie się starać o coś, co po prostu wykracza poza to, *co-jest*. Ale znajdowanie aspektów obecnego doświadczenia, które budzą dobre uczucia, gdy się na nich koncentrujecie, spowoduje, że zestroicie się z perspektywą waszej *Wewnętrznej Istoty*, zawsze skupionej na Dobrostanie. *Zachęcamy was, abyście poczuli zgodność pomiędzy waszymi myślami na temat swego ciała a myślami waszej **Wewnętrznej Istoty** na jego temat, zamiast podejmowania prób osiągnięcia takiej kondycji waszego ciała, która by odpowiadała kondycji innych ciał, jakie widzicie wokół siebie.*

OPÓR PRZECIW NIECHCIANEMU PRZYCIĄGA WIĘCEJ TEGO, CO NIECHCIANE

ABRAHAM: Rozumiejąc, iż tworzycie poprzez swoje myśli, zamiast poprzez swoje działanie, spełnicie o wiele więcej swych pragnień z dużo mniejszym wysiłkiem – a wobec braku zmagania, będziecie mieć dużo więcej radości. Przejawiacie myśl w każdej chwili swego życia na jawie, a więc osiągnięcie tendencji ku pozytywnym, dającym dobre samopoczucie myślom posłuży wam najlepiej.

Urodziliście się w społeczeństwie, które zaczęło ostrzegać was przed rzeczami niechcianymi, gdy tylko przybyliście, a z czasem, większość z was przyjęła postawę obronną. Macie „wojnę z narkotykami" i „wojnę z AIDS" oraz „wojnę z rakiem". Większość z was naprawdę wierzy, iż sposobem na zdobycie tego, czego *chcecie*, jest pokonanie tego, czego *nie chcecie*, tak więc koncentrujecie się tak bardzo na odpychaniu od siebie tego, czego nie chcecie, gdzie, gdybyście mogli widzieć *Prawo Przyciągania*, tak jak my – gdybyście mogli zaakceptować siebie jako przyciągających doświadczenia dzięki myśli, którą podtrzymujecie – zrozumielibyście, jak bardzo uwstecznione jest podejście większości z was.

Gdy mówicie: „Jestem chory i nie chcę być chory, a więc pokonam tę chorobę – podejmę to działanie i pokonam tę chorobę", to wychodząc ze swojej pozycji obronnej oraz negatywnej emocji, trzymacie się kurczowo tej choroby.

MOJA UWAGA SKIEROWANA NA BRAK PRZYCIĄGA JESZCZE WIĘKSZY BRAK

ABRAHAM: Każdy temat to w istocie dwa tematy: temat tego, czego chcesz oraz temat braku tego, czego chcesz. Jeśli chodzi o twoje ciało, skoro każda wasza myśl, jaka pojawia się w waszym umyśle, jest przefiltrowana przez perspektywę tego ciała, to jeśli w związku z owym ciałem nie czujesz się tak, jak chcesz, albo nie wygląda ono tak, jak chcesz, żeby wyglądało, to jest bardzo naturalne, że wielka ilość twych myśli (bardzo niezrównoważonych myśli) może się skłaniać ku stronie braku w tym równaniu, zamiast ku stronie prawdziwego pragnienia. Z tego miejsca braku, przyciągniesz jedynie większy brak i jest to właśnie przyczyną tego, dlaczego większość diet nie działa. Jesteś świadomy swojej nadwagi – swojego ciała wyglądającego tak, jak nie chcesz, by wyglądało – a więc gdy staje się już dostatecznie trudne do zniesienia, że nie możesz go już ścierpieć (albo z twojej własnej perspektywy, albo dlatego, że inni patrzą na ciebie bokiem), wówczas mówisz: „Nie mogę już znieść tego negatywnego miejsca. Zamierzam przejść na dietę i pozbyć się tego wszystkiego, czego nie chcę". Tymczasem, twoja uwaga jest wciąż skierowana na to, czego nie chcesz, tak więc podtrzymujesz to nadal. *Aby dostać się tam, gdzie chcesz być, skieruj uwagę całkowicie ku temu, czego chcesz, zamiast ku temu, czego nie chcesz.*

SADZENIE NASION STRACHU
PRZYNOSI JESZCZE WIĘCEJ STRACHU

JERRY: Pewien mój bliski przyjaciel, mentor w sprawach biznesu, zgłosił się jako ochotnik przy badaniach medycznych. Mówił, że chociaż cieszył się znakomitym zdrowiem, chciał wziąć w tym udział, jeśli mogłoby to być innym pomocne, ponieważ tak wielu mężczyzn w jego wieku, w rejonie jego zamieszkania, umierało wskutek pewnej choroby. Cóż, wydaje się, że w ciągu zaledwie paru tygodni otrzymaliśmy od niego wiadomość, że postawiono mu diagnozę tej choroby. I nie ma go już w formie fizycznej, choć nie wydawał się tej choroby obawiać. Czy stworzył ją w swoim ciele poprzez koncentrowanie się na niej?

ABRAHAM: Było to kwestią uwagi zwróconej ku chorobie – innymi słowy, było jego intencją, aby przydać się innym. Tak więc pozwolił im na pobieranie próbek, na szperanie i szukanie. A w tym pobieraniu próbek, szperaniu i szukaniu, dostarczyli mu dostatecznie dużo stymulacji myśli, aby uświadomił sobie możliwość zachorowania – nie tylko nawet możliwość, ale *prawdopodobieństwo*.

Zaszczepili w nim ziarno prawdopodobieństwa, a potem, wskutek tego pobierania próbek, szperania i szukania, jego ciało odpowiedziało na to, co stało się równowagą jego myśli.

Podałeś wspaniały przykład, ponieważ ta choroba nie istniała w nim, dopóki *jego uwaga* nie została zwrócona ku chorobie, a wówczas odpowiedziało na to jego ciało. *Zawsze istnieje w was potencjał ku chorobie i ku zdrowiu. Myśli, jakie wybieracie, determinują to, czego doświadczacie i do jakiego stopnia tego doświadczacie.*

CZY UWAGA SKIEROWANA NA CHOROBĘ MUSI PRZYCIĄGAĆ CHOROBĘ?

JERRY: Na ile możemy się więc bawić myślami o chorobie? Na przykład, ktoś widzi w telewizji reklamę, zachęcającą do bezpłatnych badań jakiejś części jego ciała i jeśli powie: „O, myślę, że pójdę to zrobić – czuję się dobrze, ale czemu nie, skoro jest bezpłatne?", to jakie są szanse, że to doprowadzi do tego, o czym mówimy: stymulacji myśli, i w końcu, do niechcianego rezultatu?

ABRAHAM: Niemal stuprocentowe. Z powodu uwagi kierowanej ku chorobie w waszym społeczeństwie, choroby bujnie się rozwijają. Z całą waszą medyczną technologią – z wszystkimi narzędziami, wszystkimi odkryciami – jest dziś więcej ludzi beznadziejnie chorych, niż kiedykolwiek przedtem. Rozpowszechnienie tak poważnych chorób spowodowane jest głównie waszą uwagą skierowaną ku chorobom.

Powiedziałeś: „Na ile możemy się tym bawić?". A my mówimy: Bardzo dbacie o to, co jecie, w co się ubieracie i czym jeździcie, a mimo to nie dbacie o to, co myślicie. *Zachęcalibyśmy was do dbania o to, co myślicie. Utrzymujcie swoje myśli po stronie tego tematu, który jest w harmonii z waszym pragnieniem. Myślcie o zdrowiu, o świetnej formie – a nie o ich braku. Myślcie o byciu takimi, jakim chcecie być, a nie o swoich brakach.*

Wasza choroba nie rodzi się i nie trwa jedynie z powodu waszego negatywnego skupienia na chorobie. Pamiętajcie, że choroba bierze się z wrażenia kruchości waszego ciała oraz z defensywności. Wyćwiczcie swoje myśli na każdy temat (nie tylko w kwestii fizycznego zdrowia) w kierunku tego, czego pragniecie, a poprzez udoskonalony stan emocjonalny, jaki osiągniecie, wasze fizyczne zdrowie będzie zapewnione.

CZY MOJA UWAGA SKUPIONA JEST GŁÓWNIE NA DOBROSTANIE?

JERRY: Inna nasza przyjaciółka wybudowała niedawno pokój w swoim domu, aby jej teściowa, której zdrowie się bardzo pogorszyło, mogła tam z nią zamieszkać. Jej teściowa mówiła niemal bez przerwy o tym, jak źle się czuje, jak złe jest jej zdrowie, jaka jest w życiu nieszczęśliwa oraz o swoich operacjach.

Następnie matka naszej przyjaciółki, mająca 85 lat, przyjechała do nich z wizytą w czasie wakacji. Nigdy wcześniej nie była w szpitalu w całym swoim życiu, ale w ciągu tygodnia pobytu w tym domu z tą drugą damą – mówiącą nieustannie o chorobie – jej własne zdrowie dramatycznie się pogorszyło. Trafiła do szpitala, a potem do kliniki. Czy czyjeś zdrowie może tak dramatycznie podupaść w wyniku zaledwie paru dni negatywnych wpływów?

ABRAHAM: *Zawsze istnieje w was potencjał ku chorobie i ku zdrowiu. I jakikolwiek obiekt obdarzacie uwagą, tworzy ona w was manifestację esencji tejże myśli. Myśl jest bardzo potężna.*

Chociaż nie jest to konieczne, większość ludzi, którzy osiągają wiek 85 lat, otrzymała już zasadnicze negatywne przesłania co do swojego ciała fizycznego. Jesteście nieustannie bombardowani myślami o podupadającym zdrowiu: potrzeba wykupienia zdrowotnego ubezpieczenia, potrzeba wykupienia ubezpieczenia od śmierci, potrzeba spisania testamentu, by się przygotować do śmierci, i tak dalej. A więc ta kobieta nie zaznała pierwszego negatywnego wpływu związanego ze swym zdrowiem fizycznym od innej kobiety w tym domu.

Jednakże, skoro już czuła się niepewnie w tej kwestii, coś niestabilnego w związku z jej długowiecznością, nasilenie rozmów z drugą kobietą – oraz reakcje, jakie to budziło u innych osób, które ją otaczały – przechyliły równowagę jej myśli dostatecznie, by negatywne symptomy stały się szybko widoczne. A wówczas, gdy skierowała uwagę ku własnym negatywnym objawom, zwiększyły się one szybko w tym intensywnie negatywnym otoczeniu.

Gdy pojawia się w waszym doświadczeniu ktoś, kto stymuluje waszą myśl tak, że staje się ona głównie myślą o chorobie, zamiast o zdrowiu, głównie o braku Dobrostanu, zamiast o Dobrostanie, gdy jesteś w miejscu, w którym czujesz się bezbronny, defensywny, a nawet rozgniewany – wówczas komórki twego ciała zaczynają odpowiadać na równowagę tejże myśli. Tak, jest rzeczą możliwą, że w ciągu kilku tygodni, nawet dni – a nawet godzin – ten negatywny proces może się rozpocząć. *Wszystko, co przeżywacie, jest wynikiem waszym myśli i nie ma tu żadnych wyjątków.*

FIZYCZNE ŚWIADECTWA INNYCH
NIE MUSZĄ BYĆ MOIM DOŚWIADCZENIEM

ABRAHAM: Gdy widzicie wokół siebie fizyczne świadectwa, bardzo często owe *fizyczne świadectwa* wydają się wam bardziej realne, niż *myśl*. Mówicie nam na przykład: „Abraham, to jest naprawdę realne – to nie jest tylko myśl", jak gdyby to, co *naprawdę realne* oraz *myśl*, były dwiema odrębnymi rzeczami. Ale chcemy, byście przypomnieli sobie, że Wszechświat nie rozróżnia waszych myśli na temat obecnej rzeczywistości, od myśli o rzeczywistości wyobrażonej. Wszechświat i *Prawo Przyciągania* odpowiadają po prostu na waszą myśl – realną lub wyobrażoną, obecną lub będącą wspomnieniem. *Jakiekolwiek świadectwo widzicie wokół siebie, jest ono niczym więcej, jak urzeczywistnionym wskaźnikiem czyjejś myśli i nie ma powodu, aby to, co inni tworzą swoimi myślami, powodowało w was lęk lub poczucie własnej kruchości.*

Nie ma czegoś takiego, jak sytuacja nieodwracalna. Nie ma sytuacji fizycznej, bez względu na stopień negatywnej degeneracji, która nie mogłaby został przekształcona w zdrowie. Ale wymaga to zrozumienia **Prawa Przyciągania,** *Przewodnictwa reprezentowanego przez emocję oraz gotowości, by celowo się skoncentrować na rzeczach, które budzą w was dobre samopoczucie. Gdybyście mogli zrozumieć, że wasze ciało odpowiada na to, o czym myślicie i gdybyście mogli utrzymywać swoje myśli tam, gdzie chcecie, aby przebywały – wszyscy bylibyście zdrowi.*

JAK MOGĘ WPŁYNĄĆ NA INNYCH, BY UTRZYMYWALI DOBRE ZDROWIE?

JERRY: A więc, co byłoby najlepszą rzeczą, jaką moglibyśmy zrobić, aby zachować lub odzyskać własne zdrowie, albo by wpłynąć na innych w kwestii *ich* zdrowia?

ABRAHAM: W istocie, proces odzyskiwania zdrowia oraz jego utrzymywania jest ten sam: *Skoncentruj się bardziej na tym, co daje dobre samopoczucie.* Największa różnica pomiędzy odzyskiwaniem a utrzymywaniem zdrowia polega na tym, iż łatwiej jest o przyjemne myśli, dające dobre samopoczucie, gdy czujesz się dobrze, niż wtedy, gdy czujesz się źle, a więc *utrzymywanie* zdrowia jest o wiele łatwiejsze, niż jego *odzyskiwanie*. *Najlepszym sposobem, by wpłynąć na innych, by byli w dobrym zdrowiu, jest przeżywanie go same-*

mu. Najlepszym sposobem, by wpłynąć na innych, by chorowali, jest chorowanie.

Rozumiemy, że dla tych, którzy znajdują się teraz w miejscu, w którym nie chcą się znajdować, brzmi to zbyt prosto, żeby zwyczajnie znaleźć myśl dającą lepsze samopoczucie. Ale jest naszą absolutną obietnicą, że jeśli będziecie zdeterminowani, aby poprawić sposób własnego odczuwania, czyli stan emocjonalny poprzez celowe wybieranie myśli, które budzą lepsze uczucia, zaczniecie dostrzegać natychmiastową poprawę we wszystkim, co was martwi.

ZRELAKSUJĘ SIĘ I USNĘ, ZANURZAJĄC SIĘ W DOBROSTAN

ABRAHAM: Twoim naturalnym stanem jest absolutny Dobrostan. Nie musisz już walczyć z chorobą. Po prostu zrelaksuj się, zanurzając się w swym upragnionym zdrowiu. Połóż się dziś do łóżka, a gdy będziesz bliski zaśnięcia, postaraj się poczuć cudowny komfort własnego łoża. Zauważ, jakie jest duże. Poczuj poduszkę pod swoją głową. Poczuj tkaninę na swojej skórze. Zwróć uwagę na rzeczy, które są przyjemne, bo z każdą chwilą, w której myślisz o czymś, co budzi dobre samopoczucie, odcinasz paliwo dla tej choroby. *W każdej chwili, w której myślisz o tym, co budzi dobre odczucia, zatrzymujesz rozwój choroby; a w każdej chwili, w której myślisz o chorobie, można rzec, że dodajesz paliwa do ognia.*

Gdy uda ci się utrzymać swoje myśli na czymś, co budzi dobre uczucia przez pięć sekund, to na pięć sekund rozwój choroby będzie zatrzymany. Gdy uda ci się to przez dziesięć sekund, to na dziesięć sekund rozwój choroby będzie zatrzymany. Gdy myślisz o tym, jak dobrze się teraz czujesz i gdy myślisz o zdrowiu jako o swoim naturalnym stanie – rozpoczniesz proces rozwijania swojego zdrowia.

CZY NEGATYWNE EMOCJE
WSKAZUJĄ NA NIEZDROWE MYŚLI?

ABRAHAM: Gdy myślisz o chorobie, powodem, dla którego odczuwasz w związku z nią negatywne emocje, jest to, że owa myśl jest tak bardzo odległa od harmonii z twoją głębszą wiedzą, że nie rezonujesz z tym, *kim-jesteś-naprawdę*. Negatywna emocja, jaką odczuwasz, w formie *zmartwienia* lub *gniewu,* albo *lęku* w związku z chorobą, jest rzeczywistym wskaźnikiem, że bardzo mocno ograniczyłeś przepływ Energii między tobą a tym, *kim-jesteś-naprawdę.*

Twoje zdrowie przejawia się wtedy, gdy pozwalasz na pełny przepływ Nie-Fizycznej Energii pochodzącej z twojej *Wewnętrznej Istoty.* I tak, gdy myślisz: *Jestem zdrowy,* albo: *Staję się zdrowy,* albo: *Jestem całością i zdrowie jest moim naturalnym stanem,* myśli te wibrują w miejscu będącym w harmonii z tym, czym jest twoja *Wewnętrzna Istota,* a ty otrzymujesz pełne dobrodziejstwo Energii myśli, pochodzące z twej *Wewnętrznej Istoty.*

Każda myśl wibruje. A więc skup się na myślach, które budzą w tobie dobre samopoczucie, co przyciągnie do ciebie inne i inne, i jeszcze inne, i jeszcze inne, i jeszcze więcej innych... aż twoja wibracyjna częstotliwość wzniesie się do miejsca, w którym twoja **Wewnętrzna Istota** *będzie mogła cię w pełni otulić. A wówczas będziesz w miejscu Dobrostanu, zaś twój fizyczny aparat dostosuje się do tego bardzo szybko – jest to naszą absolutną obietnicą, jaką ci składamy. Możesz oczekiwać niezwykłego fizycznego dowodu na swój powrót do zdrowia – bo takie jest* **Prawo.**

DO JAKIEGO STOPNIA
MOGĘ KONTROLOWAĆ SWOJE CIAŁO?

JERRY: Naszym tematem jest „Perspektywy zdrowia, wagi ciała oraz umysłu: *Jak to osiągnąć i jak to utrzymać?*". Widzę przytłaczającą liczbę ludzi, którzy martwią się swoją wagą oraz swym

fizycznym i psychicznym zdrowiem. A z powodu ogr[...]
jaką darzy się załamania zdrowotne, rozumiem, dlaczego
się tym martwią.

Jako dziecko, miałem szczęście w jakiś sposób uświadomić sobie, że miałem kontrolę nad własnym ciałem. Przypominam sobie, jak miałem około dziewięciu lat i jechałem na jarmark, gdzie dwóch zawodowych zapaśników siłowało się ze wszystkimi widzami po kolei. Inaczej mówiąc, każdy farmer, mógł zapłacić za wejście na ring i walkę, a jeśli był w stanie pokonać tych zawodowych zapaśników, wygrywał pieniądze. Ale farmerzy za każdym razem przegrywali z kretesem.

Pamiętam, jak stałem w tym małym płóciennym namiocie oświetlonym lampami gazowymi, i przypominam sobie, jak patrzyłem na światła odbijające się od spoconych pleców jednego z tych zapaśników.

W wyniku skrajnie słabego zdrowia, jakiego doświadczyłem jako dziecko, nauczyłem się jakoś, jak kontrolować własne zdrowie. Kilkakrotnie eksperymentowałem z lekarzami, ale ich diagnozy i metody leczenia były przeważnie chybione. I tak, nie trwało to długo, żebym zrozumiał, że lepiej będzie, gdy będę się trzymał z dala od lekarzy, zajmując się swym ciałem samemu.

Ale wciąż łapię się na tym, że myślę trochę o tym, jak moje ciało będzie się trzymać i jaka będzie moja forma w przyszłości. Czy będę w stanie utrzymać doskonałą wagę, zdrowie i stan umysłu? Czuję, że wiem, na czym to polega, ale czasami się zastanawiam, *czy zawsze będę mógł pozostać w tym punkcie?* Tak więc, chciałbym was spytać o ten ogólny temat.

ABRAHAM: Doceniamy dobór słów, jakich użyłeś, gdyż twoje ciało i twój umysł są i zawsze będą ze sobą połączone. *Twoje ciało odpowiada na twoje myśli nieustannie – w rzeczywistości, na nic innego. Twoje ciało jest absolutnie czystym odbiciem twojego sposobu myślenia. Nic innego nie ma wpływu na twoje ciało, poza twoimi myślami.* To ıd własnym ciałem.

,miesz absolutną korelację pomiędzy tym,

.rzymujesz, w końcu będziesz potrafił kon-

.e doświadczenie, w każdych warunkach. Je-

, byś otrzymywał jedynie to, czego chcesz,

;go, czego *nie* chcesz, to zrozumienie, że kon-

ᴜ⸜   sz, jest czymś, co już masz, a następnie, abyś

świadomie ıⁱᵧ   ι o rzeczach, których chcesz doświadczyć.

Myśli o schyłku twego życia zawsze budzą złe samopoczucie, ponieważ nie zamierzasz obumierać. A więc użyj swojego *Emocjonalnego Przewodnictwa* i wybierz myśli budzące dobre odczucia, a nie będziesz miał powodu, by martwić się o upływ czasu. Jest to naprawdę kwestia decyzji: *Chcę przyjąć, że mam jedyną – i absolutną – kontrolę nad własnym aparatem fizycznym. Rozumiem, że jestem rezultatem moich własnych myśli.*

W dniu, w którym się urodziłeś, posiadałeś *wiedzę* (nie *nadzieję*, nie *pragnienie*, ale głębokie *zrozumienie*), że twoim fundamentem jest absolutna wolność, że twoim poszukiwaniem radości oraz wynikiem twojego życiowego doświadczenia będzie rozwój; i wiedziałeś, że jesteś doskonały, oraz że wciąż będziesz sięgać po jeszcze większą doskonałość.

CZY MOŻEMY ŚWIADOMIE
ROZWIJAĆ SWOJE MIĘŚNIE I KOŚCI?

JERRY: Świadomie, celowo rozwijałem mięśnie swojego ciała w młodych latach, ponieważ tego chciałem, ale czy możemy świadomie wpływać także na nasze kości?

ABRAHAM: Możecie – w ten sam sposób. Różnica polega na tym, że już dziś obecne jest przekonanie o możliwości rozwijania mięśni. Przekonanie na temat kości – jeszcze nie.

JERRY: To prawda. Widziałem człowieka, który rozwinął ogromne mięśnie i chciałem tego samego. A ponieważ wielu innych potrafiło to osiągnąć, wierzyłem, że ja mogę także. Ale nie widziałem przemienionej kości.

ABRAHAM: Powodem, dla którego wiele rzeczy nie zmienia się szybko w waszych społeczeństwach jest to, że większość ludzi koncentruje się głównie na tym, *co-jest*. Aby zainicjować zmianę, musicie spoglądać poza to, *co-jest*.

To ogromnie spowalnia proces, jeśli potrzebny jest wam dowód na coś, zanim w to uwierzycie, ponieważ oznacza to, iż musicie czekać na kogoś innego, aby to stworzył, zanim będziecie mogli w to uwierzyć. Ale gdy zrozumiecie, że **Wszechświat** *i* **Prawo Przyciągania***, odpowiedzą na waszą wyobrażoną ideę tak szybko, jak odpowiadają na obserwowaną ideę, wówczas możecie przejść szybko do nowych kreacji, nie czekając, aż ktoś inny to najpierw osiągnie.*

JERRY: A więc wyzwanie polega na tym, by zostać „pionierem" – tym pierwszym.

ABRAHAM: Postęp wymaga wizji i pozytywnego oczekiwania, ale na tym naprawdę polega największa radość. Być w stanie pragnienia i nie mieć żadnych wątpliwości, to najbardziej satysfakcjonujące z możliwych doświadczeń; jednak chcieć czegoś i nie wierzyć w zdolność osiągnięcia tego, nie jest rzeczą przyjemną. Gdy myślisz tylko o tym, czego pragniesz, bez nieustannych sprzeczności wypełnionych zwątpieniem lub brakiem wiary, odpowiedź Wszechświata przychodzi bardzo szybko i z czasem zaczynasz odczuwać moc swej świadomej myśli. Ale ten rodzaj „czystej" myśli wymaga praktyki, i wymaga tego, abyś spędzał mniej czasu na obserwowaniu tego, *co-jest*, a więcej czasu wizualizując to, czego chciałbyś doświadczyć. Aby opowiedzieć nową, udoskonaloną historię o swoim fizycznym doświadczeniu, musisz spędzać czas myśląc i mówiąc o doświadczeniu, które chcesz przeżyć.

Najpotężniejszą rzeczą, jaką możesz zrobić – rzeczą, która da ci o wiele większy wpływ niż jakiekolwiek działanie – jest spędzanie pewnego czasu każdego dnia na wizualizowaniu swojego życia takim, jakim chcesz, żeby było. Zachęcamy cię, abyś udawał się do jakiegoś zacisznego, prywatnego miejsca na 15 minut każdego dnia, gdzie będziesz mógł zamknąć oczy i wyobrażać sobie swoje ciało, swoje otoczenie, swoje związki oraz swoje życie takimi, jakie będą ci odpowiadały.

*To, co **było do tej pory**, nie ma nic wspólnego z tym, co **będzie**, a to, czego doświadczają **inni**, nie ma nic wspólnego z **twoim** doświadczeniem... ale musisz znaleźć sposób na odseparowanie się od tego wszystkiego – od przeszłości i od innych – aby być tym, kim chcesz.*

CO WTEDY, GDY CZYJEŚ PRAGNIENIE PRZESĄDZA O CZYIMŚ PRZEKONANIU?

JERRY: Ludzie biegali przez tysiące lat, ale nikt nie był w stanie przebiec całej mili w ciągu czterech minut. Aż w końcu dokonał tego człowiek o nazwisku Roger Bannister, a teraz także wielu innych przebiega „czterominutową milę".

ABRAHAM: Gdy ludzie nie zwracają uwagi na fakt, iż nikt inny nigdy czegoś nie dokonał, przynoszą oni wielki pożytek innym, ponieważ gdy raz przełamią tę barierę i stworzą to, wówczas inni mogą to zaobserwować i z czasem będą mogli sami *uwierzyć* albo tego *oczekiwać* – i z tego powodu, wszystko, co osiągasz, ma prawdziwą wartość dla społeczeństwa.

Twoja płaszczyzna dla rozwijającego się życia wciąż się rozszerza, a życie poprawia się coraz bardziej u każdego. Jednakże, chcemy was przenieść poza potrzebę zobaczenia czegoś, zanim będziecie mogli uwierzyć. Chcemy byście zrozumieli, że dopiero wtedy, gdy uwierzycie, *wówczas* to ujrzycie. Wszystko, co praktykujecie w swym umyśle na tyle długo, że dana idea wyda się wam naturalna, musi dojść do fizycznego spełnienia. Gwarantuje to *Prawo Przyciągania*.

Będziecie mieli ogromne poczucie wyzwolenia, gdy uświadomicie sobie, iż nie musicie czekać na innych, aby czegoś dokonać, aby udowodnić, że jest to możliwe, zanim pozwolicie sobie to zrobić. Gdy będziecie praktykować nowe myśli, sięgając po udoskonalone emocje, a następnie zaczniecie dostrzegać na to świadectwa, jakich dostarczy wam Wszechświat, wówczas dojdziecie do zrozumienia swojej własnej prawdziwej mocy. *Gdyby ktoś miał wam powiedzieć, że doświadczacie nieuleczalnej choroby, moglibyście wtedy odpowiedzieć z ufnością: „Sam zdecyduję, co będę przeżywał, gdyż jestem twórcą mojego doświadczenia". Jeśli twoje pragnienie jest dostatecznie silne, może ono przeważyć nad twymi negatywnymi przekonaniami i rozpocznie się twój powrót do zdrowia.*

Nie różni się to zbytnio od historii o matce, której dziecko jest przygwożdżone przez przedmiot ważący wiele, wiele razy więcej, niż wszystko, co kiedykolwiek podniosła, ale w swym potężnym pragnieniu uratowania swego dziecka, ona to podnosi. W normalnych warunkach, nie mogłaby podnieść tego nawet na cal, ale w swym tak potężnym pragnieniu, jej normalne przekonania stają się chwilowo nieważne. Gdybyś ją zapytał: „Czy wierzysz, że możesz podnieść ten przedmiot?", odpowiedziałaby: „Oczywiście, że nie. Nie mogę podnieść nawet mojej walizki, gdy jest pełna". Ale *przekonanie* nie ma nic wspólnego z *tym*: jej dziecko umierało, a jej *pragnieniem* było uwolnienie swego dziecka – a więc tego dokonała.

A CO WTEDY, GDY WIERZĘ W NIEBEZPIECZNE ZARAZKI?

JERRY: Naprawdę chcę być zdrowy, ale wierzę też, że mógłbym się czymś zarazić. A więc, kiedy tylko odwiedzam ludzi w szpitalu, wstrzymuję oddech, gdy idę korytarzem, by uniknąć zarazków.

ABRAHAM: Twoje wizyty muszą być bardzo krótkie. (Śmiech)

JERRY: Tak, moje wizyty są krótkie i zwykle podchodzę do okna, by nabrać nieco powietrza... A więc, jeśli wierzę, że uniknę zarazków wstrzymując oddech, to czy to przekonanie uchroni mnie przed zachorowaniem?

ABRAHAM: W ten dziwny sposób utrzymujesz wibracyjną równowagę. Chcesz zdrowia, *wierzysz* w zarażenie się chorobą, *wierzysz*, iż twoje zachowanie, by uniknąć zarazków, powstrzyma chorobę – i tym sposobem osiągasz równowagę, która ci służy. Dochodzisz do tego jednak w dość trudny sposób.

Gdybyś naprawdę słuchał swego *Systemu Emocjonalnego Przewodnictwa*, nie wchodziłbyś do miejsca, w którym, jak wierzysz, są zarazki mogące zaburzyć twój Dobrostan. Obawa, jaką odczuwasz przed wybraniem się do szpitala, jest wskazówką, że zamierzasz podjąć działanie, zanim osiągnąłeś wibracyjne zharmonizowanie. Mógłbyś po prostu nie iść do szpitala, ale wówczas czułbyś się źle, wiedząc, że twój chory przyjaciel ucieszyłby się z twojej wizyty. A więc znajdujesz sposób, by udać się do szpitala bez tej obawy. I to jest to, co rozumiemy przez znalezienie wibracyjnego zharmonizowania *przed* podjęciem działania, polegającego na udaniu się do szpitala. Z czasem, możesz osiągnąć tak wielką *wiarę* w swój Dobrostan, albo twoje *pragnienie* Dobrostanu będzie tak żywe, że będziesz mógł przebywać w każdym otoczeniu nie obawiając się, że coś zagrozi twojemu poczuciu Dobrostanu.

Gdy jesteś w harmonii z tym, *kim-jesteś-naprawdę* i słuchasz swojego potężnego *Systemu Emocjonalnego Przewodnictwa*, nigdy nie wejdziesz do miejsca, w którym coś mogłoby zagrozić twojemu Dobrostanowi. Niestety, wielu ludzi lekceważy swój własny *System Przewodnictwa*, aby sprawiać przyjemność innym. Dwie osoby mogą wejść do szpitala tak, jak to opisałeś, jedna bez poczucia zagrożenia wobec swego Dobrostanu, druga odczuwając wielką obawę. Pierwszy nie zachoruje; drugi zachoruje – nie dlatego, że zarazki byłyby w szpitalu obecne, ale z powodu swojej osobistej relacji z własnym poczuciem Dobrostanu.

Nie próbujemy zmienić twych przekonań, ponieważ nie uważamy ich za niewłaściwe. Jest naszym pragnieniem, abyś stał się świadomy własnego Systemu Emocjonalnego Przewodnictwa, abyś mógł osiągnąć równowagę wibracji pomiędzy swymi pragnieniami a swymi przekonaniami. Zrobienie tego, co „właściwe" oznacza robienie tego, co jest w harmonii z twoją intencją oraz z twoimi przekonaniami.

JERRY: A więc nie ma nic złego w „tchórzliwym wycofaniu się"?

ABRAHAM: Jest wielu ludzi, którzy lekceważą swój *System Przewodnictwa* próbując przypodobać się innym; jest także wielu ludzi, którzy nazywają cię „egoistą" lub „tchórzem", gdy masz śmiałość zadowolić siebie, a nie ich. Często inni mogą nazywać cię „egoistą", (bo nie zamierzasz ustąpić *ich* własnemu egoizmowi) nie rozumiejąc hipokryzji zawartej w ich żądaniach.

Czasami oskarża się nas o nauczanie egoizmu, a my przyznajemy, iż jest to prawdą, ponieważ jeśli nie będziesz dostatecznie egoistyczny, by skłaniać się ku własnej wibracji i tym samym ku utrzymywaniu się w harmonii z własnym Źródłem (z tym, *kim-jesteś-naprawdę*), wówczas nie będziesz miał już nic do ofiarowania. Gdy inni zwą ciebie „egoistą" lub „tchórzem", ich własne wibracje są w oczywisty sposób w stanie dysharmonii, a próba zmodyfikowania twego postępowania i tak do harmonii ich nie doprowadzi.

Im więcej myślisz i mówisz o swoim fizycznym Dobrostanie, tym mocniejsze będą twoje wibracyjne wzorce zdrowia i tym bardziej *Prawo Przyciągania* otoczy cię rzeczami wzmacniającymi i podtrzymującymi te przekonania. *Im częściej opowiadasz swoją własną historię Dobrostanu, tym mniej będziesz się czuł podatny na choroby, a wówczas nie tylko zmieni się twój punkt przyciągania w taki sposób, że* znajdziesz się w innych sytuacjach, ale będziesz również inaczej odczuwał różne sytuacje, w jakich się znajdziesz.

JESTEM PROWADZONY *KU TEMU, CO LUBIĘ*

ABRAHAM: *Jedyna droga ku życiu, jakiego pragniesz, to droga najmniejszego oporu, albo droga największego przyzwolenia: przyzwolenia na połączenie z twoim Źródłem, z twoją Wewnętrzną Istotą, z tym, kim-jesteś-naprawdę i ze wszystkim, czego pragniesz. To przyzwolenie jest tobie ukazywane w formie emocji dających dobre samopoczucie.*

Jeśli pozwolisz dobremu samopoczuciu stać się twoim najważniejszym priorytetem, wówczas, kiedykolwiek będziesz toczył rozmowę, która nie jest w harmonii ze zdrowiem, jakiego pragniesz, poczujesz się źle, a więc zostaniesz ostrzeżony przed oporem... A wtedy będziesz mógł wybrać myśl dającą lepsze samopoczucie i znajdziesz się z powrotem na ścieżce.

Za każdym razem, gdy odczuwasz negatywną emocję, oznacza to, iż twój własny System Przewodnictwa pomaga ci uświadomić sobie, iż w tym momencie, przejawiasz pełną oporu myśl, która powstrzymuje Strumień Dobrostanu, który w innym przypadku, trafiałby do ciebie w pełni. Jest to tak, jakby twój *System Przewodnictwa* mówił: *Tutaj, znowu to robisz; tutaj, znowu to robisz; tutaj, znowu to robisz. Ta negatywna emocja oznacza, że jesteś w trakcie procesu przyciągania tego, czego nie chcesz.*

Wielu ludzi ignoruje swój *System Przewodnictwa*, tolerując negatywne emocje, a czyniąc to, pozbawia się dobrodziejstwa Przewodnictwa z Szerszej Perspektywy. Jednak, gdy raz życie pomogło ci określić, że czegoś pragniesz, nigdy więcej nie będziesz mógł patrzeć na przeciwieństwo tej rzeczy bez odczuwania negatywnej emocji. Gdy raz pragnienie narodzi się w tobie, musisz kierować się ku pragnieniu, aby dobrze się czuć. A przyczyną tego jest to, że *nie możesz zawrócić ku czemuś mniejszemu, niż to, czym życie pomogło ci się stać.* Gdy raz określisz pragnienie zdrowia, albo konkretnej formy cielesnej, nigdy nie będziesz w stanie koncentrować się na braku tego bez odczuwania negatywnej emocji.

Gdy tylko poczujesz negatywną emocję, zatrzymaj się, cokolwiek robisz lub o czymkolwiek myślisz i powiedz: „Czym jest to, czego chcę?".

A potem, ponieważ skierowałeś uwagę ku temu, czego chcesz, negatywne uczucie zostanie zastąpione pozytywnym uczuciem, a negatywne przyciąganie zostanie zastąpione pozytywnym przyciąganiem – i będziesz z powrotem na ścieżce.

NAJPIERW MUSZĘ CHCIEĆ ZADOWOLIĆ SIEBIE

ABRAHAM: Jeśli przez dłuższą chwilę pozostajesz w jakimś szczególnym ciągu myślowym, nie jest ci łatwo nagle zmienić kierunek twojej myśli, ponieważ *Prawo Przyciągania* dostarcza ci dalszych myśli odpowiadających twojemu obecnemu ciągowi myślowemu. Czasem, gdy jesteś w tym negatywnym trybie, ktoś inny, nie będący w tym negatywnym miejscu, nie zgadza się z twym negatywnym widzeniem danego tematu, co jedynie sprawia, że chcesz bronić swojej pozycji jeszcze bardziej. *Próby bronienia lub usprawiedliwiania twej opinii sprawią jedynie, że dłużej pozostaniesz w tym pełnym oporu stanie. A powodem, dla którego tak wielu ludzi utrzymuje się niepotrzebnie w stanie oporu, jest to, że ważniejsze jest dla nich, żeby mieć rację, aniżeli, aby dobrze się czuć.*

Gdy spotykasz tych, którzy są zdeterminowani, aby przekonać cię, że mają rację i starają się utrzymywać ciebie w negatywnej rozmowie, próbując ciebie przekonać, jesteś czasem uważany przez nich za „obojętnego", albo „bez serca", jeśli ich nie słuchasz i w końcu nie zgadzasz się z punktem widzenia. Ale gdy poświęcasz swoje dobre samopoczucie (przychodzące wtedy, gdy wybierasz myśli harmonizujące z twoją Szerszą Perspektywą), aby się przypodobać negatywnemu przyjacielowi, który chce użyć ciebie jako pudła rezonansowego, płacisz bardzo dużą cenę za coś, co i jemu nie pomoże. Ten nieprzyjemny ucisk w twoim brzuchu to twoja

Wewnętrzna Istota mówiąca: To zachowanie, ta rozmowa, nie są w harmonii z tym, czego chcesz. Musisz chcieć najpierw sobie sprawiać przyjemność, albo będziesz często pomiatany przez negatywność, jaka ciebie otacza.

CZY ISTNIEJE WŁAŚCIWY CZAS NA UMIERANIE?

JERRY: Czy są jakieś ograniczenia w kontrolowaniu naszego ciała, gdy dobiegamy 100 lat?

ABRAHAM: Jedynie ograniczenia spowodowane waszym własnym ograniczonym myśleniem – a wszystkie ograniczenia są narzucane przez was samych.

JERRY: Czy jest określony czas, aby umrzeć, a jeśli tak, to kiedy?

ABRAHAM: Nigdy nie ma końca Świadomości Ciebie, a więc naprawdę śmierć nie istnieje. Ale nadejdzie kres tego czasu, w którym twoja Świadomość przepływa przez to konkretne fizyczne ciało, które identyfikujesz jako *siebie*.

Od ciebie zależy, kiedy wycofasz swoje skupienie z tego ciała. Jeśli nauczyłeś się koncentrować na obiektach, dających dobre samopoczucie, a wciąż znajdujesz w swym otoczeniu rzeczy, które ciebie ekscytują i interesują – to nie ma limitu czasu, przez jaki możesz pozostawać skupionym w tym fizycznym ciele. Ale gdy koncentrujesz się negatywnie i chronicznie ograniczasz swoje Połączenie ze Strumieniem Źródła Energii, to wówczas twoje fizyczne doświadczenie zostaje skrócone, gdyż twój „aparat" fizyczny nie może znieść zbyt długiego czasu bez uzupełniania zapasów ze Źródła Energii. *Twoja negatywna emocja jest sygnałem, że odcinasz zapasy ze Źródła Energii. Poczuj się szczęśliwy i żyj długo.*

CZY KAŻDA ŚMIERĆ JEST FORMĄ SAMOBÓJSTWA?

JERRY: A więc, czy każda śmierć jest formą samobójstwa?

ABRAHAM: Można to tak określić. Skoro wszystko, czego doświadczasz, pojawia z powodu równowagi twojej myśli, zaś nikt inny nie może myśleć twoimi myślami, ani emitować twojej wibracji, wówczas wszystko, co dzieje się w twym doświadczeniu życia – włączając to, co nazywacie fizyczną śmiercią – jest nałożone przez ciebie samego. *Większość istot nie decyduje, że umrze – po prostu nie decydują się dalej żyć.*

JERRY: Co czujecie wobec tych, którzy *decydują* się umrzeć i popełniają to, co zwiemy samobójstwem?

ABRAHAM: Nie ma różnicy, czy twoja myśl jest myślą, którą świadomie wybrałeś jako obiekt koncentracji, czy też zaledwie leniwie coś obserwujesz, mając jakąś myśl – wciąż oferujesz myśl, emitując wibrację, zbierając zamanifestowany owoc tej myśli. A więc zawsze tworzycie własną rzeczywistość, bez względu na to, czy czynicie to świadomie, czy nie.

Są tacy, którzy szukają kontroli nad twoim postępowaniem z wielu różnych powodów, którzy nawet chcieliby kontrolować twoje postępowanie względem tego osobistego doświadczenia, ale poziom ich frustracji jest wielki, ponieważ nie znają sposobu na kontrolowanie innych, a każda próba kontroli jest próżnym, zmarnowanym wysiłkiem. Tak więc wielu czuje się niekomfortowo wobec myśli, że ktoś mógłby się celowo wycofać z tego fizycznego doświadczenia poprzez „samobójstwo", ale chcemy, abyś wiedział, że nawet, gdy to zrobisz, nie przestaniesz istnieć, bez względu na to, czy odchodzisz w formie celowego „samobójstwa", czy też nie-celowego uwolnienia, Wieczna Istota, którą jesteś, wciąż istnieje i spogląda wstecz na fizyczne doświadczenie, które

201

właśnie pozostawiłeś za sobą, jedynie z miłością i uznaniem dla tego doświadczenia.

Są tacy pośród was, którzy są tak bardzo przepełnieni nienawiścią, żyjąc w swym fizycznym doświadczeniu, że chroniczne odcinanie się ze strony Źródła i Dobrostanu są przyczyną ich śmierci. Są też tacy, którzy po prostu nie znajdują już interesujących powodów, by się koncentrować i pozostawać dłużej, więc kierują swoją uwagę ku Nie-Fizycznemu i to jest przyczyną ich śmierci. I są też tacy, którzy nie doszli do zrozumienia Energii, czy myśli, czy zharmonizowania, którzy rozpaczliwie chcą poczuć się lepiej i nie mogą znaleźć sposobu na zatrzymanie chronicznego bólu, jaki przeżywali tak długo, że świadomie wybierają ponowne pojawienie się w wymiarze Nie-Fizycznym. Ale w każdym przypadku, jesteście Istotami Wiecznymi, które, raz skupione na nowo w Nie-Fizycznym, stają się pełne, odnowione i całkowicie zharmonizowane z tym, *kim-jesteście-naprawdę*.

JERRY: A więc, czy każdy z nas decyduje, do pewnego stopnia, jak długo będzie żył?

ABRAHAM: Przychodzicie z intencją życia i radosnej ekspansji. Gdy lekceważycie swój *System Przewodnictwa*, wciąż znajdując myśli, które nie pozwalają na Połączenie z waszym Źródłem, ograniczacie to Połączenie z waszym Strumieniem Energii Źródła, a bez tego wsparcia, usychacie.

PROCES KIEROWANIA WAGĄ SWEGO CIAŁA?

JERRY: Jaką metodę polecalibyście tym, którzy chcą kontrolować wagę swego ciała?

ABRAHAM: Istnieje tak wiele przekonań na ten temat. Wypróbowano tak wiele różnych metod, a większość Istot, które walczą, by kontrolować wagę swego ciała, wypróbowała wiele z tych metod z niewielkim sukcesem. A więc ich przekonaniem jest, że nie mogą kontrolować wagi swojego ciała – i tak się dzieje.

Zachęcalibyśmy do wizualizowania siebie takim, jakim chcesz być, widząc siebie w ten sposób i tym samym, przyciągając to. Pomysły, potwierdzenie ze strony innych oraz wszelkie okoliczności i wydarzenia, które ci to przyniosą łatwo i szybko, zaczną przychodzić do twego doświadczenia od chwili, gdy raz zobaczysz siebie w ten sposób.

Gdy czujesz się gruby, nie możesz przyciągać szczupłej figury. Gdy czujesz się biedny, nie możesz przyciągać dobrobytu. To, jaki jesteś – stan istnienia, jaki *odczuwasz* – jest podstawą tego, co przyciągasz. Oto, dlaczego „im lepiej się dzieje, tym lepiej się dzieje, a im gorzej się dzieje, tym gorzej się dzieje".

Gdy czujesz się bardzo negatywnie w stosunku do czegoś, nie próbuj rozwiązać tego natychmiast, ponieważ negatywna uwaga skierowana ku temu tylko to pogarsza. Oderwij się od tej myśli, aż poczujesz się lepiej; a potem powróć do tego ze swojej pozytywnej, świeżej perspektywy.

JERRY: Czy to jest powód, dla którego ludzie tak często przechodzą na „dietę-cud" i tracą mnóstwo kilogramów, a następnie okazuje się, że je odzyskują? Czy jest tak, ponieważ *pragnienie* było silne, ale nie mieli *wiary* i nie wyobrażali sobie siebie jako szczupłych tak, że na nowo wypełnili widzenie siebie jako otyłych?

ABRAHAM: Oni *chcą* jedzenia oraz *wierzą,* że jedzenie ich utuczy. I tak, obdarzając myślą to, czego *nie* chcą – w swojej *wierze* tworzą to, czego nie chcą. W przeważającej mierze, powodem, dla którego chudną, a potem bardzo szybko tyją od nowa, jest to, że nigdy nie stworzyli obrazu siebie takimi, jakimi chcą być. Wciąż czują się otyli. Wciąż myślą o sobie w ten sposób i jest to obraz, jaki utrzymują... Twoje ciało odpowie na obraz siebie samego – zawsze. Oto dlaczego, jeśli widzisz siebie zdrowym – będziesz zdrowy. Jeśli widzisz siebie szczupłym, albo jakimkolwiek chcesz być w kwestii mięśni, kształtów czy wagi – tym się właśnie staniesz.

CZY MOGĘ PODĄŻAĆ ZA SWOJĄ BŁOGOŚCIĄ W ZWIĄZKU Z ODŻYWIANIEM?

ABRAHAM: Niektórzy spierają się, że jeśli pójdą za naszą radą i podążą za swoją błogością – zawsze szukając tego, co daje dobre samopoczucie – będą radośnie zajadać rzeczy, które są szkodliwe dla ich zdrowia lub wagi ich ciała. Ludzie często wybierają pożywienie, aby spróbować wypełnić pustkę, gdy nie czują się dobrze. Jednakże, gdybyś się najpierw skłonił ku swojej wibracyjnej równowadze i poznał moc pozytywnego kierowania swymi myślami ku obrazowi swego ciała takim, jakim chcesz, aby się stało, wówczas, jeśli wierzysz, że zjadanie konkretnego pokarmu jest przeciwne spełnieniu tego pragnienia, pojawiłaby się jako przewodnictwo negatywna emocja. *Nigdy nie jest dobrym pomysłem podejmowanie działania, które przynosi negatywną emocję, ponieważ negatywna emocja oznacza, że zaistniało zachwianie Energii, a każde działanie, w jakim bierzesz udział odczuwając emocję negatywną, zawsze przyniesie negatywne rezultaty.*

Negatywna emocja nie pojawia się w człowieku, ponieważ jakiś konkretny rodzaj pożywienia jest przeciwny Dobrostanowi, ale z powodu bieżących, sprzecznych myśli. Dwie osoby mogą być na identycznej diecie i wykonywać podobne ćwiczenia, i uzyskać odmienne rezultaty, co oznacza, iż jest w tym znacznie więcej czynników, niż spożywanie pożywienia i spalanie kalorii. *Rezultaty, jakie uzyskujecie, związane są jedynie i zawsze z waszym zharmonizowaniem Energii, spowodowanym waszymi myślami.* Dobrą regułą jest: „Poczuj się szczęśliwy, a potem jedz. Ale nie próbuj zjadać swojej drogi do szczęścia". Jeśli uczyniłeś swoją emocjonalną równowagę głównym priorytetem, twoja relacja z pożywieniem się zmieni oraz twój impuls ku jedzeniu się zmieni, ale co nawet ważniejsze, twoja reakcja na pożywienie się zmieni. Zmiana *postępowania* w związku z jedzeniem bez skłaniania się ku twej wibracji przyniesie minimalne efekty, podczas gdy zmiana *myśli* przyniesie wielkie rezultaty, bez konieczności zmiany *postępowania*.

Tak więc, pozwólcie nam powiedzieć, że zdecydowaliście, że chcecie być szczupli, ale jeszcze nie widzicie siebie takimi, jakimi chcecie być. A waszym przekonaniem jest: *Jeśli zjem ten pokarm, będę gruby.* Jeśli macie *pragnienie,* by być szczupłym, a *przekonanie,* iż spożywanie tego pokarmu sprawi, że przytyjecie, poczujecie negatywną emocję, gdy zaczniecie to jeść. Możecie to nazwać poczuciem *winy, rozczarowaniem* lub *gniewem* – ale cokolwiek to jest, *jedzenie tego budzi złe samopoczucie, ponieważ w związku z określonym systemem przekonań, jaki macie, oraz z pragnieniem, jakie macie, to działanie nie jest w harmonii. I tak, jeśli podążacie za swoją rozkoszą, będziecie czuć się dobrze jedząc to, co harmonizuje z waszymi przekonaniami, a źle w związku ze spożywaniem tego, co nie jest. Gdy raz ustanowione zostało w was pragnienie, nie jest możliwe, aby podjąć działanie przeciwstawne, bez odczuwania negatywnej emocji.*

JAKIE SĄ MOJE PRZEKONANIA NA TEMAT POŻYWIENIA?

ABRAHAM: Przekonania, jakie utrzymujecie w związku z pożywieniem są jasno odzwierciedlone w doświadczeniach, jakie przeżywacie:

- Jeśli *wierzysz*, że możesz jeść niemal wszystko i nie będziesz tyć, staje się to twoim doświadczeniem.
- Jeśli *wierzysz*, że łatwo przybierasz na wadze, to tak się dzieje.
- Jeśli *wierzysz*, że pewne pokarmy dodają ci energii, to tak się dzieje.
- Jeśli *wierzysz*, że pewne pokarmy pozbawiają cię energii, to tak się dzieje.
- Jeśli chcesz być szczupły, ale *wierzysz*, że jakiś rodzaj odżywiania nie pozwala stać się szczupłym i podejmujesz to działanie mimo wszystko, to przybierasz na wadze.

Ludzie na początku często się irytują naszą pozornie uproszczoną analizą swych przekonań na temat pożywienia oraz tego, jak wpływają one na twoją fizyczną rzeczywistość, ponieważ wierzą, że ich przekonania pojawiły się dzięki obserwacji, zaś trudno się im spierać z „faktami", jakich im dostarczyło przeżywanie własnego życia oraz obserwacja życia innych.

Jednakże, obserwowanie rezultatów daje niepełną i nieadekwatną informację, ponieważ dopóki nie bierzesz pod uwagę pragnienia oraz oczekiwania, wówczas kalkulowanie, co zostało, a co nie zostało zjedzone, jest bez znaczenia. Po prostu nie możesz pominąć najważniejszego składnika w przepisie na kreację, by zrozumieć jej wynik.

Ludzie różnie reagują na pożywienie, ponieważ pożywienie nie jest stałe – za to stała jest myśl. To sposób, w jaki myślicie o pożywieniu, odpowiada za te różnice.

OPINIE INNYCH NA TEMAT MOJEGO CIAŁA SĄ BEZ ZNACZENIA

Pytanie: Inna ważna dla mnie osoba wskazała mi wałeczek tłuszczu na moim brzuchu i powiedziała, że byłoby dobrze, gdybym mocno nad tym popracował, by się go pozbyć – mógłbym ćwiczyć, albo mniej jeść lub częściej zamawiać sałatki. A ponieważ jest to ważna osoba, wziąłem to sobie do serca – i mój brzuszek się powiększył.

ABRAHAM: Najważniejszą rzeczą, jaką chcemy, byście zrozumieli, jest to, że gdy używacie słowa „inna", zawsze używajcie słowa „nieważna" w związku z tą osobą. (Śmiech) Oczywiście rozumiemy, że ludzie w waszym życiu są ważni, ale nie możecie pozwalać aby ich opinie na wasz temat były ważniejsze, niż wasze własne, a za każdym razem, gdy ktoś wpływa na was, byście się skoncentrowali na czymś, co budzi w was złe samopoczucie, oznacza to, że doznaliście negatywnego wpływu.

Chcemy, byście praktykowali własne myśli tak konsekwentnie, że opinie innych staną się dla was nieistotne. Jedyna wolność, jakiej kiedykolwiek doświadczycie, pojawia się wówczas, gdy osiągniecie brak oporu, co będzie oznaczało, że znaleźliście sposób na zharmonizowanie swoich chronicznych myśli z myślami waszej *Wewnętrznej Istoty*. Nigdy nie zauważyliśmy, aby ktokolwiek osiągnął to zharmonizowanie, albo poczucie wolności, biorąc pod uwagę pragnienia i przekonania innych w tym równaniu. Istnieje po prostu zbyt wiele zmiennych i nie może to zostać rozwiązane w ten sposób.

Tak więc, jeśli ktoś wam mówi: „Widzę w tobie coś, co mi się nie podoba", powiedzielibyśmy mu: „To popatrz gdzie indziej. Co myślisz o moim nosie? Ładne maleństwo, prawda? (Śmiech). A co z tym uchem tutaj?". Innymi słowy, zachęcalibyśmy inną osobę do poszukania pozytywnych aspektów, zachowywalibyśmy się figlarnie i nie pozwolilibyśmy, by nasze uczucia zostały zranione. W istocie, praktykowalibyśmy pozytywną myśl o naszym życiu tak długo, aż nie można by zranić naszych uczuć.

PRZYKŁAD MOJEJ „STAREJ" HISTORII O MOIM CIELE

Nie czuję się szczęśliwy, jeśli chodzi o wygląd mojego ciała. Bywałem kiedyś w dobrej formie, lecz nigdy nie było to łatwe i te okresy nigdy nie trwały długo. Wydaje mi się, że zawsze musiałem ciężko się męczyć, aby chociaż się zbliżyć do tego, jak chciałbym wyglądać, ale potem nie udawało mi się tego zachować. Jestem zmęczony wyrzekaniem się dobrego jedzenia tylko po to, by wciąż nie wyglądać dobrze. To jest zbyt ciężkie. Po prostu nie mam takiego metabolizmu, który pozwalałby mi jeść tego wszystkiego, co dobrze smakuje. To po prostu nie fair. Ale nie chcę też być gruby...

PRZYKŁAD MOJEJ „NOWEJ" HISTORII O MOIM CIELE

Moje ciało jest przede wszystkim odbiciem moich myśli. Jestem szczęśliwy rozumiejąc moc kierowania moimi myślami i oczekuję ujrzenia fizycznych zmian w moim ciele, które odzwierciedla zmiany w moim myśleniu. Czuję się dobrze, oczekując na moje udoskonalone rozmiary oraz figurę – i ufam, że zmiany te już się toczą. A tymczasem, czuje się na ogół tak dobrze i nie jestem nieszczęśliwy z powodu obecnego wyglądu. Cudownie jest myśleć celowo, a jeszcze cudowniej widzieć rezultaty tych świadomie dobranych myśli. Moje ciało bardzo reaguje na moje myśli. Dobrze jest o tym wiedzieć.

Nie ma właściwego lub niewłaściwego sposobu na opowiadanie twojej udoskonalonej historii. Może ona dotyczyć twoich przeszłych, teraźniejszych lub przyszłych doświadczeń. Jedynym ważnym kryterium jest to, abyś był świadomy swojej intencji opowiedzenia ulepszonej, budzącej lepsze samopoczucie, wersji twojej historii. Opowiadanie wielu krótkich, budzących dobre odczucia historii w ciągu dnia zmieni twój punkt przyciągania. Po prostu pamiętaj, że historia, którą *ty* opowiadasz jest bazą *twojego* życia. A więc opowiedz ją tak, jak chcesz, aby było.

CZĘŚĆ V

KARIERA
JAKO PRZYJEMNOŚĆ
PRZYNOSZĄCA PROFITY

MOJE PIERWSZE KROKI W WYBORZE KARIERY?

JERRY: Skąd, według ciebie, mamy wiedzieć, że wybraliśmy właściwą karierę? I jak możemy być użyteczni w zawodzie, który wybraliśmy?

ABRAHAM: A jaka jest twoja definicja *kariery*?

JERRY: *Kariera* jest jak praca życia. Zajęcie, jakiemu ludzie mogą się poświęcić i w którym mogą dać z siebie najwięcej tego, co najlepsze. I, oczywiście, w większości przypadków, ludzie mogą oczekiwać za to finansowego wynagrodzenia.

ABRAHAM: Co rozumiesz przez *pracę życia*?

JERRY: Praca, której wykonywanie można planować na całe życie, jak fach, zawód, albo biznes, albo jakaś dziedzina handlu...

ABRAHAM: Czy chcesz powiedzieć, że jest szeroko rozpowszechnionym przekonaniem, czy też szeroko akceptowanym pragnieniem w waszej kulturze wybranie jakiegoś zawodu i oczekiwanie, że będzie się potem żyło zawsze długo i szczęśliwie, w obrębie tej jednej dziedziny?

JERRY: Cóż, odkąd pamiętam, tak zawsze tradycyjnie uważano. Jeszcze w dzieciństwie ludzie zaczęli mnie pytać, kim zamierzam zostać, gdy dorosnę. Dziś wydaje mi się interesująca świadomość, że nawet gdy byłem małym dzieckiem, dorośli wokół zaszczepiali mi coś w rodzaju pilnej potrzeby w kwestii wyboru kariery; pamiętam, jak patrzyłem na mleczarza dostarczającego piękne, smakowite mleko w szklanych butlach, i myślałem, patrząc, jak odjeżdża, że to byłby zawód dla mnie.

A następnie byłem świadkiem, jak policjant zatrzymał moją mamę jadącą samochodem, zmuszając ją do zjechania na pobocze i byłem tak pełen podziwu dla każdego, kto mógł zmusić moją mamę do czegokolwiek, że na chwilę postanowiłem zostać policjantem. Niedługo potem, lekarz nastawił mi złamaną rękę i pomyślałem, że chciałbym zostać lekarzem; a potem był pożar w naszym domu i myśl, by zostać strażakiem wydała mi się najlepszym pomysłem.

I nawet po osiągnięciu tego, co wielu uważa za dorosłość, wciąż obserwowałem i rozważałem niezliczone opcje z mojej nieustannie zmieniającej się perspektywy. W związku z tym, inni wokół mnie byli nieco rozczarowani, że wciąż przechodziłem od jednej pasji do drugiej, zamiast pozostać przy jednej rzeczy jako mojej „pracy życia" lub „karierze".

ABRAHAM: Wielu ludzi, czytając twoją opowieść o dziecięcych obserwacjach, które wpływały na twoje pomysły, kim chciałbyś zostać, gdy dorośniesz, mogłoby uznać te wciąż zmieniające się idee jako dziecinne lub pozbawione realizmu. Ale chcemy, byś zrozumiał: zawsze jesteś inspirowany wydarzeniami w twoim życiu, a gdy pozwolisz sobie pójść za tym przepływem zainspirowanych idei, twój potencjał osiągnięcia radosnego doświadczenia staje się o wiele większy, niż gdybyś wybrał swoją karierę opierając się na innych przesłankach, używanych przez większość ludzi dla usprawiedliwienia swoich wyborów, takich jak rodzinna tradycja lub potencjał dochodowy.

Nie jest rzeczą zaskakującą, że tak wielu ludzi ma problem z wyborem tego, co mają robić przez pozostałą część swego życia, ponieważ jesteście Istotami o złożonej, wielopłaszczyznowej naturze i waszą dominującą intencją jest cieszenie się waszą absolutną podstawową wolnością, a w waszym poszukiwaniu radosnych doświadczeń, jest nią doświadczanie ekspansji i rozwoju. Innymi słowy, bez rzeczywistej percepcji *wolności*, nigdy nie będziecie *radośni*; a bez *radości*, nie możecie doświadczyć prawdziwej *ekspansji*. A więc, jak dziecinne by się to wydawało wielu ludziom, jest rzeczą naturalną, że życie wciąż inspiruje cię do następnej przygody, i następnej, i następnej.

Zachęcamy was, abyście na tyle wcześnie, na ile to możliwe w waszym życiu, podjęli decyzję, że waszą dominującą intencją i racją istnienia będzie to, aby zawsze żyć szczęśliwie. Będzie to bardzo dobrym wyborem kariery: skłanianie się ku tym zajęciom i przyjmowanie tych pragnień, które harmonizują z najgłębszymi intencjami, jakimi są wolność i rozwój – oraz radość. *Uczyńcie swoją „karierą" przeżywanie szczęśliwego życia, zamiast próbować znaleźć pracę, która przyniesie wam dostateczne dochody, abyście mogli robić ze swymi pieniędzmi to, co was uszczęśliwia. Gdy bycie szczęśliwym jest dla was sprawą największej wagi – a to, co robicie, „aby żyć", uszczęśliwia was – znaczy to, że znaleźliście najlepszą z możliwych kombinacji.*

Możecie się stać mistrzami w tym, by czuć się dobrze w każdych warunkach, a gdy potraficie zawsze najpierw sięgać po waszą wibracyjną równowagę – a potem przyciągacie do siebie okoliczności i wydarzenia z tego szczęśliwego miejsca – wasz potencjał dla trwałego szczęścia jest o wiele większy.

CO ROBIĘ, ŻEBY SIĘ UTRZYMAĆ?

JERRY: Istnieją do dziś takie kultury (zwykle zwiemy je prymitywnymi lub dzikimi), które zdają się żyć jedynie w teraźniejszości, bez zatrudnienia. Innymi słowy, gdy są głodni, łapią ryby lub znajdują owoce na drzewach.

ABRAHAM: Czy oni będą to czytać? (Śmiech) [Nie, nie będą.] Jaka jest główna kategoria ludzi, którzy, według was, będą to czytać?

JERRY: Ludzie, którzy wierzą, że najistotniejsze jest posiadanie jakiejś przynoszącej dochód pracy.

ABRAHAM: Jaka jest więc, według was, zasadnicza przyczyna tego, że ludzie wierzą, że powinni wybrać karierę w młodych latach, a następnie podążać nią przez pozostałą część życia?

JERRY: Oczywiście, nie mogę mówić za wszystkich, ale wydaje się to niemal sprawą moralną i etyczną, że *powinniśmy*, lub *musimy*, znaleźć pracę przynoszącą pieniądze. Innymi słowy, uważa się za niewłaściwe otrzymywanie pieniędzy bez dawania czegoś w zamian lub nie będąc w jakiś sposób produktywnym.

ABRAHAM: Masz rację. Większość ludzi czuje potrzebę usprawiedliwienia swego istnienia poprzez wysiłek lub pracę, i to jest prawdopodobnie przyczyną, dlaczego pierwszym pytaniem, jakie zadajecie sobie nawzajem przy pierwszym spotkaniu jest: *Co robisz, aby żyć?*

JERRY: Przez ponad 40 lat, zarabiałem na życie pracując przez około półtorej godziny dziennie. I często ludzie wyrażali coś w rodzaju urazy lub niechęci, że mogłem osiągać takie dochody nie wkładając w to więcej czasu, co zwykle skłaniało mnie do usprawiedliwiania się, gdy próbowałem wyjaśnić, jak wiele energii wkładałem w pracę podczas tych 90 minut i jak wiele kilometrów musiałem przejechać samochodem, aby nawet ją zacząć. Innymi słowy, czułem zawsze potrzebę usprawiedliwiania się, że *płaciłem* w rzeczywistości należną cenę za to, co otrzymywałem.

ABRAHAM: Gdy jesteś w wibracyjnej harmonii (co oznacza, że jesteś zharmonizowany ze Źródłem w sobie i że twoje własne pragnienia i przekonania są w równowadze), nigdy nie odczuwasz potrzeby usprawiedliwiania się przed innymi. Wielu ludzi próbuje usprawiedliwić swoje postępowanie lub swoje poglądy przed innymi, ale nigdy nie jest dobrym pomysłem uznawanie opinii innych za przewodnika, z którym poszukujesz zestrojenia, zamiast własnego Systemu Przewodnictwa.

Wielu ludzi, w swoim wczesnym doświadczeniu życia, próbuje żądać od ciebie zgody z ich regułami i opiniami, ale jeśli pozwolisz na to, by to, czego chcą, stało się centralne dla decyzji, jakie podejmujesz, będziesz tylko oddalał się coraz dalej i dalej od harmonii z tym, *kim-jesteś-naprawdę* i z intencjami, z jakimi się urodziłeś, podobnie jak z tymi, które rozwinęły się z życiowego doświadczenia, jakie przeżywasz. *Nigdy nie doświadczysz rozkoszy, jaką jest poczucie wolności, dopóki nie uwolnisz swego pragnienia podobania się innym i nie zastąpisz go potężną intencją zestrojenia się z tym, kim-jesteś-naprawdę (swoim Źródłem) poprzez dbanie o to, jak się czujesz i wybieranie myśli budzących dobre samopoczucie, które dają ci znać, że odnalazłeś swoje zharmonizowanie.*

Gdy czujesz, że ktoś ciebie nie aprobuje, albo ciebie atakuje, obrona jest naturalną reakcją, ale potrzeba bronienia się szybko ustąpi, gdy wyćwiczysz się w zharmonizowaniu ze swoją We-wnętrzną Istotą, ponieważ wszelkie wrażenia kruchości zostaną zastąpione przez pełne oparcia poczucie tego, *kim- jesteś-naprawdę.*

Nieważne, jakie są twoje wybory, zawsze będzie ktoś, kto nie będzie się z nimi zgadzał, lecz jeśli odnajdziesz swoją równowagę i utrzymasz zharmonizowanie, większość tych, którzy ciebie obserwują, będzie bardziej skłonna pytać ciebie, co jest sekretem twego sukcesu, niż krytykować za jego odnoszenie. A ci, którzy nadal będą krytykowali, nie znajdą satysfakcji w twoich usprawiedliwieniach, bez względu na to, jak słuszne by były twoje argumenty.

Nie jest twoją rolą naprawianie poczucia braku u innych; twoją rolą jest utrzymanie siebie w równowadze. Gdy pozwolisz swemu społeczeństwu, a nawet drugiej osobie, dyktować sobie, czego powinieneś chcieć, albo jak powinieneś postępować, stracisz swoją równowagę, ponieważ twój własny zmysł wolności – który jest sednem twojego Bytu – zostaje zakwestionowany. *Gdy zwracasz uwagę na to, co czujesz, oraz gdy praktykujesz wzmacniające cię myśli, które harmonizują cię z tym, **kim-jesteś-naprawdę**, zaoferujesz przykład rozkwitu, mający kolosalną wartość dla tych, którzy mają dobrodziejstwo ciebie obserwować.*

Nie możesz stać się dostatecznie biedny, by pomóc biednym ludziom, aby zaczęli prosperować, ani dostatecznie chory, aby pomóc chorym ludziom wyzdrowieć. *Możesz jedynie dodać im ducha ze swojej pozycji siły, jasności i zharmonizowania.*

PRAWO PRZYCIĄGANIA I KARIERA?

ABRAHAM: Co jest głównym powodem pragnienia kariery?

JERRY: Czytałem pewne studium napisane niedawno, którego konkluzją było, że większość ludzi poszukuje *prestiżu*. Innymi słowy, jeśli mają wybór, by uzyskać wyższy tytuł, albo więcej pieniędzy, większość wybiera tytuł.

ABRAHAM: Ci, którzy szukają prestiżu, zastąpili swój własny *System Emocjonalnego Przewodnictwa* poszukiwaniem aprobaty u innych, a jest to sposób życia raczej nie dający spełnienia, ponieważ świadkowie, których szukasz, by się im przypodobać, nie zapewnią ci trwałej uwagi. To studium jest z dużym prawdopodobieństwem trafne, ponieważ większość ludzi rzeczywiście bardziej dba o to, co inni o nich myślą, aniżeli o to, co sami osobiście czują, ale nie może być konsekwencji w takiej formie przewodnictwa.

Ludzie martwią się czasami, że jeśli egoistycznie będą przedkładać to, co ich uszczęśliwia ponad wszystko inne, okażą się nieczuli i nie w porządku wobec tych, którzy ich otaczają, lecz my wiemy, że prawdą jest coś wręcz przeciwnego. *Jeśli dbasz o swoje zharmonizowanie ze Źródłem, które reprezentuje twoje uczucia i się utrzymać swoje Połączenie, każdy, kto następnie staje się obiekt uwagi, korzysta z twojego spojrzenia. Nie możesz podnieść innych na duchu, dopóki sam nie połączysz się ze Strumieniem Dobrostanu.*

Rozumiemy, że może to dawać bardzo dobre samopoczucie – gdy jesteś dla innych obiektem uwagi, gdy darzą ciebie uznaniem, ponieważ czynią dokładnie to, co właśnie ci wyjaśniliśmy: w swoim uznaniu dla ciebie, osiągają Połączenie ze Źródłem i ciebie nim obsypują. Ale oczekiwanie od innych, by zawsze byli w harmonii ze Źródłem i zawsze traktowali ciebie jako obiekt swej uwagi, byś mógł być obsypywany Dobrostanem, jakiego dostarczają, nie jest praktyczne, ponieważ nie możesz kontrolować ich Połączenia i nie zawsze będziesz jedynym obiektem ich uwagi. Masz jednak absolutną kontrolę nad swoim własnym Połączeniem ze Źródłem, a gdy twoją dominującą intencją jest utrzymanie swego Połączenia, wyłączając innych z tego równania, wówczas będziesz wolny od prób przypodobania się innym (czego nie możesz czynić stale) i będziesz zdolny utrzymać swoje stałe Połączenie oraz uczucie Dobrostanu.

Interesujące jest spostrzeżenie, że ci, którzy dbają o to, jak się czują – którzy konsekwentnie utrzymują postawę oddawania się emocjom dającym dobre samopoczucie; którzy są połączeni ze Źródłem i którzy kierują pozytywne myśli ku wszystkiemu, na czymkolwiek się koncentrują – zwykle są postrzegani przez innych jako *atrakcyjni* i często odbierają wiele dowodów uznania i aprobaty.

Nie możesz po prostu zyskać aprobaty, jakiej szukasz, z punktu, w którym jej *potrzebujesz* lub z miejsca jej *braku*. Biuro ze wspaniałym widokiem lub parking oznaczony twoim nazwiskiem, albo robiący wrażenie tytuł przy twoim nazwisku nie mogą zapełnić pustki spowodowanej brakiem zharmonizowania z tym, *kim-jesteś-naprawdę*. Gdy osiągniesz to zharmonizowanie, wówczas sprawy te będą się wydawały mniej istotne – lecz, co ciekawe, wówczas pojawią się same.

WYPEŁNIANIE PUSTKI POPRZEZ SŁUŻENIE?

JERRY: A więc podczas 20-stu lat na różnych stanowiskach w przemyśle rozrywkowym, miałem rzeczywiście dużo zabawy; wymagała ona zaledwie kilku godzin pracy dziennie i miałem wiele wyzwań, ponieważ miałem tak wiele nowych doświadczeń... A jednak często mówiłem ludziom, że czułem się jakbym kroczył po piaskach życia, lecz gdy patrzyłem wstecz, nie było za mną żadnych śladów. Innymi słowy, czułem, jakbym przynosił widzom jedynie chwilową przyjemność, lecz nie pozostawiałem niczego o trwałej wartości.

Czy wszyscy posiadamy wrodzoną potrzebę podnoszenia innych na duchu? Czy bierze się ona z innego poziomu nas samych, czy też przechwytujemy te intencje od innych osób wokół, z chwilą, gdy rodzimy się w tym fizycznym środowisku?

ABRAHAM: *Rodzicie się z pragnieniem wnoszenia wartości, pragnąc dodawać innym otuchy. I rodzicie się ze świadomością, że jesteście wartościowi.* Większość tych uczuć braku, jakie opisujesz, nie dotyczyła pozostawienia trwałych wartości innym, ale była spowodowana twymi myślami, które nie dopuszczały cię do własnego zharmonizowania. To działa w taki sposób: gdy jesteś w harmonii z tym, *kim-jesteś-naprawdę* (z twoją *Wewnętrzną Istotą* lub Źródłem), nie możesz czynić nic innego, jak podnosić na duchu tych, z którymi masz kontakt, a w tym zharmonizowaniu, *nie dostrzegasz* innych (choć jest ich wielu), którzy nie są zharmonizowani. *Prawo Przyciągania nie otacza ciebie niezadowolonymi ludźmi, gdy sam jesteś zadowolony. I Prawo Przyciągania nie otacza ciebie zadowolonymi ludźmi, gdy ty jesteś niezadowolony.*

Po prostu nie możesz zrekompensować swego własnego braku harmonii poprzez poświęcanie czemuś większej ilości czasu, albo energii, albo działania. Nie możesz znaleźć dostatecznie efektywnych idei, aby to zmienić. Twoja wartość dla innych wokół zależy tylko od jednej rzeczy: od twojego osobistego zharmonizowania ze Źródłem. A jedyną rzeczą, jaką masz do ofiarowania innym, jest przykład tego zharmonizowania – który mogą obserwować, następnie którego mogą zapragnąć, a następnie postarać się osiągnąć. Jednak *ty* nie możesz im go dać.

Rozrywka, jaką zapewniałeś swoim widzom była w istocie większym darem, niż mogłeś ocenić w owym czasie, ponieważ zapewniałeś im oderwanie od ich problemów; dzięki wycofaniu uwagi z problemów, twoi widzowie osiągali, w wielu przypadkach, chwilowe zestrojenie ze Źródłem. Ale nie możesz pozostać z każdym z nich, utrzymując się jako jedyny obiekt ich uwagi, aby utrzymać ich dobre samopoczucie. *Każdy jest odpowiedzialny za swoje myśli i za to, co wybiera jako obiekt swej uwagi.*

Wszyscy posiadacie, w głębi duszy, rozumienie, że jesteście tu jako pełni radości twórcy i jesteście zawsze wzywani do wypełnienia tej roli, ale jest niedługa lista wymagań, jakie powinniście spełnić. Waszą intencją było pozwolić, aby wasze fizyczne środowisko inspirowało was do nigdy się niekończących idei ekspansji lub pragnienia, a wówczas zamierzaliście zestroić się z Energią Źródła w sobie dla zrealizowania tych idei. Innymi słowy, wiedzieliście, że pragnienia narodzą się z waszego uczestnictwa w życiu tutaj, a następnie, z chwilą, gdy pragnienie zacznie w was się rozwijać, będziecie mogli się skoncentrować na swych myślach, aż osiągniecie uczucie *oczekiwania* – a wówczas wasze pragnienie zaowocuje.

Główną rolą, jaką inni odgrywają wokół ciebie w tym równaniu tworzenia, jest zapewnienie różnorodności, z której rodzą się twoje pragnienia. *Waszą intencją nie było mierzenie własnej wartości wartościami innych, lecz to, aby mieć inspirację do nowych idei poprzez kombinacje rzeczy wokół ciebie. Wszelkie porównania z innymi mają jedynie na celu inspirowanie jeszcze szerszego pragnienia. Nigdy nie miały one na celu pomniejszenia ciebie lub kwestionowania twojej wartości.*

Twoje życie nie polega na tym, co robisz po pracy, w weekend czy będąc na emeryturze. Twoje życie rozgrywa się teraz i jest reprezentowane w istocie przez to, jak się teraz czujesz. Jeśli twoja praca budzi nieprzyjemne uczucia, nie daje spełnienia lub jest ciężka, jest tak nie dlatego, że znajdujesz się w złym miejscu, lecz dlatego, że twoja perspektywa jest przysłonięta sprzeczną myślą. *Nie możesz osiągnąć szczęśliwego zakończenia podróży, która nie była przyjemna. Zakończenie w żaden sposób nie usprawiedliwia środków. Środki, albo droga podczas całej podróży, zawsze przynoszą esencję identycznego zakończenia.*

CZY MÓJ SUKCES DODA OTUCHY INNYM?

JERRY: Wolność była zawsze dla mnie najważniejsza, więc nigdy nie chciałem zbytnio oddawać jej za pieniądze. Zawsze mówiłem, że pieniądze nie interesowały mnie prawie, bo nie zamierzałem oddawać za nie mojej wolności, jednak z czasem poczucie „nie pozostawiania śladów na piasku" sprawiło, że zacząłem zadawać sobie pytanie, czy życie nie polega na czymś więcej, niż tylko na zabawie.

Wkrótce po uświadomieniu sobie tego, znalazłem książkę *Myśl i bogać się* i chociaż idea myślenia i wzbogacania się była czymś, co uważałem za nieciekawe, książka przyciągnęła moją uwagę i poczułem ku niej silny pociąg. Wziąłem ją i zadrżałem, jakbym znalazł coś, co miało mieć największe znaczenie w moim życiu. Książka mówiła: *Zdecyduj, czego chcesz!* Było to, zdawałoby się, proste stwierdzenie, ale poczułem jego moc w dziwny i nowy sposób, gdyż po raz pierwszy w życiu, zacząłem świadomie podejmować decyzje co do tego, czego chciałem i zapisywać je: „Chcę być swoim własnym szefem; chcę mieć własny biznes; chcę mieć biznes bez siedziby; nie chcę mieć pracowników – nie chcę tego rodzaju zobowiązań. To, czego chcę, to *wolność*".

Chciałem kontrolować moje dochody. Chciałem być mobilny, żebym mógł podróżować i być wszędzie tam, gdzie chciałem być.

Chciałem, aby moja praca była czymś, co sprawi, że każde życie, jakie dotknę, będzie w jakiś sposób wzmocnione (albo, by ludzie czuli się tak, jak się czuli), ale żeby nikt poznawszy mnie nie czuł się w żaden sposób pomniejszony.

Ludzie zwykle się śmiali, gdy im to mówiłem. Mówili: „Och, Jerry, jesteś takim marzycielem. Nie ma czegoś takiego". A ja mówiłem: „Cóż, tak być musi. Emerson powiedział:»Nie byłoby w tobie tego pragnienia, gdybyś nie był w stanie tego osiągnąć«". I ja w to wierzyłem. A więc naprawdę oczekiwałem, że gdzieś po drodze, ukaże się po temu sposobność...

Po około 30-stu dniach od określenia tego, czego chciałem, spotkałem człowieka, który wskazał mi biznes, jaki mogłem przenieść do Kalifornii i tam go rozpocząć – i było to odpowiedzią na wszystko, o co prosiłem. I tak, przez następne lata mojego życia, ten biznes rzeczywiście trwał. I rzeczywiście spełnił esencję wszystkiego, czego chciałem i co wtedy zapisałem.

CHCĘ WOLNOŚCI, ROZWOJU I RADOŚCI

JERRY: Nie powiedziałem, że musi to być coś, co będę umiał robić, albo do czego miałbym talent lub zdolności, albo inteligencję; powiedziałem po prostu: Oto, czego chcę.

Czy każdy z nas może to osiągnąć? Czy każdy z nas może mieć wszystko, czego zapragnie, z chwilą, gdy sprecyzuje, czego chce?

ABRAHAM: Tak. *Jeśli to doświadczenie życia zainspirowało w was pragnienie, to posiada ono środki, by je spełnić w najmniejszych szczegółach.*

Dochodziłeś do decyzji, czego pragniesz, przez długi czas, dzięki doświadczeniom, jakie przeżywałeś. Twój punkt decyzji skoncentrowania się na nich i zapisania ich w zrozumiały sposób, spowodował wzmocnienie twojego *przekonania* w związku z nimi. A gdy twoje *pragnienia* i *przekonania* idą w parze, pojawia się *oczekiwanie*. A gdy raz pojawi się w tobie *oczekiwanie* na cokolwiek, wówczas przychodzi to szybko do twego doświadczenia.

Bycie wolnym było najważniejszym elementem w pragnieniach, jakie utrzymywałeś przez pewien czas, zaś gdy ujrzałeś coś, co według ciebie nie zagrażałoby twemu pragnieniu wolności, ale mogło potencjalnie przynosić dochód, pozwoliłeś rozwinąć się swemu pragnieniu uzyskiwania dochodów tam, gdzie wcześniej wszystko, co postrzegałeś jako potencjalnie ograniczające twoją wolność, od razu ciebie zniechęcało.

Wszyscy urodziliście się z triadą intencji pulsujących w głębi waszej duszy: *wolność, rozwój i radość. Wolność* jest podstawą tego, czym jesteście, ponieważ wszystko, co się pojawia, pojawia się w odpowiedzi na myśli, jakie żywicie – a nikt nie ma kontroli nad waszymi myślami, poza wami samymi. Gdy *radość* jest głównym celem, abyście mogli łagodnie przyzwyczaić swe myśli do zestrojenia się z tym, *kim-jesteście-naprawdę*, wówczas ustępuje wszelki opór, a wy pozwalacie na *ekspansję* lub *rozwój*, jaki zainspirowało w was doświadczenie życia.

CHCĘ CZUĆ SIĘ DOBRZE W SWOIM ŻYCIU

ABRAHAM: *Gdy wybierasz karierę lub gdy robisz to, czego wymaga obecnie twoja praca, jeśli dominującą intencją jest odczuwanie radości podczas pracy, triada twoich intencji dojdzie szybko i łatwo do harmonii, ponieważ osiągając dobre samopoczucie, dochodzisz do całkowitego zharmonizowania z szerszymi, Nie-Fizycznymi aspektami twojej Istoty. To zharmonizowanie umożliwia następnie ekspansję ku wszystkim rzeczom, jakie życie pomogło ci określić jako te, których chcesz, a więc twój rozwój staje się szybki i satysfakcjonujący.*

Wolność jest fundamentem waszego życiowego doświadczenia; nie jest ona czymś, co można „zarobić". *Radość* jest twoim celem. *Rozwój* jest rezultatem obydwu. Ale jeśli wierzysz, że jesteś bezwartościowy i stawiasz jako cel udowodnienie swej wartości poprzez działanie, nie możesz odnaleźć równowagi. Często objaśniamy tę doskonałą triadę intencji *wolności i rozwoju* oraz *radości*, ale większość fizycznych Istot zaraz kieruje uwagę na ideę rozwoju w swoich **błędnych próbach** udowodnienia swej wartości – wartości, która nigdy nie jest kwestionowana. Nie musicie niczego nikomu udowadniać, ani niczego usprawiedliwiać. *Racja waszego istnienia nie wymaga żadnego usprawiedliwiania, ponieważ samo istnienie jest dostatecznym usprawiedliwieniem.*

TWORZĘ SWOJĄ WŁASNĄ RADOSNĄ KARIERĘ

ABRAHAM: Chcielibyśmy, abyś widział swoją „karierę" jako tworzenie radosnego życiowego doświadczenia. Nie jesteś twórcą przedmiotów ani odbiorcą tego, co stworzył ktoś inny, ani gromadzącym sobie personel. *Jesteś twórcą, a przedmiotem twojej kreacji jest twoje radosne doświadczenie życia. Oto twoja misja. Oto twoje poszukiwanie. Oto, dlaczego tu jesteś.*

CZY BRANIE BEZ DAWANIA JEST NIEMORALNE?

JERRY: Abraham, czy możecie powiedzieć, czy jest rzeczą moralną lub etycznie poprawną, gdy ludzie nie dają czegoś w zamian? Innymi słowy, gdyby żyli z odziedziczonych pieniędzy, albo wygranych na loterii, albo żyli dzięki opiece społecznej lub z pieniędzy darowanych, czy powiedzielibyście, że byłoby to dla nas *wszystkich* właściwe?

ABRAHAM: Twoje pytanie wciąż implikuje, że jest cena, jaką trzeba zapłacić za płynący ku wam Dobrostan, oraz że wymagana jest jakaś forma działania, aby usprawiedliwić napływający Dobrostan. Jednakże tak nie jest. *Nie jest to ani konieczne ani nawet możliwe, by usprawiedliwić Dobrostan, który do was przypływa, jednak konieczne jest zharmonizowanie z Dobrostanem. Nie możesz koncentrować się na braku Dobrostanu, by dopuścić Dobrostan do swego doświadczenia.*

Wielu ludzi koncentruje się na rzeczach *niechcianych*, bez świadomego kierowania uwagi na wewnętrzne emocjonalne Przewodnictwo, próbując zrekompensować fizycznym działaniem swoje myślenie pełne braku. A że z powodu dysharmonii Energii, nie otrzymują oczekiwanych rezultatów swego działania, więc starają się jeszcze bardziej, oferując jeszcze więcej działania, jednak nic nie ulega prawdziwej poprawie.

Jak powietrze, którym oddychasz, dostępna jest tobie obfitość wszystkiego. Twoje życie stanie się na tyle dobre, na ile mu na to pozwolisz.

Jeśli wierzysz, że musisz ciężko pracować, aby przyszedł do ciebie dobrobyt, wówczas nie będzie się mógł on pojawić bez ciężkiej pracy. Zaś w wielu przypadkach, im ciężej pracujesz, tym gorzej się czujesz, a im gorzej się czujesz, tym bardziej powstrzymujesz upragnione rezultaty swojej pracy. Nic dziwnego, że tak wielu jest ludzi zniechęconych, którzy nie wiedzą, w jaką stronę się zwrócić, ponieważ wydaje się, że czego by nie robili, i tak nie prosperują.

Docenianie* i *miłość* oraz zestrojenie z tym, co jest Źródłem, jest ostatecznym „dawaniem", że tak to ujmiemy. W waszym cierpieniu czy walce, nie macie nic do ofiarowania. Wielu ludzi skarży się na niesprawiedliwość, gdy widzą ludzi otrzymujących wiele, ale pozornie bez większego wysiłku, podczas gdy inni, którzy ciężko pracują, często nie odnoszą sukcesów – lecz *Prawo Przyciągania* zawsze jest konsekwentnie sprawiedliwe. *To, co przeżywasz, jest zawsze dokładną repliką twoich wibracyjnych wzorców myślowych. Nic nie mogłoby być bardziej sprawiedliwe, niż życie takim, jak je*

---

* od tłumacza: ang. appreciation

przeżywasz, gdyż, kiedy myślisz, wibrujesz, a gdy wibrujesz, przyciągasz – a więc zawsze otrzymujesz z powrotem esencję tego, co dajesz.

JERRY: A jeśli, że tak powiem, usuniemy pieniądze z tego równania, to wówczas, jeśli nie *działamy* dla pieniędzy, co *powinniśmy* robić z naszym życiem?

ABRAHAM: To, co *czyni* większość ludzi z większością swojego życia to oferowanie działania, próbując zrekompensować wibracyjną nierównowagę. Innymi słowy, myślą tak wiele o tym, czego nie chcą, że czyniąc to nie dopuszczają tego, czego chcą, do swobodnego wpłynięcia w ich doświadczenie, a następnie próbują zrekompensować tę dysharmonię działaniem. Gdybyście skłaniali się najpierw ku waszemu wibracyjnemu zharmonizowaniu – rozpoznając wartość waszych emocji i próbując się skupić na rzeczach, które budzą dobre odczucia – skorzystalibyście ogromnie na tym zharmonizowaniu, a cudowne rzeczy przypłynęłyby do was przy o wiele mniejszym działaniu.

Większość działania, jakie jest dziś inicjowane, podejmuje się pośród ogromnego wibracyjnego oporu i z tego powodu tak wielu ludzi zaczęło wierzyć, że życie jest walką. Jest to także powodem, dla którego wielu wierzy, tak jak wy, że sukces i wolność są ze sobą sprzeczne, podczas gdy w rzeczywistości są synonimami. *Nie jest konieczne usunięcie pieniędzy z tego równania, ale jest rzeczą konieczną, byś poszukiwanie radości uczynił najbardziej dominującą częścią swojego równania. Gdy to zrobisz, napłynie do ciebie obfitość wszelkiego rodzaju.*

WITAJ NA PLANECIE ZIEMIA

ABRAHAM: Gdybyśmy mówili do ciebie pierwszego dnia twojego fizycznego doświadczenia, moglibyśmy być ci bardzo pomocni,

225

gdyż powiedzielibyśmy ci: „Witaj na planecie Ziemia. Nie istnieje nic, czym nie mógłbyś być, czego nie mógłbyś robić lub mieć. A twoją pracą tutaj – karierą twojego życia – jest poszukiwanie radości. Żyjesz we Wszechświecie absolutnej wolności. Jesteś tak wolny, że każda myśl, jaką żywisz, będzie przyciągała do ciebie to, czego chcesz. Gdy żywisz myśli, które odczuwasz jako dobre, będziesz w harmonii z tym, *kim-jesteś-naprawdę*. A więc przeżywaj swoją głęboką wolność. *Szukaj najpierw radości, a wszelki rozwój, jaki kiedykolwiek mógłbyś sobie wyobrazić, przybędzie do ciebie radośnie i obficie".*

Jednak nie jest to pierwszy dzień twojego doświadczenia życia. W większości przypadków, czytacie to na długo po tym, jak zostaliście przekonani, że nie jesteście wolni i że nie jesteście wartościowi i że musicie udowodnić, poprzez działanie, że zasługujecie na otrzymywanie. Wielu z was jest obecnie uwikłanych w pracę, której nie uważa za przyjemną, lecz czujecie, że nie możecie po prostu odejść, bo finansowe reperkusje spowodują jeszcze większy dyskomfort, niż ten, jakiego już doświadczacie. Wielu innych, którzy obecnie nie mają pracy dającej dochody, odczuwa dyskomfort w związku z brakiem środków utrzymania lub obietnicy przyszłego bezpieczeństwa. Ale, bez względu na to, gdzie się teraz znajdujecie, jeśli podejmiecie decyzję spojrzenia na pozytywne aspekty tego, gdzie jesteście właśnie teraz, przestaniecie przejawiać opór, będący jedyną rzeczą, jaka utrzymuje was z dala od tego, czego pragniecie.

Nie musicie zawracać, by cofnąć cokolwiek, ani uderzać się w piersi za to, czego jeszcze nie osiągnęliście. Gdybyście mogli uznać ten moment za początek waszego życiowego doświadczenia – robiąc, co w waszej mocy, by stawić raczej opór myślom budzącym złe samopoczucie, myślom pełnym oporu, myślom o bezwartościowości lub niechęci, które często otaczają temat pieniędzy – wasza finansowa sytuacja zaczęłaby się zmieniać od razu. Musicie tylko powiedzieć: *Oto ja, pierwszego dnia mego dalszego do-*

świadczenia. I od tej chwili jest moją dominującą intencją, by szukać powodów, aby czuć się dobrze. **Chcę się czuć dobrze. Nic nie jest ważniejsze od tego, bym czuł się dobrze.**

NAJWAŻNIEJSZE JEST DOBRE SAMOPOCZUCIE

ABRAHAM: Często w waszym miejscu pracy znajdują się rzeczy, które nie sprzyjają dobremu samopoczuciu i często wierzycie, iż jedyną szansą na to, by się kiedykolwiek dobrze poczuć, jest ucieczka od tych negatywnych wpływów. Jednak idea odejścia także nie budzi dobrych odczuć, ponieważ mogłoby to oznaczać utratę dochodów w sytuacji, gdy finanse są bardzo ograniczone, więc pracujecie dalej, czując się nieszczęśliwymi w poczuciu osaczenia.

Gdybyś mógł stanąć, choć trochę z boku i spojrzeć na swoją karierę nie jako pracę, jaką wykonujesz w zamian za pieniądze, ale jako wydatkowanie twego życiowego doświadczenia w zamian za radosne doświadczenie, wówczas mógłbyś sobie uświadomić, że wiele twoich myśli oraz słów, jakie wypowiadasz, nie jest w harmonii z twym poszukiwaniem radości. Gdy powiesz sobie: „Nic nie jest ważniejsze, niż moje dobre samopoczucie", przekonasz się, że kierujesz się ku innym myślom, ku innym słowom i ku innemu postępowaniu.

Proste ćwiczenie celowego poszukiwania pozytywnych aspektów w twojej obecnej pracy oraz w ludziach, którzy z tobą pracują, da ci natychmiastowe uczucie ulgi. To uczucie ulgi będzie wskazywało na zmianę w twojej wibracji, co oznacza, że twój punkt przyciągania się zmienił. Z chwilą, gdy to nastąpi, *Prawo Przyciągania* sprawi, że będziesz spotykał zupełnie innych ludzi, a nawet będziesz mieć inne doświadczenia z tymi samymi osobami. Jest to sposób tworzenia od wewnątrz na zewnątrz, zamiast od zewnątrz do wewnątrz, czyli wersji działania, która nigdy nie przynosi oczekiwanych rezultatów. *Dzięki twojej prostej, lecz potężnej decyzji, żeby czuć się dobrze, wszystko zacznie się poprawiać w niezwykle znaczący sposób.*

CO POWSTRZYMUJE MOJĄ KARIERĘ?

JERRY: Co byście powiedzieli ludziom, którzy mają podjąć swoją pierwszą pracę, albo dokonują zmiany zawodu i rozważają takie sprawy, jak szanse na dochód lub rozwój, zapotrzebowanie na dany produkt lub usługi itd., próbując określić, jaki obrać kierunek?

ABRAHAM: Życie, które już przeżyliście, pomogło wam określić szczegóły doświadczenia, jakiego szukacie i doskonała sytuacja jest już dla was przygotowana. Waszym zadaniem teraz nie jest to, aby się tam dostać i znaleźć doskonałe okoliczności, ale to, by *pozwolić* rozwinąć się okolicznościom, które doprowadzą was dokładnie do tego miejsca, które zadowoli niezliczone intencje, do jakich doszliście dzięki swemu doświadczeniu życia. Innymi słowy, nigdy nie wiecie jaśniej, czego *chcecie*, niż wtedy, gdy przeżywacie to, czego *nie chcecie*.

A więc nieposiadanie dostatecznej ilości pieniędzy sprawia, że *prosicie* o więcej pieniędzy. Pracodawca, który was nie docenia, sprawia, że *prosicie* o kogoś, kto będzie doceniał wasz talent i zaangażowanie. Praca, która wymaga od was bardzo niewiele, sprawia, że *pragniecie* czegoś, co zainspiruje w was więcej jasności i możliwości ekspansji. Praca, która wymaga dalekich dojazdów, daje początek *pragnieniu*, aby pracować bliżej waszego miejsca zamieszkania... I tak dalej. *Każdemu, kto szuka zmiany w swoim środowisku pracy, chcielibyśmy przekazać: jest to już ustawione dla was w czymś w rodzaju Wibracyjnego Depozytu. Waszym zadaniem jest zharmonizowa~~~· ~~~ tym, co wasze przeszłe i obecne doświadczenia pomogły* ~~~ko upragnione.~~~

~~~ieć dziwnie, ale najszybszą drogą do doskonal-~~~ ~~~ pracy, jest poszukanie w waszym obecnym oto-~~~ ~~~je wam dobre samopoczucie. Większość ludzi~~~ ~~~odwrotnego poprzez skupianie się na wadach~~~ ~~~się znajdują, próbując usprawiedliwić poszu-~~~

kiwanie czegoś lepszego. Ale skoro *Prawo Przyciągania* zawsze daje wam więcej tego, na czym się koncentrujecie, to jeśli skupiacie uwagę na tym, co niechciane, wówczas przyciągacie jeszcze więcej niechcianego. *Jeśli opuszczacie jedną sytuację z powodu obecnych w niej elementów niechcianych, to w następnym miejscu znajdziecie również esencję tych samych niechcianych rzeczy.*
Myśl i mów o tym, czego *chcesz.*
Zrób listę rzeczy, które są przyjemne w miejscu, gdzie się znajdujesz.
Myśl z podnieceniem o udoskonaleniach, które są w drodze do ciebie.
Przestań podkreślać to, co ci nie odpowiada.
Zacznij podkreślać to, co ci odpowiada.
Zaobserwuj odpowiedź Wszechświata na twoją udoskonaloną wibrację.

BĘDĘ SZUKAĆ POWODÓW, BY CZUĆ SIĘ DOBRZE

JERRY: A więc, inaczej mówiąc, dopóki ludzie nie skoncentrują się na tym, czego chcą i dopóki nie wycofają swojej uwagi z tego, czego nie chcą w swojej obecnej lub poprzedniej pracy, będą po prostu kontynuować w jakiś sposób odtwarzanie sytuacji negatywnej?

ABRAHAM: Tak, absolutnie. *Bez względu na to, jak byłaby usprawiedliwiona twoja negatywna emocja, wciąż psujesz swoją przyszłość.*

Większość z was włożyła dostatecznie dużo myśli w to, czego chcecie, by się tym szczęśliwie zajmować przez 10 lub 20 żywotów, jednakże manifestacja tych pragnień nie może do was dotrzeć, ponieważ drzwi są zamknięte. A przyczyną tego, że drzwi są zamknięte, jest to, że jesteście tak zajęci narzekaniem na to, *co-jest*, albo bronieniem obecnej pozycji... *Szukaj powodów, by czuć się dobrze. A w swojej radości, otwierasz drzwi. A gdy otwierasz drzwi, wszystkie te rzeczy, o których powiedziałeś: „chcę tego" nareszcie mogą wpłynąć. I oczekujemy, że w tych warunkach, będziesz żył długo i szczęśliwie – co jest, poza wszystkim, twoją pierwotną intencją, jaką miałeś, wchodząc w tę karierę fizycznego doświadczenia życia.*

CHCĘ, CZY TEŻ MUSZĘ?

JERRY: W moich młodych latach, gdy mieszkaliśmy w 40-akrowych gospodarstwach w Oklahomie, Missouri i Arkansas, robiłem wiele różnych rzeczy, by zarobić pieniądze, wszystkie były ciężką pracą i żadna nie dawała radości. Od zbierania truskawek, po hodowanie kurcząt; sadzenie, zbieranie i sprzedawanie pomidorów; cięcie i sprzedawanie drewna na opał, zarobiłem sporo pieniędzy (jak na owe czasy), ale wcale nie cieszyłem się tą pracą. Potem, w czasach studiów w Nowym Orleanie, wykonywałem najróżniejsze, nieciekawe zajęcia jako dekarz, robotnik w fabryce blachy oraz jako windziarz. Pierwszą przyjemniejszą pracą, jaką w ogóle otrzymałem, była praca ratownika na Pontchartrain Beach.

Myślę, że byłem jak większość ludzi wokół i nie przychodziło mi do głowy, że przyjemność i zarabianie pieniędzy mogą się łączyć. W czasach, gdy wykonywałem te wszystkie niezbyt przyjemne, ciężkie zajęcia, szukałem przyjemności *po* pracy. Spotykałem się z innymi dziećmi wieczorem w parku i grałem na gitarze, śpiewałem w kościele oraz w chórze opery w Nowym Orleanie. Prowadziłem grupę Małych Skautów, próbowałem akrobatyki oraz uczyłem gimnastyki i tańca jako ochotnik. Robiłem wiele wspaniałych, dających radość rzeczy, ale żadna z nich nie była źródłem moich dochodów.

Jednakże, gdy dorosłem, nigdy więcej nie pracowałem dłużej w sposób, który nie sprawiał mi przyjemności. Zamiast tego, rozpocząłem pracę na własny rachunek, robiąc to, co robiłem wcześniej dla przyjemności – ale wówczas zacząłem otrzymywać za to pieniądze.

Nie przygotowywałem się, ani nawet nie planowałem kariery w dziedzinie muzyki, czy śpiewu, czy tańca ani akrobatyki – ale wtedy związek pracowników fabryki blachy, gdzie pracowałem, ogłosił strajk, a w czasie, gdy byłem bez pracy, pewien człowiek z YMCA* poprosił mnie, bym przyłączył się do „El Gran Circo de Santos y Artigas" („wielkiego cyrku" – przyp. tłumacza) na Kubie jako trapezista. Tak więc nie poszedłem w „bezpiecznym" kierunku dekarstwa czy pracy w fabryce blachy, jak życzył sobie mój ojciec. (Dawało to stałą gażę i tego mnie uczono, a byłem w tym dobry, chociaż tak tego nie lubiłem). Ale w rezultacie *niechcianego* strajku związkowego, zwróciłem się łatwo w kierunku, który stał się potem prawdziwie radosnym życiem, będącym przygodą, a także przynoszącym dochody. Zacząłem jako akrobata w owym kubańskim cyrku i pozostałem w show biznesie, w takiej czy innej roli, przez ponad 20 lat.

ABRAHAM: Posłuchaj, jak szczegóły twego życia jasno ukazują to, o czym tutaj mówimy. Czy widzisz, jak te wczesne lata ciężkiej pracy i tego, co nieprzyjemne, pomogły ci określić, czego nie chcesz, a także pomogły ci określić, co byś naprawdę wolał? I chociaż jako nastolatek pracowałeś wciąż robiąc rzeczy, które nie dawały ci satysfakcji, spędzałeś dużą część czasu – w istocie, każdą wolną minutę – robiąc rzeczy, które naprawdę bardzo *lubiłeś* robić. A więc dwie części równania dla radosnego tworzenia były na swoim miejscu: ciężka praca zmusiła cię, byś *poprosił*, twój czas spędzany na grze na gitarze i ćwiczeniach gimnastycznych oraz innych rzeczach, które uwielbiałeś postawił cię w miejscu chronicznego *przyzwalania*; a następnie, dzięki drodze najmniejszego oporu, Wszechświat

---

* Skrót *Young Men's Christian Association* – Związek Chrześcijańskiej Młodzieży Męskiej – jest to organizacja ekumeniczna oparta na wartościach chrześcijanskich, której celem jest służenie harmonijnemu rozwojowi fizycznemu, umysłowemu i duchowemu – przyp. tłumacza.

zapewnił ci realną drogę do osiągnięcia wolności, rozwoju i radości, jakich pragnąłeś.

Z powodu intensywnej uciążliwości tych wczesnych lat ciężkiej
pracy, byłeś jednym z nielicznych ludzi, dostatecznie dziwnych,
lub dostatecznie innych, by pozwolić sobie na poszukiwanie szczęścia. A to doprowadziło do wielu rzeczy, do pragnienia których
doszedłeś.

Większość ludzi odczuwa ogromną rozbieżność pomiędzy tym,
co *chcą* robić a tym, co jak wierzą, *powinni* robić. A większość
umieszcza wszystko to, co przynosi dochody, *w kategorii rzeczy,
które „muszę" robić.* Oto, dlaczego pieniądze tak często przychodzą
z takim trudem i oto powód, dlaczego zwykle nie ma ich wiele.

*Jeśli jesteś dostatecznie mądry, aby iść za ciągiem myśli dających dobre samo-
poczucie, odkryjesz, że ta pełna radości ścieżka poprowadzi cię ku wszystkiemu,
czego pragniesz. Dzięki świadomemu szukaniu pozytywnych aspektów na swej
drodze, dojdziesz do wibracyjnego zharmonizowania z tym, kim-jesteś-naprawdę
i z tym wszystkim, czego naprawdę chcesz, a gdy raz to osiągniesz, Wszechświat
musi dostarczyć realne środki dla spełnienia twych pragnień.*

A JEŚLI TO MOJA PRZYJEMNOŚĆ PRZYCIĄGA PIENIĄDZE?

JERRY: Na przykład, Esther i ja, nie zamierzaliśmy zarabiać
dzięki naszej pracy z Wami, Abraham. Naprawdę cieszyliśmy się
ucząc się od Was i drżeliśmy z radości, widząc pozytywne rezultaty, jakich sami doświadczaliśmy, stosując to, czego się uczyli-
śmy; jednak nigdy nie było naszą intencją, aby praca z Wami stała
się biznesem. Było to oświecające doświadczenie najczystszej radości (i wciąż jest radością), zaś teraz rozwinęło się to zasadniczo
w działalność na światową skalę.

ABRAHAM: Czyli mówisz, że wasze doświadczenie życia się
rozwinęło, a także wasze idee i pragnienia? Nawet jeśli na początku nie byliście w stanie zobaczyć czy opisać szczegółów tego,

jak sprawy się rozwiną... ponieważ było to przyjemne i ponieważ budziło dobre samopoczucie, stało się potężną drogą do spełnienia pragnień i celów, jakie mieliście, zanim się zetknęliście z nami, czy zanim zaczęliście tę pracę.

JERRY: Tak, moją pierwotną intencją w kontakcie z Wami było poznanie bardziej skutecznych sposobów, by pomóc innym w osiągnięciu finansowego sukcesu. A także, chciałem nauczyć się, jak przeżywać życie w większej harmonii z naturalnymi *Prawami Wszechświata*.

CHCĘ CZUĆ SIĘ WOLNY W SWOJEJ PRACY

JERRY: Tak więc większość tego, co można by nazwać moją karierą na przestrzeni lat, nigdy nie zaczęła się jako droga do zarabiania pieniędzy. Były to w większości rzeczy, które lubiłem robić, co w końcu stało się źródłem zarobków.

ABRAHAM: Cóż, jest to najprawdziwszy klucz do sukcesu, którym cieszyłeś się przez tyle lat. Ponieważ wcześnie określiłeś, że dobre samopoczucie ma dla ciebie największe znaczenie, udało ci się znaleźć różne interesujące sposoby na podtrzymanie tej decyzji, nie rozumiejąc jeszcze wtedy, że *kluczem do każdego sukcesu jest utrzymywanie się w stanie szczęścia*.

Wielu z was uczono, że poszukiwanie własnego szczęścia jest egoistyczne i niewłaściwe, a wasze realne cele powinny być oparte na oddaniu, odpowiedzialności, walce o byt oraz na poświęceniu... Ale chcemy, abyś zrozumiał, że możesz być oddany i odpowiedzialny, i możesz podnosić innych na duchu – i jednocześnie być szczęśliwy. W rzeczywistości, dopóki nie znajdziesz sposobu na połączenie się z własnym, prawdziwym szczęściem, wszystkie inne dążenia będą raczej pustymi, próżnymi słowami, nie mającymi żadnej prawdziwej wartości. *Możesz dodawać otuchy jedynie z pozycji połączenia i siły.*

233

Ludzie mówią często: „Nie chcę pracować", mając na myśli: „Nie chcę chodzić tam, gdzie muszę robić niechciane rzeczy, aby zarabiać pieniądze". A gdy pytamy, dlaczego, mówią:, „Ponieważ chcę być wolny". Ale to nie wolności od działania szukacie, ponieważ działanie może być radością. To, czego chcecie, to nie jest wolność od pieniędzy, ponieważ wolność i pieniądze to synonimy. *Szukacie wolności od negatywnosci, od oporu, od nieprzyzwalania na to, **kim-jesteście-naprawdę** oraz nieprzyzwalania na dobrobyt, który jest waszym przyrodzonym prawem. Szukacie wolności od braku.*

JAKIE SĄ JEJ POZYTYWNE ASPEKTY?

ABRAHAM: *Za każdym razem, gdy odczuwasz negatywną emocję, jest ona wskazówką, jaką daje ci twój **System Emocjonalnego Przewodnictwa**, że w owym momencie patrzysz na negatywne aspekty czegoś i czyniąc to, pozbawiasz się czegoś, czego chcesz.*

Jeśli uczynisz swoją intencją szukanie pozytywnych aspektów w każdej rzeczy, ku jakiej kierujesz uwagę, zaczniesz natychmiast dostrzegać dowody na zanikanie schematów oporu, gdy poprzez zmianę twej wibracji umożliwisz Wszechświatowi, by spełnił twoje długo oczekiwane pragnienia.

Ludzie często przechodzą z jednego miejsca pracy do drugiego, od zawodu do zawodu, od pracodawcy do pracodawcy, jedynie po to, by odkryć, że następne miejsce nie jest wcale lepsze od poprzedniego – a przyczyną tego jest to, że wszędzie, dokąd idą, zabierają ze sobą siebie samych. Gdy przychodzisz do nowego miejsca i znowu narzekasz na wszystko, co było złe w poprzednim miejscu, by wyjaśnić, dlaczego przybyłeś do nowego, przychodzi z tobą ta sama wibracyjna mieszanina oporu, która wciąż nie dopuszcza do ciebie tego wszystkiego, czego pragniesz.

Najlepszym sposobem na osiągnięcie ulepszonego środowiska pracy jest skoncentrowanie się na najlepszych cechach miejsca, w którym się znajdujesz, aż wypełnisz swój wibracyjny wzorzec myślowy *uznaniem** i w tej zmienionej wibracji, możesz następnie pozwolić, aby nowe i udoskonalone okoliczności weszły do twojego doświadczenia.

Niektórzy obawiają się, że gdy podążą za naszą zachętą, by szukać tego, co dobre tam, gdzie się znajdują, będzie to ich utrzymywać dłużej w miejscu niechcianym, tymczasem dzieje się odwrotnie: *W swoim stanie aprobaty, niwelujesz wszystkie narzucone sobie ograniczenia (a wszystkie ograniczenia są narzucone przez was samych) i uwalniasz się, aby otrzymać wspaniałe rzeczy.*

JERRY: Abraham, jaka jest rola doceniania w procesie tworzenia? I jak ma się stan aprobaty do tego, co zwane jest postawą wdzięczności? Z książki Napoleona Hilla, *Myśl i bogać się*, dowiedziałem się, by zdecydować, czego chcę i skupić się na tym (lub myśleć o tym), aż zostanie to powołane do życia. Innymi słowy, ustanawiam cele i czas ich osiągnięcia.

ABRAHAM: Wibracja prawdziwej miłości, to uczucie bycia zakochanym, to uczucie, jakie miewasz czasem widząc kogoś, gdy czujesz, jak przenikacie się wzajemnie. To uczucie, jakie masz patrząc na niewinność dziecka, czując jego piękno i moc. Miłość i uznanie mają identyczne wibracje.

Zachwyt jest wibracją zharmonizowania z tym, kim-jesteś-naprawdę. Jest to brak oporu. Jest to brak wątpliwości i lęku. Jest to brak negacji samego siebie oraz nienawiści do innych. Zachwyt jest brakiem wszystkiego, co budzi złe odczucia i obecnością wszystkiego, co odczuwamy, jako dobre. Gdy skoncentrujesz się na tym, czego chcesz – gdy opowiadasz historię o życiu, jakiego pragniesz – będziesz coraz bliżej uznania, a gdy je osiągniesz, pociągnie cię on potężnie ku wszystkiemu, co uważasz za dobre.

I odwrotnie, pomówmy o różnicy pomiędzy, nazwijmy to: *wdzięcznością* a *uznaniem*. Wielu ludzi używa tych słów zamiennie,

---

* *appreciation – ang. uznanie, docenianie, aprobata a nawet zachwyt.*

jednak my nie wyczuwamy w nich wcale tej samej wibracyjnej esencji, ponieważ gdy czujesz *wdzięczność*, często spoglądasz na walkę, jaką przeszedłeś. Innymi słowy, cieszysz się, że nie jesteś wciąż uwikłany w walkę, wciąż pozostaje coś z wibracji tego „zmagania". Inaczej mówiąc, różnica pomiędzy *inspiracją*, która jest wezwaniem ku temu, *kim-jesteś* a *motywacją*, która jest próbą dotarcia do jakiegoś punktu, ukazuje podobną różnicę.

Docenianie jest tym uczuciem zestrojenia, zharmonizowania. Jest ono wibracyjnym zestrojeniem z tym, „kim się stałem". Stan zachwytu jest „mną, będącym w harmonii z całością tego, kim jestem".

Znajdowanie się w stanie doceniania jest widzeniem wszystkiego, na co patrzysz, oczyma Źródła. A gdy jesteś w tym stanie uznania, możesz iść zatłoczoną ulicą pełną wszystkiego, co wielu innych ludzi mogłoby uznać za powód do krytyki czy zmartwienia, i nie będziesz miał do nich dostępu, ponieważ twoja wibracja uznania wybiera dla ciebie myśli o zupełnie innej wibracyjnej naturze.

Stan zachwytu jest stanem Pobożności. Stan zachwytu jest byciem tym, *kim-jesteś-naprawdę*. Stan zachwytu jest tym, czym byłeś w dniu, w którym się urodziłeś i kim będziesz w chwili śmierci, i byłby on (gdybyśmy byli na twoim fizycznym miejscu) naszym celem w każdej chwili.

Joseph Campbell użył słowa *błogość* i sądzimy, że jest ono z tym równoznaczne. Podążaj za swoją błogością*. Ale czasami nie możesz znaleźć żadnego tchnienia zachwytu w miejscu, w którym jesteś. A więc mówimy, jeśli jesteś w rozpaczy, idź za swoją zemstą; jest to droga w dół strumienia**. Jeśli czujesz pragnienie zemsty, idź za nienawiścią; jeśli czujesz nienawiść, idź za swoim gnie-

---

* zachwytem, porywem – „*Follow your bliss*" – od tłumacza
** zgodna z nurtem – ang. *downstream* – pojęcie wyjaśnione szerzej w książce E. i J. Hicks – *Potęga twoich emocji*, wyd. Studio Astropsychologii, 2008 – od tłumacza.

wem; jeśli jesteś w gniewie, idź za swoją frustracją... jeśli jesteś sfrustrowany, idź za nadzieją... jeśli czujesz nadzieję, to jesteś bliższy uznania.

Gdy już osiągniesz wibrację nadziei, zacznij sporządzać listę rzeczy, co do których masz dobre uczucia i zapełnij nimi obficie swoje notatniki. Sporządź listę pozytywnych aspektów. Sporządź listę rzeczy, które kochasz. Idź do restauracji i szukaj swoich ulubionych rzeczy i nigdy na nic nie narzekaj. Szukaj tego, co lubisz najbardziej... Nawet, jeśli jest tylko jedna rzecz pośród wielu, obdarz ją swoją niepodzielną uwagą – i użyj jej jako swojej wymówki, aby być tym, *kim-jesteś*.

A gdy użyjesz tego wszystkiego, co jasno świeci i sprawia, że czujesz się dobrze, jako wymówki, aby obdarzyć uwagą i być tym, *kim-jesteś*, zestroisz się z tym, *kim-jesteś* i cały świat zacznie się przekształcać na twoich oczach. *Nie należy do ciebie przekształcanie świata dla innych – lecz do ciebie należy przekształcenie go dla **siebie***. Stan *zachwytu lub uznania* jest czystym Połączeniem ze Źródłem, gdzie nie istnieje percepcja braku.

MÓJ CZAS W PRACY JEST KWESTIĄ PERCEPCJI

ABRAHAM: W ten sam sposób, w jaki wielu ludzi koncentruje się na braku pieniędzy, wielu z nich koncentruje się również na braku czasu i często te dwa odczuwane braki splatają się ze sobą i negatywnie wpływają na siebie nawzajem. Zwykle powodem takiego szkodliwego połączenia tych obiektów braku, jest uczucie, że nie ma dostatecznej ilości czasu, by zrobić to, co konieczne, aby osiągnąć sukces.

Głównym powodem, dla którego ludzie odczuwają brak czasu, jest to, że próbują wywrzeć zbyt wielki wpływ swoim działaniem. Jeśli jesteś nieświadomy potęgi zharmonizowania i dokonujesz niewielkiego, albo żadnego wysiłku, by znaleźć swoje osobiste zharmonizowanie – jeśli jesteś przeciążony lub rozgniewany, albo pełen niechęci lub złośliwości, a następnie z takiej emocjonalnej perspektywy podejmujesz działanie, by spróbować coś osiągnąć – z największym prawdopodobieństwem doświadczysz poważnego niedoboru czasu.

Po prostu nie istnieje na tym świecie dość możliwych działań, które mogłyby zrekompensować dysharmonię Energii, jednakże, gdy dbasz o to, jak się czujesz i zmierzasz w pierwszej kolejności do osiągnięcia wibracyjnej równowagi, wówczas doświadczysz czegoś, co odczujesz jako współpracę ze strony Wszechświata, który będzie wydawał się wszędzie otwierać przed tobą drzwi. Fizyczny *wysiłek* wymagany od kogoś, kto jest w stanie harmonii, jest ułamkiem tego, czego wymagałoby działanie osoby, która nie jest. *Rezultaty* doświadczane przez kogoś, kto jest w stanie harmonii, są kolosalne w porównaniu z rezultatami doświadczanymi przez tego, kto tej harmonii nie osiągnął.

*Jeśli odczuwasz brak czasu lub pieniędzy, najwartościowszym wysiłkiem z twojej strony byłoby skupienie się na myślach budzących lepsze samopoczucie, wykonanie długiej listy pozytywnych aspektów, szukanie powodów, by poczuć się dobrze oraz robienie więcej rzeczy, które sprawiają ci przyjemność. Poświęcenie czasu na to, by poczuć się lepiej, znalezienie pozytywnych aspektów, zestrojenie się z tym, **kim-jesteś-naprawdę**, przyniesie ci kolosalne rezultaty i pomoże zrównoważyć swój czas w bardziej efektywny sposób.*

Brak czasu nie jest twoim problemem. Brak pieniędzy nie jest twoim problemem. Brak Połączenia z Energią, która stwarza światy, jest sednem wszelkiego poczucia braku czy niedostatku, jakiego doświadczasz. Ta pustka i niedostatek mogą zostać wypełnione tylko jednym: Połączeniem ze Źródłem i zharmonizowaniem z tym, *kim-jesteś-naprawdę.*

Twój czas jest kwestią percepcji, a chociaż zegar tyka dla każdego tak samo, twoje zharmonizowanie wpływa na twoją percepcję, podobnie jak rezultaty, na jakie zezwalasz. Gdy odłożysz czas na bok, aby wyobrazić sobie życie, jakim chcesz, aby było, zyskujesz dostęp do mocy, do której nie masz dostępu, gdy koncentrujesz się na problemach w swoim życiu.

Gdy zaobserwujesz ogromne różnice w stopniu wysiłku podejmowanego przez różnych ludzi i w rezultatach, jakie osiągają, będziesz mógł stwierdzić, że jest więcej czynników wpływających na osiągnięcie celu, niż samo działanie. Różnica polega na tym, że niektórzy osiągają korzyść z wpływu zharmonizowania dzięki myślom, jakim się oddają.

Wyobraź sobie, że masz przebiec całą milę, a na tym odcinku znajduje się dwa tysiące bram, przez które musisz przebiec. Wyobraź sobie, żeby masz przebiec przez te bramy, oraz to, że musisz je otworzyć sam, żeby móc przez nie przebiec. Teraz wyobraź sobie, jak biegniesz przez całą milę, ale gdy zbliżasz się do każdej z bram, są one już dla ciebie otwarte, więc możesz kontynuować swój bieg, nie zwalniając już przy kolejnych przejściach.

Gdy jesteś w harmonii z Energią, która stwarza światy, nie musisz się już więcej zatrzymywać i otwierać drzwi. Twoje zestrojenie z Energią sprawia, że wszystko ustawia się dla ciebie w szeregu, a działanie, jakie podejmujesz, jest sposobem radowania się dobrodziejstwem zharmonizowania, jakie osiągnąłeś.

CZY POWINIENEM STARAĆ SIĘ PRACOWAĆ CIĘŻEJ?

Jesteś potężnym twórcą, który pojawił się w tym postępowym środowisku rozumiejąc, że będziesz tworzył dzięki potędze swojej myśli, poprzez świadome kierowanie swojej koncentracji ku temu, czego chcesz. Nie zamierzałeś polegać w tym tworzeniu na swoim działaniu.

Może to zająć trochę czasu, aby dostosować się do zrozumienia, iż tworzysz dzięki swoim myślom, a nie dzięki działaniu – ale nie możemy zawyżyć wartości myślenia i mówienia o rzeczach w taki sposób, w jaki chciałbyś, by się przedstawiały, zamiast tak, jak teraz wyglądają. *Z chwilą, gdy nie tylko zrozumiesz potęgę swojej myśli, ale świadomie skierujesz to potężne narzędzie ku rzeczom, których pragniesz, wówczas odkryjesz, że zjawisko działania w twoim życiu jest sposobem na to, by cieszyć się tym, co stworzyłeś swoją myślą.*

Gdy osiągniesz wibracyjne zharmonizowanie (co oznacza, że twoje myśli sprawiają ci przyjemność) i czujesz inspirację do działania, osiągnąłeś to, co najlepsze z obydwu tych światów. Odczujesz swoje działanie jako pozbawione wysiłku, będąc zestrojonym z wibracyjną częstotliwością Źródła, a następnie poczujesz inspirację do podjęcia działania. Rezultaty tego zawsze są satysfakcjonujące. Ale działanie, podjęte bez uprzedniego starania o wibracyjne zharmonizowanie, jest ciężką pracą, działaniem nieefektywnym, które z czasem, zaczyna męczyć, sprawiając coraz większą trudność.

Większość ludzi jest tak zajętych tym, co mają przed sobą do zrobienia, że brakuje im czasu na to, co naprawdę ważne. Wielu ludzi mówi nam, że są tak zajęci robieniem pieniędzy, że nie mają czasu na to, by się nimi cieszyć... Ponieważ, gdy polegasz na swoim działaniu, aby coś stworzyć, często jesteś zbyt zmęczony, aby cieszyć się swoją kreacją.

Pytanie: Moja praca jest przygodą i naprawdę się nią cieszę. Ale gdy wiąże pieniądze i zarobki z moją pracą, odczuwam napięcie, które sprawia, że radość się ulatnia. Czy one nie mogą iść razem w parze?

ABRAHAM: Jest to wspólny temat, o jakim słyszymy od twórczych ludzi zajmujących się muzyką lub sztuką, którą kochają, lecz gdy postanawiają uczynić tę rzecz, którą kochają, głównym źródłem swych dochodów, nie tylko często walczą, by zarobić dość pieniędzy, ale ich uprzednia radość również zostaje ograniczona.

Większość ludzi ma raczej negatywny stosunek do pieniędzy, po prostu dlatego, iż większość ludzi częściej mówi o tym, na co ich nie stać, albo o braku pieniędzy, jakich pragną, niż o *dobrodziejstwie* pieniędzy. Ponadto, większość ludzi spędza znacznie więcej czasu na myśleniu o tym, co właśnie dzieje się w ich doświadczeniu, aniżeli o tym, co woleliby, żeby się działo, a więc, choć tego nie chcą, większość ludzi myśli o pieniądzach w kategoriach braku.

Potem zaś, gdy połączysz ideę czegoś, co lubisz – swoją przygodę, muzykę, swoją sztukę – z czymś, z czym wiązałeś przez długi czas uczucie silnego braku (pieniądze), wówczas równowaga twoich myśli będzie zmierzała ku temu dominującemu uczuciu. *Nie ma lepszego sposobu na zarabianie pieniędzy, niż robienie to, co kochasz. Pieniądze mogą napływać do twego doświadczenia nieskończonymi drogami. To nie wybór zajęcia ogranicza napływ pieniędzy – a jedynie twoja postawa wobec pieniędzy.*

Oto, dlaczego powstaje nieustannie tak wiele nowych rynków i jest tak wielu ludzi, którzy stają się bardzo zamożni dzięki ideom, które do niedawna nie posiadały wcale realnych rynków zbytu. Jesteś twórcą swojej własnej rzeczywistości i jesteś twórcą własnych rynków zbytu dla twego przedsięwzięcia oraz własnego przypływu pieniędzy. *Nie możesz trafnie określić pewnych aktywów jako **trudnych** do osiągnięcia, a innych jako **łatwych**, ponieważ wszystko to, co jest w harmonii z tym, czego pragniesz, jest łatwe i napływa naturalnie, podczas gdy wszystkie rzeczy, które nie są w harmonii z tym, czego chcesz, sprawiają coraz większą trudność i coraz większy opór.*

Za każdym razem, gdy to, co robisz, odczuwasz jako walkę, musisz zrozumieć, że jakaś twoja myśl jest sprzeczna z twoim pragnieniem i wprowadza opór w to równanie. Opór jest spowodowany myśleniem o tym, czego nie chcesz i to właśnie powoduje twoje zmęczenie.

PRZYKŁAD „STAREJ" HISTORII O MOJEJ KARIERZE

Zawsze ciężko pracowałem w każdej pracy, jaką miałem, ale nigdy nie byłem doceniany. Wydaje się, że pracodawcy zawsze mnie wykorzystują, biorąc ode mnie wszystko, co mogą, a dając tak mało w zamian, na ile tylko mogą sobie pozwolić. Jestem zmęczony pracowaniem tak ciężko za tak niewiele. Zamierzam się także przestać wysilać, skoro nikt mnie nie zauważa. Wielu ludzi u mnie w pracy wie mniej, niż ja, pracuje mniej niż ja, a zarabiają więcej, niż ja. To po prostu niesprawiedliwe.

PRZYKŁAD „NOWEJ" HISTORII O MOJEJ KARIERZE

Wiem, że nie zawsze będę tutaj w tym samym miejscu, wykonując tę samą pracę. Lubię wiedzieć, że wszystko ciągle ewoluuje i jest mi przyjemnie przewidywać, w jakim kierunku zmierzam.

Chociaż jest wiele rzeczy, które mogłyby wyglądać lepiej w miejscu, w którym jestem, nie jest to w istocie problemem, ponieważ to „gdzie jestem" wciąż zmienia się na lepsze. Lubię wiedzieć, że gdy szukam najlepszych aspektów wokół siebie w miejscu, w którym jestem, te aspekty zaczynają dominować w moim doświadczeniu.

Wspaniale jest wiedzieć, że sprawy zawsze obracają się na moją korzyść i oczekuję na to dowodów... i widzę coraz więcej dowodów na to każdego dnia.

Nie ma właściwego lub niewłaściwego sposobu na opowiadanie twojej udoskonalonej historii. Może ona dotyczyć twoich przeszłych, teraźniejszych lub przyszłych doświadczeń. Jedynym ważnym kryterium jest to, abyś był świadomy swojej intencji opowiedzenia ulepszonej, budzącej lepsze samopoczucie wersji twojej historii. Opowiadając wiele krótkich, budzących dobre odczucia historii w ciągu dnia, zmienisz swój punkt przyciągania.

CZAS OPOWIEDZIEĆ NOWĄ HISTORIĘ

Moja stara historia o...

... rzeczach, które mają się źle.
... rzeczach, które nie są takie, jakbym chciał, albo jak sądzę, że być powinno.

... innych, którzy mnie zniechęcili.

... innych, którzy nie byli wobec mnie uczciwi.

... braku dostatecznej ilości pieniędzy.

... braku czasu.

... tym, jak sprawy mają się zazwyczaj.

... tym, jak się miały sprawy przez całe moje życie.

... tym, jak miały się ostatnio.

... niesprawiedliwości, jaką widzę w świecie.

... innych, którzy nie rozumieją.

... innych, którzy się nie starają.

... innych, którzy mogliby dać z siebie więcej, ale się nie przykładają.

... niezadowoleniu z mojego wyglądu.

... martwieniu się o moje zdrowie.

... ludziach, którzy wykorzystują innych.

... ludziach, którzy chcą mieć nade mną kontrolę.

Moja nowa historia jest o...

... pozytywnych aspektach obecnego przedmiotu mojej uwagi.

... tym, jak naprawdę chcę, żeby wszystko się układało.

... tym, jak dobrze się wszystko układa.

... tym, że w istocie *Prawo Przyciągania* wszystko organizuje.

... dobrobycie, która napływa obficie.

... tym, że czas jest kwestią percepcji i jest nieskończony.

... najlepszych rzeczach, jakie dostrzegam.

... moich ulubionych wspomnieniach.

... oczywistej ekspansji w moim życiu.

... zadziwiających, interesujących lub wspaniałych aspektach mojego świata.

... niewiarygodnej różnorodności, jaka mnie otacza.

... staraniach i efektywności tak wielu ludzi.

... potędze moich myśli.

... pozytywnych aspektach mojego ciała.

... trwałej bazie mojego ciała fizycznego.

... tym, że wszyscy tworzymy naszą własną rzeczywistość.

... mojej absolutnej wolności i mojej radosnej świadomości własnej wolności.

Każdy pojedynczy komponent tworzący twoje życiowe doświadczenie, jest przyciągany do ciebie dzięki odpowiedzi potężnego *Prawa Przyciągania* na twoje myśli i historię, jaką opowiadasz o swym życiu. Twoje pieniądze i finansowe aktywa; dobra kondycja twojego ciała, klarowność, giętkość, rozmiary i kształt; twoje środowisko pracy, to, jak jesteś traktowany, satysfakcja z pracy oraz nagrody – w istocie, samo szczęście w twoim życiowym doświadczeniu w ogóle – wszystko to dzieje się za sprawą historii, jaką opowiadasz. *Jeśli pozwolisz, aby twoją dominującą intencją było skorygowanie i udoskonalenie historii, jaką opowiadasz każdego dnia twego życia, jest naszą absolutną obietnicą, że twoje życie będzie coraz doskonalszą historią. Musi tak się stać dzięki potężnemu **Prawu Przyciągania!***

SKRYPT ABRAHAM NA ŻYWO

WARSZTAT
PRAWA PRZYCIĄGANIA

CZY TO JEST W WIBRACYJNEJ HARMONII?

Dzień dobry. Jest nam niezmiernie miło, że jesteście tutaj. To dobrze, że możemy się spotkać w celu współtworzenia, prawda? Wiecie już, czego chcecie? Naprawdę? No cóż, wierzymy, że wy wierzycie, że tak jest, do pewnego stopnia... Inaczej mówiąc, wiedza o tym, czego nie chcecie, pomaga wam się dowiedzieć, czego chcecie, czyż nie?

A więc pozwólcie, że tak to ujmiemy: Czy wierzycie, że jesteście Wibracyjnym Odpowiednikiem swoich pragnień? Naprawdę? Cóż, pozwólcie, że powiemy wam, jak możecie się przekonać, czy jesteście Wibracyjnym Odpowiednikiem swoich pragnień: doświadczacie ich. Gdy jesteście Wibracyjnym Odpowiednikiem tego, czego chcecie – doświadczacie tego. Gdy jesteście Wibracyjnym Odpowiednikiem dolarów, których pragnienie życie pomogło wam sprecyzować – wówczas je posiadacie, macie do nich dostęp... Napływają one i odpływają, napływają i odpływają, napływają i odpływają z waszego doświadczenia. Gdy jesteście Wibracyjnym Odpowiednikiem związku, jaki udoskonalacie dzięki doświadczeniu życia – doświadczacie go.

A więc było to podchwytliwe pytanie (nie miejcie nam za złe), ponieważ większość z naszych fizycznych przyjaciół naprawdę sądzi, że gdy pytamy: Czy wiecie, czego chcecie?, mówimy o tych rzeczach, które wciąż są po nieurzeczywistnionej stronie skali. Inaczej mówiąc: Wciąż tego chcę.

Pewna kobieta powiedziała nam pewnego dnia – gdy próbowaliśmy skłonić ją do skoncentrowania się na rzeczach pozytywnych i przedstawialiśmy listę pozytywnych rzeczy, o których mogłaby myśleć – „Och, Abraham, nie chcę ich; ja już je mam". A tym, co naprawdę miała na myśli, było: „Rzeczy, które chcę to te, które jeszcze się nie wydarzyły".

Chcemy pomóc wam w uświadomieniu sobie, że jeśli myślicie o rzeczach, których pragniecie, wychodząc z założenia, że jeszcze się nie zamanifestowały (że wciąż ich brakuje w waszym doświadczeniu; że wciąż są nieobecne w waszym życiu, a co ważniejsze, że odczuwacie w związku z nimi negatywne emocje, jak frustracja, bo tak długo się nie pojawiły, albo rozczarowanie, że się wam wymknęły, podczas gdy ktoś inny ich doświadcza), wówczas jest to naprawdę istotną wskazówką wibracyjnej częstotliwości, jaką regularnie emitujecie (moglibyście nazwać to chroniczną wibracyjną emisją, która jest właśnie istotą wszelkich przeświadczeń czy przekonań); wtedy utrzymujecie je w zawieszeniu, gdzie odległość między tym, gdzie wy się znajdujecie a tym, gdzie one się znajdują, wcale się nie zmniejsza. Innymi słowy, oto powód, dlaczego tak wielu ludzi żyje tak długo w tych samych, nie zmieniających się okolicznościach.

Znacie zapewne takich ludzi – mają nieudane związki i skarżą się na to przy każdym spotkaniu, a potem związek się kończy, bo mieli już dość, więc zamykają drzwi... Potem zaś pierwsze, o czym słyszycie, to nowy związek, a potem słyszycie, że i na ten narzekają, czyż nie?

A jeśli macie jakiekolwiek wspomnienie, jeśli w ogóle zwracacie na nich uwagę (a może to o was właśnie mówimy), wówczas możecie dostrzegać, że różne twarze, różne miejsca przepływają przez ich doświadczenie, jednak niewiele się zmienia. To tak, jakby wciąż brali ślub z tą samą osobą. (Śmiech) Wciąż chodzą na randki z tą samą osobą. Wciąż poruszają się w tym samym sąsiedztwie, z tymi samymi sąsiadami, żyjąc w tych samych domach z tymi samymi problemami. Jerry mówi do Esther: „Wciąż ta sama historia z podłogą, prawda?", gdy projekt za projektem – przeprowadzka po przeprowadzce, był problem z podłogą.

Na to Esther mówi: „Ja przywiązuję dużą wagę do podłóg". A Jerry na to: „To oczywiste. Gdybyś o nich w ogóle nie myślała, moglibyśmy mieć doskonałą podłogę". (Śmiech)

Macie takie schematy myślowe, a Prawo Przyciągania pomaga wam podtrzymać wzorzec, czy przekonanie, jakie macie. (Przekonanie jest po prostu myślą, którą ustawicznie powielacie). I tak, wcześnie w waszym doświadczeniu, poprzez wasz kontakt z życiem, zaczęliście rozwijać pewien schemat myślowy. Czasami to inni was tego starannie uczyli. Czasami pojawiało się wskutek tego, co zaobserwowaliście, a potem to omawialiście i znowu wspominaliście – a potem znowu to przyciągnęliście... A potem omawialiście to i znowu wspominaliście – i znowu to przyciągnęliście.

Inaczej mówiąc, życie tutaj jest bardzo interesujące, prawda? Nie możesz mówić o czymś przez bardzo długi czas tak, by nie zaczęło się to powielać w twym doświadczeniu. I to jest właśnie to, co sprawia, że rozwijacie swoje wzorce, które potem zwiecie prawdami. Mówicie: „Na początku nie byłem pewny, ale myślałem o tym przez chwilę. A gdy raz poświęciłem temu uwagę, zacząłem wszędzie na to dostrzegać dowody. I teraz w to wierzę. A teraz, gdy w to wierzę, manifestuje się to w moim doświadczeniu".

Zaś my mówimy, to naprawdę wspaniałe, czyż nie?... Jeśli tego właśnie chcecie. Ale jeśli powtarzacie schematy myślowe w odniesieniu do rzeczy, których nie chcecie – a w waszym środowisku, och, jesteście w tym bardzo, bardzo dobrzy – to posiadacie ten rodzaj teorii Świadomości Zbiorowej, która brzmi mniej więcej tak: jeśli nie będziemy bić w bęben naszej historii, to z pewnością powtórzymy ją od nowa.

A my mówimy, że prawda jest wręcz odwrotna: Im bardziej bijecie w bęben czegokolwiek, tym bardziej aktywujecie esencję tego czegoś w swojej wibracji. Im bardziej jest to aktywne w waszej wibracji, to tym bardziej zaczyna odpowiadać temu *Prawo Przyciągania* poprzez rzeczy na jego podobieństwo. A im bardziej *Prawo Przyciągania* odpowiada wam rzeczami podobnymi do tego, tym więcej tego dostrzegacie. A im więcej tego dostrzegacie, tym więcej o tym mówicie. Im więcej o tym mówicie i im więcej tego dostrzegacie, tym mocniej bijecie w bęben tej rzeczy, a tym samym, tym więcej wibracji tego emitujecie.

Im więcej wibracji danej rzeczy oferujecie, tym więcej jej odpowiedników zapewnia wam *Prawo Przyciągania*. Im więcej odpowiedników zapewnia wam *Prawo Przyciągania*, tym więcej tego doświadczacie, tym więcej o tym mówicie, tym mocniej bijąc w bęben tego, tym większą oferując wibrację tej rzeczy... Im więcej wibracji tego oferujecie, tym bardziej dopasowuje się do tego *Prawo Przyciągania*, dostarczając to znowu. Im bardziej dopasowuje się do tego *Prawo Przyciągania*, tym więcej tego dostrzegacie. Im więcej tego dostrzegacie, tym więcej o tym mówicie. Im więcej o tym mówicie, tym więcej wibracji tego emitujecie. Im więcej wibracji emitujecie, tym bardziej dopasowuje się do tego *Prawo Przyciągania*. Im bardziej odpowiada *Prawo Przyciągania*... Moglibyśmy kontynuować w nieskończoność. (Śmiech) Wasze życiowe doświadczenie wam to ukazuje: Po prostu nie możecie wciąż opowiadać tej samej historii bez doświadczania jej nieustannie i przeżywania wciąż tych samych okoliczności.

A więc nazwiemy to spotkanie Sztuką Opowiadania Innej Historii. Sztuką Opowiadania Innej Historii, czyli takiej, jaką życie pomogło wam wyrzeźbić w trakcie waszego rozwoju, ale opowiadając ją waszymi własnymi słowami, według waszych spostrzeżeń, waszych oczekiwań, z waszą wibracją. Teraz, gdy *Prawo Przyciągania* odpowie na waszą świadomą, celowo wybraną myśl, będziecie otrzymywali to, czego chcecie, a nie to, co dotąd po prostu dostrzegaliście.

JESTEŚCIE WIBRUJĄCYM ŹRÓDŁEM ENERGII

Słuchanie wielu naszych ludzkich przyjaciół jest bardzo interesujące, gdy wyjaśniają nam, że mówią o czymś dlatego, że jest to „prawdą". Zaś my odpowiadamy, że jest to naprawdę słabą wymówką, ponieważ tak wiele rzeczy jest prawdą. Prawda oznacza jedynie, że ktoś obdarzył to uwagą, zaoferował wibrację tej rzeczy, a następnie *Prawo Przyciągania* mu to dostarczyło. A ponieważ *Prawo Przyciągania* mu to dostarczyło, mógł to zaobserwować. A gdy to zaobserwował, zaoferował wibrację – och, opowiedzieliśmy już wam tę historię. (Śmiech) Jedynym powodem, dla którego cokolwiek jest prawdą w czyimś doświadczeniu jest to, że w jakiś sposób, zaczął emitować wibrację tej rzeczy.

Jesteście twórcami swego własnego doświadczenia życia, niezależnie od tego, czy wiecie o tym, czy nie – a więc możecie również dobrze robić to celowo. Nie możecie wyłączyć swojej wibracji. Zawsze emitujecie wibrację, a *Prawo Przyciągania* zawsze odpowiada na waszą wibrację, tak więc możecie równie dobrze czynić to świadomie.

Wielu ludzi mówi: „Cóż, jestem. Emituję to świadomie, ponieważ jestem tak świadomy tych rzeczy, których nie chcę i z uporem upewniam się, że te niechciane rzeczy nie przychodzą do mego doświadczenia. A pozwólcie mi wygłosić listę rzeczy, których nie chcę, abyście też mogli się upewnić, że żadna z nich nie może nigdy do mnie przyjść. To naprawdę długa lista. Zbierałem to wszystko przez całe życie i jestem w tym naprawdę dobry. (Śmiech) I mogę wam ją świetnie przedstawić. Mogę was rozśmieszyć, powtarzając problemy mojego życiowego doświadczenia. Zabawiałem tym ludzi przez lata. (Śmiech) A więc, po prostu usiądźcie wygodnie i cieszcie się moim wyjaśnieniem, dlaczego moje życie nie toczy się tak, jak chcę. A skoro raz powtórzyłem tę historię od nowa (robiłem to tysiące razy) – skoro raz powtórzyłem tę historię od nowa – zamierzam prosić *Prawo Przyciągania*, by usłyszało mnie jasno i dało mi dokładnie jej przeciwieństwo".

A my mówimy: *Prawo Przyciągania* jest tak uczciwym przyjacielem. *Prawo Przyciągania* zawsze tworzy replikę waszej wibracji. Chcemy, byście pamiętali, że wasza wibracja – wasza wibracyjna równowaga, wasze wibracyjne oblicze, wasz punkt przyciągania, to, co się do was dopasowuje – jest zawsze wam najlepiej znane dzięki temu, co odczuwacie.

To, co odczuwacie, jest wskaźnikiem twojej wibracyjnej równowagi. Oto, dlaczego: Jesteście Energią Źródła w ciele fizycznym i wielu z was o tym wie. Mówicie o Bogu, mówicie o Źródle, mówicie o Duszy, mówicie o niebie i aniołach; próbujecie ogarnąć myślami ideę Wieczności tego, *kim-jesteście-naprawdę*. Wielu z was wierzyło, na długo przed spotkaniem z nami, że istniało życie przed tym ciałem (i macie nadzieję, że będzie życie po tym ciele). A my chcemy wam powiedzieć, że większość tego, co myślicie na ten temat, jest naprawdę niedorzeczna. (Śmiech)

Chcemy, byście zrozumieli, że każdy z was jest Wieczną Istotą. Nie jesteście ani żywi, ani martwi. Nie jesteście z początku aniołami, a potem śmiertelnikami. Nie jesteście ze Źródłem tam, a potem tutaj bez Źródła. Jesteście zawsze Energią Źródła; jesteście nade wszystko wibracją, a ta fizyczna Istota, którą znacie jako siebie i wszelkie fizyczne pułapki, jakie was otaczają, są interpretacjami wibracji, którą ukształtowaliście w ten wspaniały świat, jaki przeżywacie.

Jesteście tu, skupieni w swych fizycznych ciałach, w czasach Awangardy myśli. I jest to wspaniałe, że jesteście tutaj. Ale tak bardzo chcielibyśmy, abyście sobie uświadomili, że nie całość was weszła do tego ciała fizycznego. I nie mamy na myśli całości w sensie masy, mamy na myśli całość jako Was samych. Większa część was zawse będzie stabilną, Nie-Fizyczną, Czystą, Pozytywną Energią Siły Boga, Źródła, Miłości. To jest to, *kim-jesteście-naprawdę*, zaś część tej Świadomości jest projektowana tutaj, w tym ciele fizycznym.

Tak, jak całość tego, *kim-jesteście-naprawdę* w tym ciele fizycznym nie uczestniczy dziś tutaj, w tych warsztatach – jesteście wciąż matką lub ojcem, albo siostrą czy bratem, albo sportowcem czy księgową – jest wiele aspektów w waszego życia, które nie biorą udziału tu i teraz, gdy jesteście tu skupieni z nami. Tak więc chcemy, abyście zrozumieli, że w szerszym znaczeniu tego słowa, większa część was jest skupiona w wymiarze Nie-Fizycznym i doświadcza dobrodziejstwa tego, co zapewniacie dzięki istnieniu tutaj, w tym ciele fizycznym.

WSZYSTKO BYŁO WIBRACYJNĄ MYŚLĄ

Czy pojmujecie, że byliście Energią Źródła, zanim pojawiliście się w tym ciele fizycznym?

I czy podążacie za naszą myślą, że ta część was, będąca Energią Źródła, wciąż przebywa w wymiarze Nie-Fizycznym? To tak, jak elektryczność przechodziła przez ściany budynku, do której podłączacie toster i pieczecie tosty. I ktoś powiedziałby: „Dlaczego elektryczność nie miałaby być tosterem?". A my odpowiadamy: bo elektryczność jest elektrycznością, a toster jest tosterem. Część was, będąca Energią Źródła, jest właśnie częścią was, będącą Energią Źródła – fizyczna część was jest „tosterem". Ale wszystko to działa wspólnie, ponieważ tu, w swojej formie fizycznej, zgłębiacie świat. Jesteście właśnie tutaj, w Awangardzie myśli. Przybywacie do tej Postępowej konkluzji, do której Źródło w was mówi: „Zgadzamy się i staliśmy się tego wibracyjnym odpowiednikiem".

Będziecie musieli stanąć z boku dostatecznie daleko, by pojąć to, co my wiemy o kreacji wszystkiego – o stworzeniu waszej planety, o stworzeniu tego, co nazywacie życiem na planecie Ziemia – ale chcemy, byście wiedzieli, że wszystko będące manifestacją (odpukać, ten fizyczny materiał, który rozróżniacie swymi fizycznymi zmysłami)... każda część tego wszystkiego była pierwotnie wibracją. Wszystko jest pierwotnie myślą, potem staje się wibracyjną myślą, czyli myślą trwającą dłużej, aż w końcu, z czasem, wraz z odpowiednią dozą uwagi, przyjmuje formę i kształt.

Jesteście tak pewni rzeczywistości, w której żyjecie, rozróżniając i zgadzając się ze sobą nawzajem, co do wielu szczegółów waszego otoczenia. Przepowiedzieliście sobie swoją czasoprzestrzeń tak, że się co do niej zgadzacie. Mówicie: „Widzimy ten pokój – mierzymy go i dochodzimy do porozumienia, co do tego, jakie ma rozmiary. Wiemy, co to metry kwadratowe. Znamy się na miarach. Wiemy, co znaczy odległość. Zgadzamy się, co do kolorów, przynajmniej większość z nas. Zgadzamy się, co do tak wielu rzeczy, gdyż używamy naszych fizycznych zmysłów, aby rozszyfrować wibrację".

Zaś tym, wokół czego chcielibyśmy, abyście skupili swoje myśli (wiemy, że nie jest to łatwe, bo rzeczywistość waszego fizycznego środowiska wydaje się być tak stała i niezmienna, tak statyczna i aż tak realna) jest: Wszystko to jest wibracją, w ciągłym ruchu i wszystko to jest interpretowane przez waszą percepcję.

To, co postrzegacie wzrokiem jest jedynie wibracyjną interpretacją. To, co słyszycie za pośrednictwem swych uszu – a także zapachy, smaki oraz dotyk odczuwany pod waszymi palcami – są to interpretacje wibracji. A ponieważ robicie to od tak dawna i zgadzaliście się co do tego z tak wieloma osobami, posiadacie tę statyczną rzeczywistość, będącą tą wspaniałą platformą, na której tak stabilnie stoicie. I chcemy, byście zrozumieli, iż ta rzeczywistość, która według was jest tak stała i solidna, nie jest wcale statyczna – ona nieustannie się zmienia. Zmienia się i staje się, i przekształca do tego stopnia, na jaki wy, w swojej fizyczności, jej pozwolicie.

Chcielibyśmy, abyście ujrzeli przez chwilę, jak wygląda wasz świat widziany oczyma Źródła. Ponieważ, gdy zaczniecie widzieć swój świat takim, jakim widzi go Źródło, wówczas zaczniecie się bawić, nadstawiać drugi policzek, wycofywać uwagę z tych aspektów swojej planety i życia na tej planecie, których nie chcecie powielać, ani powtarzać, ani uczyć swoich dzieci... Zamiast tego, zwrócilibyście uwagę ku tym aspektom, jakie chcecie utrzymywać w swej wibracji i na które chcecie, by odpowiedziało *Prawo Przyciągania.*

Nie musicie się martwić o odpowiedź *Prawa Przyciągania.* Jest zawsze gotowa. *Prawo Przyciągania* jest zawsze włączone. Co oznacza, że odpowiada ono zawsze na wszystko, cokolwiek wibracyjnie emitujecie. Ale rzeczą, której większość z was sobie nie uświadamia, jest to, że istnieją dwa aspekty was samych, na które odpowiada *Prawo Przyciągania:* Istnieje Nie-Fizyczna część każdego z was, która jest, jak wyjaśniamy, zawsze skoncentrowana w wymiarze Nie-Fizycznym (a czy możecie sobie wyobrazić, jak długo to trwa?). Następnie istnieje też druga część każdego z was, fizyczne ja, które trwa tak długo, jak wasze fizyczne istnienie, czyli znacznie krócej.

A więc, istnieją dwie części u każdego z was, na które odpowiada *Prawo Przyciągania.* A my chcemy, byście zrozumieli, że ta większa część każdego z was jest częścią dominującą, ponieważ *Prawo Przyciągania* odpowiada nie tylko na to, kim byliście przed narodzeniem (posłuchajcie uważnie), ale na to, *kim-jesteście-naprawdę* w wyniku istnienia tu w tym fizycznym ciele. Czy możecie pojąć, że za sprawą waszego doświadczenia życia, większa część każdego z was rozwija się w nieustannym stawaniu się? Czy wiecie, że właśnie z tego powodu pojawiliście się tutaj na początku?

Ludzkie istoty snują opowieść, która jest tak irracjonalna, a brzmi mniej więcej tak: „A więc Źródło jest doskonałe, a ja zostałem zesłany tutaj, aby dojść do tego, jak stać się doskonałym. A Źródło zesłało mi Prawa, abym je poznał i ja je poznam, i będę wytrwały, i sięgnę po doskonałość, jaką osiągnęło Źródło". My zaś chcielibyśmy, byście zrozumieli, iż to Źródło, o którym mówicie, istnieje zawsze w was samych. Nie możecie od niego odejść. Możecie się od niego całkiem wyraźnie odciąć, ale Źródło, które jest w was, jest zawsze wewnątrz was; i możecie to rozpoznać po tym, jak się czujecie, do jakiego stopnia wasze myśli, w danym momencie, przyzwalają na pełnię Źródła – albo nie.

Gdy czujecie miłość do siebie lub drugiego, jesteście doskonałym Wibracyjnym Odpowiednikiem Źródła wewnątrz was. Gdy odczuwacie nienawiść, albo gniew ku drugiemu, albo ku sobie, znajdujecie się zdecydowanie daleko od Wibracyjnego Odpowiednika swego Źródła – zaś wibracyjna rozbieżność pomiędzy tym, kim pozwalacie sobie być a tym, *kim-jesteście-naprawdę*, jest wam sygnalizowana przez negatywną emocję. Negatywna emocja, bez względu na to, do jakiego stopnia jej doświadczacie, zawsze równa jest temu, do jakiego stopnia odcinacie się od pełni tego, *kim-jesteście-naprawdę*.

Gdy pozwalacie sobie, w swej formie fizycznej, podążać za rakietą pragnienia, z którą podąża Źródło wewnątrz was, czujecie pasję, czujecie entuzjazm, czujecie miłość, czujecie pewność, czujecie się elastyczni i pełni witalności, jesteście pełni energii... Jesteście zakochani w życiu – oto, *kim-jesteście-naprawdę*. A gdy odczuwacie frustrację, gdy odczuwacie przytłoczenie, gdy odczuwacie złość albo większy gniew, gdy odczuwacie furię lub rozczarowanie, gdy odczuwacie strach, albo depresję, odcinacie się coraz bardziej i bardziej, i jeszcze bardziej od tego, *kim-jesteście-naprawdę*.

Tak więc, chcemy, abyście zrozumieli, że emocje, które odczuwacie (w każdej chwili, w jakiej je odczuwacie, czy odczuwacie je jako miłość, czy jako rozpacz) – emocja, którą odczuwacie, jest zawsze, za każdym razem, waszym wskaźnikiem wibracyjnego związku pomiędzy tym, kim za sprawą życia się staliście a tym, kim pozwalacie sobie być, właśnie tutaj, w tej chwili, dzięki temu, cokolwiek darzycie uwagą.

Mówcie o Przewodnictwie chwila za chwilą, segment po segmencie! Mówcie o wiecznym zwróceniu ku temu, *kim-jesteście-naprawdę* i o tym, czego naprawdę chcecie i dokąd naprawdę chcecie pójść. Inaczej mówiąc, jest to wyrafinowane Przewodnictwo, które będzie z wami zawsze od chwili, gdy raz nauczycie się je odczytywać.

Systemy nawigacyjne w waszych pojazdach działają podobnie. Wiedzą, gdzie się znajdujecie, wy programujecie je na zamierzony kierunek, system zaś oblicza drogę pomiędzy miejscem, w którym jesteście a miejscem, do którego zamierzacie dotrzeć – i wasz *System Przewodnictwa* działa w ten sam sposób.

Oto jesteście tutaj, być może nie posiadając dostatecznych finansowych zasobów, albo utrzymując związki, które wydają się okropne, albo też będąc w stanie zdrowia, który was niepokoi. Oto wy, w tym doświadczeniu kontrastu, wysyłający rakietę pragnień, nieustannie, dla udoskonalonego doświadczenia – tym razem jest ich więcej, niż kiedykolwiek wcześniej, ponieważ wiedza o tym, czego nie chcecie, pomaga wam jasno określić to, czego chcecie. A Źródło w was nie tylko płynie w tych rakietach, lecz staje się wibracyjnym odpowiednikiem waszego nowego i poszerzonego ja.

A więc, pytanie, jakie chcemy wam zadać, brzmi: Czy, właśnie teraz – dzięki temu, co myślicie i mówicie – pozwalacie sobie być naprawdę sobą? Czy jesteście sobą takimi, jakimi staliście się dzięki swojemu życiu? A jeśli tak, to jesteście zestrojeni, zharmonizowani, włączeni – i czujecie się wspaniale. Jeśli tak, to pozwalacie sobie być rozszerzoną, większą wersją siebie samych. Wówczas widzicie świat oczyma Źródła.

Jeśli odczuwacie negatywną emocję, oznacza to, że coś przykuło waszą uwagę i jest to z pewnością ważne. Inaczej mówiąc, wiemy, że tego nie wymyślacie, obserwujecie to. Nie próbujecie się utrzymywać celowo z dala od tego, *kim-jesteście-naprawdę*, jednak za każdym razem, gdy odczuwacie negatywną emocję, właśnie to czynicie: utrzymujecie się z dala od tego, *kim-jeste-ście*.

PRZEŻYWANIE WIBRACYJNEJ HARMONII?

Chcemy wam pokazać, jak rozpoznać swój własny *System Przewodnictwa* i jak go używać bardziej efektywnie, chwila za chwilą.

Chcemy, abyście opuścili to nasze spotkanie z nowo odkrytym zrozumieniem, że to, co czujecie, jest ważne, ponieważ to, co czujecie jest dla was wskazówką waszego zharmonizowania lub dysharmonii wobec tego, *kim-jesteście* – z waszym przyzwalaniem na obecność pełni tego, *kim-jesteście* w tym momencie, lub też oporem wobec obecności tego, *kim-jesteście* w tym momencie.

Wiele fizycznych Istot przemierza życie jako zaledwie blade cienie tego, *kim-są-naprawdę*. Matki krzyczą w gniewie na swoje dzieci, podczas gdy nie ma nikogo na tej planecie, kogo chciałyby kochać bardziej – pozbawione kontroli, nie wiedząc, jak utrzymać się w wibracji miłości, ponieważ ich odpowiedzi na życie są odruchowe. Chcielibyśmy, żebyście zaczęli używać tego kontrastu w bardziej celowy, świadomy, zrozumiały sposób.

Chcemy, abyście zrozumieli, z czego składa się życie. Gdy zrozumiecie, *kim-jesteście-naprawdę*, gdy zrozumiecie, jak odczuwacie to, *kim-jesteście-naprawdę* i gdy zaczniecie dostrajać się do tego uczucia, staniecie się Wibracyjnym Odpowiednikiem tego, *kim-jesteście-naprawdę*. A gdy będziecie tak dostrojeni, zharmonizowani, włączeni – gdy będziecie emitować wibrację pochodzącą z samego rdzenia waszego Bytu – potęga waszego wpływu będzie tak ogromna, że inni, którzy was obserwują, będą zdumieni pewnością i mocą, z jaką kroczycie przez życie. Gdy jesteście Wibracyjnym Odpowiednikiem tego, *kim-jesteście-naprawdę*, *Prawo Przyciągania* przynosi wam i otacza was stałym strumieniem potężnych, radosnych sposobności, okazji i możliwości, które was prowadzą, segment po segmencie, ku wiecznie ewoluującemu, zawsze rozwijającemu się, radosnemu doświadczeniu życia.

Nie chodzi tu o wiedzę, czego nie chcecie, abyście mogli się dowiedzieć, czego chcecie, a potem wykoncypować, jak dostać się do tego miejsca, którego pragniecie. Nie mówimy o garstce – ani tuzinie, ani setce, ani nawet tysiącu – rzeczy, których właśnie chcecie. Ten warsztat nie dotyczy tego, jak macie się dostać do tych rzeczy. Ten warsztat ma wam pomóc w przeorientowaniu waszego rozumienia tego, dlaczego jesteście tutaj, mając do dyspozycji to właśnie ciało.

Nie przyszliście tu po to, by „tego dokonać". Nie przyszliście tu po to, by określić rzeczy, których pragniecie, aby potem wyruszać po ich manifestacje, bo ich manifestacja jest lepsza od jej braku. Przyszliście, aby określić to, czego chcecie, abyście mogli podążać ku temu, czego chcecie tak, aby cieszyć się Strumieniem Życia, który jest Wieczny i niezmienny. Chcecie być w przepływie tego, *kim-jesteście*, nie opierając się jego Nurtowi.

Prawo Przyciągania i jego odpowiedź na wasze potężne ja, którym się staliście, tworzy Nurt, który odczuwacie jako rzekę lub strumień, poruszający się zawsze w kierunku tego, czym dzięki życiu się staliście. I gdy pozwalacie sobie płynąć wraz z tym nurtem, odczuwacie emocje określane przez was jako pozytywne. Jednakże, kiedy zwracacie się w górę strumienia*, w opozycji do tego nurtu, czujecie to w swoim ciele; odczuwacie to każdą cząstką swej Istoty. Odczuwacie to, ponieważ nie pozwalacie sobie być tym, *kim-jesteście*, a ta przeciwstawność w Energii, jest rozdzierająca. Czyni was ona nieszczęśliwymi. Wprowadza chaos w waszym ciele. Do pewnego stopnia rujnuje wam życie. Powstrzymuje was od bycia tym, *kim-jesteście*.

---

* od tłumacza: ang. upstream, termin przewijający się w *Naukach Abrahama*, szerzej wyjaśniony w książce *Potęga twoich emocji*, Studio Astropsychologii 2008.

Oczywiście, gdy się przekręcicie, wszystko się kończy. Ponieważ, gdy się przekręcicie (kochamy to pozbawione respektu określenie... Skoro śmierć nie istnieje, próbujemy wyrazić, na tyle, na ile to możliwe, brak szacunku dla tej waszej idei) – gdy następuje to, co zwiecie doświadczeniem śmierci (waszym doświadczeniem przekręcenia się) – przestajecie bić w bęben tego wszystkiego, czym martwiliście się w swym ciele fizycznym, a wibracja tego, *kim-jesteście*, staje się dominująca.

Dzięki jednemu definitywnemu upadkowi, zostajecie wreszcie Istotą, którą staliście się dzięki wszystkiemu, co przeżyliście. Ale chcemy podkreślić, iż nie musicie wyciągać kopyt, aby to nastąpiło. Możecie pozostać właśnie tu, w tym ciele fizycznym i możecie – chwila za chwilą, dzień po dniu – poprzez dbanie o to, co odczuwacie, zestroić się z tym, *kim-jesteście-naprawdę*, a wtedy zaczniecie rozumieć, jak wspaniałe jest to uczucie i jak wspaniałe miało być dla was życie. Życie ma oznaczać dobre samopoczucie.

Jerry i Esther mieli poprzedniego lata cudowne doświadczenie: wyruszyli na spływ tratwami po wzburzonej rzece. I gdy popłynęli tratwą w dół rzeki... (było ich wielu: sześcioro płynących razem z nimi w łodzi oraz wielu innych – całe tuziny studentów ze szkoły wyższej – na innych tratwach). Był to nadzwyczajny dzień wzajemnego chlapania, którego studenci nie rozpoczęli; zaczęli przyjaciele Jerry'ego oraz Esther... ale gdy raz zaczęli, dzień okazał się bardzo mokrym dniem.)... Gdy dotarli do krawędzi rzeki, żaden z nich, ani jedno z nich, nawet nie brało pod uwagę zawrócenia tratwy w górę rzeki, by płynąć pod prąd. Było absolutnie oczywiste, żeby tak szybko płynąca rzeka poradziłaby sobie z nimi bez trudu.

A niemal pierwszą rzeczą, jaką powiedział przewoźnik na rzece, było: „Ludzie, to nie jest Disneyland, więc nie możemy odwrócić biegu tej rzeki". Chciał, by uświadomili sobie potęgę tej rzeki. I my chcemy powiedzieć wam dokładnie to samo: Chcemy, byście uświadomili sobie potęgę tej rzeki oraz fakt, że nie możemy odwrócić jej kierunku. Puściliście swoją rzekę w ruch na długo przedtem, zanim weszliście do tego fizycznego ciała. A ta rzeka porusza się bardzo szybko, odkąd znaleźliście się w tym ciele fizycznym. I za każdym razem, gdy wiecie, czego nie chcecie, sprawiacie, że owa rzeka zaczyna płynąć nieco szybciej, gdyż oferuje rakietę pragnienia, co do tego, czego chcecie.

Przyczyną tego, że rzeka zaczyna płynąć coraz szybciej, jest to, że za każdym razem, gdy określacie, na jakimkolwiek poziomie waszego Bytu, swoją preferencję czy pragnienie, co do tego, jak życie mogłoby stać się dla was lepsze, Nie-Fizyczna część was obejmuje tę myśl tak całkowicie i utrzymuje ją tak niepodzielnie, że staje się jej absolutnym, wibracyjnym oferentem. A wówczas, gdy potężne *Prawo Przyciągania* odpowiada na te wciąż wzrastającą, coraz mocniejszą wibrację, jaką puszczasz w ruch, pojawia się potężne uczucie ssania, które ciągnie ciebie w tym kierunku. (Czy chwytacie sens tego?)

Próbujemy wam pomóc w zrozumieniu, jak szybki jest nurt tej rzeki i jak ważne jest, abyście pozwolili sobie płynąć wraz z nim. Gdy pozwalacie sobie poruszać się zgodnie z kierunkiem tego, kim się staliście, odczuwacie łatwość i swobodę podążania z nurtem. Gdy zaś zawracacie w przeciwnym kierunku, czujecie dyskomfort* niepozwalania sobie na poruszanie się zgodnie z nurtem. I każda emocja, jaką wówczas odczuwacie, jest właśnie związana z tym dyskomfortem.

Jeżeli odczuwacie negatywną emocję, za każdym razem oznacza ona: Życie sprawiło, że stałeś się kimś więcej, niż pozwala ci ta myśl, to działanie, czy to słowo. Inaczej mówiąc, „Życie pomogło mi zrozumieć, że chcę mieć więcej pieniędzy – a część mnie, będąca Energią Źródła stała się już bardziej prosperującą Istotą".

---

* W oryginale ang. użyto słowa dis-ease, antonimu swobody i łatwości; jest to jednocześnie umyślna parafraza słowa disease oznaczającego dosłownie chorobę, a tym samym jej wibracyjne wyjaśnienie wg Nauk Abrahama – od tłumacza.

Czy potraficie sobie wyobrazić (my to wiemy), jak wielka obfitość zgromadzona jest dla was w Wibracyjnym Depozycie? Są tam prawdziwe fortuny, przyzywające was do siebie. I tak, jest tam cała obfitość i cały dobrobyt, jaki kiedykolwiek uruchomiliście, we wszystkich swych żywotach. I oto wy, mówiący często: „Nie mam dość pieniędzy" – i co ważniejsze, odczuwający jednocześnie rozczarowanie, że nie macie dość pieniędzy.

„Nie mam dość pieniędzy. Nie mam dość pieniędzy. Chciałbym to kupić, lecz mnie na to nie stać. Och, gdybym mógł to kupić, lecz mnie na to nie stać. Jestem taki zmęczony pragnieniem rzeczy, których nie mogę mieć. Jestem taki zmęczony nie posiadaniem dostatecznej ilości pieniędzy. Nie mam dość pieniędzy. Nie mam dość pieniędzy. Nie mam dość pieniędzy. Nie mam dość pieniędzy. Nie mam dość pieniędzy. Nie mam dość pieniędzy. O ile ktokolwiek, kogo znam, posiada dość pieniędzy. (Śmiech) O ile ktokolwiek, kogo znam, posiada dość pieniędzy. Nie znam nikogo, kto by miał dość pieniędzy. Nikt nie ma dość pieniędzy. Nikt nie ma dość pieniędzy. Nikt nie ma dość pieniędzy. Ten bogaty gnojek stamtąd, on ma mnóstwo pieniędzy. (Śmiech) Tamten bogaty gnojek ma mnóstwo pieniędzy – o wiele więcej, niż wynosi jego dola. Trwoni je i marnuje na niepotrzebne rzeczy. Czy nie wiesz, że ludzie głodują?! (Śmiech) Nie mam dość pieniędzy. Nie mam dość pieniędzy. Nie mam dość pieniędzy. On pewnie sprzedaje narkotyki. (Śmiech) Nie mam dość pieniędzy. Nie mam dość pieniędzy. Nie mam dość pieniędzy. Nie mam dość pieniędzy. Nie mam dość pieniędzy.

A my chcemy, byście zrozumieli, że nie możecie odczuwać w ten sposób i jednocześnie pozwalać na napływ pieniędzy. Po prostu nie możecie. Wibracyjne częstotliwości jednego i drugiego są nazbyt rozbieżne.

Wasze rozczarowanie jest dla was wskazówką, że nie wpuszczacie pieniędzy do swego doświadczenia – i brak wpływających pieniędzy jest także tego wskazówką. Innymi słowy, otrzymujecie emocjonalne wskazówki, co do tego, jak wam idzie, a potem pojawia się mądrość po szkodzie, tak? Chcemy, byście zrozumieli, że cokolwiek przeżywacie, jest to dla was wskazówka, jak sobie radzicie na poziomie wibracji. A nawet więcej... Och, chcielibyśmy, żebyście tego posłuchali. Zostaniemy tu tak długo, aż to pojmiecie. (Śmiech) Zajmie to tylko minutę. To, co przeżywacie, jest wskazówką, co wibracyjnie emitujecie. I jak teraz brzmi dla was to zdanie? Czy brzmi, jak coś ważnego? To, co przeżywacie, jest wskaźnikiem waszej wibracji – brzmi to, jak coś ważnego, choć nie chcemy, by wydawało się tak ważne z takiego oto powodu: Jest to jedynie wskaźnikiem wibracji.

„Moje konto bankowe jest wskaźnikiem mojej wibracji. Nienawidzę tego, co jest na moim koncie. Jest tam tak niewiele. Dlaczego moje konto bankowe nie rośnie? Dlaczego nie rośnie? Dlaczego nie rośnie? Dlaczego nie rośnie? Dlaczego nie rośnie? Dlaczego nie rośnie? Dlaczego nie rośnie? Dlaczego nie rośnie?". Ponieważ istnieje wskazówka, dlaczego nie rośnie, dlaczego nie rośnie...

„Moje ciało mnie boli. Czuję się tak niedobrze. A chcę tak bardzo, żeby moje ciało poczuło się lepiej. Otrzymuję te wszystkie diagnozy i nie podoba mi się to, co się dzieje z moim ciałem". Twoje ciało oraz to, co przeżywasz, są wskaźnikiem twojej wibracji. Kropka. „Nie wiem, co się dzieje z moim ciałem. Nie mogę kontrolować mojego ciała. Nie wiem, co się dzieje. Boję się. Nie wiem, co robić....". Wszystko, co przeżywasz, jest niczym więcej, niż wskaźnikiem tego, w jaki bęben bijesz. To wszystko.

Ludzie mówią o rzeczywistości w swoim życiu, jakby była istotna. My zaś chcemy, żebyście zrozumieli, że jest ona tylko chwilowym wskaźnikiem. Czy jedziecie na stację paliwową – wskaźnik gazu wskazuje na pusty bak – czy przyjeżdżacie na stację i patrzycie w przerażeniu na swój wskaźnik gazu? „Jak to się stało? (Śmiech) Czemu, czemu, och, czemu to mi się przydarzyło?". Czy kładziecie głowę na kierownicy, tak po prostu szlochając? „Och, patrzcie, do czego doszło. (Śmiech) Jestem skończony. Przeżyłem

całe życie i popatrzcie, do czego doszedłem". A może raczej za-
tankujecie?

I tak, coś dziwnego dzieje się z waszym ciałem, więc wchodzicie powoli do gabinetu lekarskiego z lękiem ściskającym was za
serce, bo lekarz mógłby wam powiedzieć właśnie to, czego nie
chcecie wiedzieć. Mógłby wyjąć swoje narzędzia i zajrzeć głęboko
w zakamarki waszego ciała, w miejsca, których nie możecie zobaczyć i mógłby wam powiedzieć, iż jest pewien wskaźnik w waszym ciele. My zaś chcemy powiedzieć: „Dobrze wiedzieć. Jak
miło. Nie musiałeś tego mówić. Możemy odczuć ten dyskomfort".

Cokolwiek przeżywacie, czy dotyczy to waszego ciała, czy waszego związku, czy też waszych pieniędzy – nieważne, czego to dotyczy – wszystko, co przeżywacie jest tylko chwilowym wskaźnikiem,
w danym momencie, waszego chwilowego, w danym momencie,
wibracyjnego emitowania. Jest to tylko tym, niczym więcej.

Jedyny problem polega na tym, że nie wiecie, że wasza wibracyjna emisja jest chwilowa, gdyż wypowiadaliście te słowa tak
długo, że zaczęliście odczuwać długotrwały wibracyjny dyskomfort. Powtarzaliście tę samą historię tak długo, że nie znacie żadnych nowych historii. W jakiś sposób, doszliście do przekonania,
że powinniście „opowiadać tak, jak jest".

A teraz zaprezentujmy to, o czym właśnie mówimy: „Opowiedz
tak, jak jest". Twoja matka mówi: „Powiedz mi prawdę o tym, co
jest". A więc mówisz: „Nie mam dość pieniędzy. Nie mam dość
pieniędzy... Nienawidzę cię. Nienawidzę cię. Nienawidzę cię. Nienawidzę cię... Nie podoba mi się to, co robisz. Nie podoba mi się,
co robisz z moimi pieniędzmi. Nie podoba mi się, co robisz z moim
rządem. Nie podoba mi się to, co robisz...". Stawiamy tutaj kropkę,
bo wiemy, że zaczyna was to denerwować. (Śmiech) Ale chcemy,
żebyście zrozumieli, że musicie opowiedzieć inną historię.

Czy wyjaśniliśmy wam wystarczająco te dwa punkty wibracyjne emisji, które są zawsze aktywne – że istnieje większa część was

oraz fizyczna część was? Czy pojmujecie to? Czy wierzycie w to? Czy rozumiecie, że jesteście tą Istotą Energii Źródła? A więc posłuchajcie różnicy w tym, w jaki bęben uderzamy: „Nie mam dość pieniędzy. Nie mam dość pieniędzy. Nie mam dość pieniędzy. Nie mam dość pieniędzy. Nigdy nie miałem dość pieniędzy... Jest mnóstwo pieniędzy. Pieniądze są tutaj. Wszystko jest dla mnie przygotowane. Wszystko jest na miejscu. Okoliczności i zdarzenia zostały przygotowane. Pieniądze są tutaj. Pieniądze są tutaj. Popatrz tu. Popatrz tu. Popatrz tu. Popatrz tu".

Teraz chcemy podkreślić emocjonalną różnicę: „Nie mam dość pieniędzy. Nie mam dość pieniędzy. Dlaczego nie mam dość pieniędzy? Jest mi przykro, że nie mam dość pieniędzy. Co zrobiłem źle? Powinienem przecież wiedzieć. Oni powinni wiedzieć".

Jest mnóstwo pieniędzy. Nic nie poszło źle. Wszystko, czego chcecie, jest dla was przygotowane. Nic nie musicie robić, wykonaliście całą pracę. Jedyne, co powinniście zrobić, to zrelaksować się i pozwolić, by to, czego chcecie, wpłynęło do waszego doświadczenia. Chcecie zacząć słuchać głosu Źródła w sobie. Chcecie słuchać wołania Źródła. Źródło przyzwa was ku temu, czego pragniecie. A znakiem wskazującym, że poruszacie się w tym kierunku, jest to, że wszystko zaczyna się dla was zapalać, co oznacza, że zaczynają się budzić w was wspaniałe uczucia.

Gdy znajdziecie się na tej ścieżce idąc tym tropem, który sami przygotowaliście i który jest wskazywany przez Źródło wewnątrz was i który was wzywa ku temu, czego chcecie – czujecie się wtedy pełni energii. Czujecie entuzjazm. A jednak, wiecie, do czego nakłania was świat fizyczny, prawda? Wasz fizyczny świat mówi: „Jeśli to budzi tak dobre odczucia, musicie być ostrożni".

Mówicie do swoich przyjaciół: „Och, jestem tym tak przejęta". A oni na to: „Uważaj. Uważaj – ta pozytywna emocja może oznaczać, że to może się bardzo, bardzo źle dla ciebie skończyć. (Śmiech) Znam innych ludzi, którzy byli pozytywni i złe rzeczy się im przydarzyły. Myślę, że nie powinnaś ryzykować. Myślę, że lepiej będzie, gdy pozostaniesz tam, gdzie jesteś. Wiem, że on ciebie bije, ale zapewnia ci przecież dostatnie życie...".

Zaś to, co chcielibyśmy, żebyście zrozumieli, to: To, co czujecie, jest wszystkim, ponieważ to, co czujecie, jest dla was wskazówką, czy zamykacie przesmyk pomiędzy tym, kim pozwalacie sobie być a tym, *kim-jesteście-naprawdę* – czy też poszerzacie ten przesmyk.

Zmierzajcie do osiągnięcia stanu, w którym możecie poczuć zdanie po zdaniu, czy jest ono *zgodne z nurtem*, czy *pod prąd*. Stwierdzenie zgodne z nurtem zawsze daje uczucie ulgi. Nie zawsze jest odczuwane jak słońca blask, lizak czy róże – nie zawsze budzi najlepsze uczucie, jakie kiedykolwiek poczuliście – ale myśl *zgodna z nurtem* wychodząc od miejsca, w którym jesteście, zawsze budzi lepsze odczucia, niż myśl *pod prąd*. Zawsze możecie dostrzec różnicę pomiędzy czymś, co budzi nieco lepsze odczucia a tym, co budzi nieco gorsze.

Często spotkania takie, jak to, pozostawiają was z wrażeniem, iż musicie się jakoś przedostać do tych emocji budzących dobre samopoczucie. A jest wam od dawna tak mdło od pozytywnych ludzi, iż myśl, aby stać się jednym z nich, wydaje się okropna dla większości z was. Innymi słowy, nic nie jest tak przykre, jak ujrzeć kogoś szczęśliwego w chwili, gdy sami nie jesteście szczęśliwi. Nie ma nic bardziej przykrego, niż widzieć kogoś przeżywającego życie, które wy sami chcecie przeżywać, gdy go nie przeżywacie, a co gorsza, obwieszczającego na głos: „Och, pozwólcie mi powiedzieć, jak dobre jest życie". „Nie idźmy tam", mówicie. (Śmiech)

Nie chcemy, abyście się porównywali z kimkolwiek innym. Chcemy po prostu, abyście mieli świadomość porównania, czy dana myśl, której poświęcacie teraz uwagę, jest *zgodna z nurtem*, czy płynie *pod prąd*. A wiecie, dlaczego? Ponieważ właśnie ta myśl, którą właśnie teraz myślicie, jest waszym punktem przyciągania. Wasze życie staje się wskaźnikiem właśnie tej myśli, która teraz tkwi w waszym umyśle. Jest jednak pewna mała rzecz, o której musimy wam powiedzieć (o której najpewniej już wiecie): Istnieje przedział czasu pomiędzy zaoferowaniem wibracji a jej manifestacją. Ponad 99 procent każdej kreacji zostaje wibracyjnie ukończone, zanim zacznie się ukazywać jej manifestacja. I to jest to, co sprawia, że nie wiecie. Chcecie natychmiastowej manifestacji.

Czy możecie sobie wyobrazić, jak Jerry i Esther mówią przewodnikowi na rzece: „Och, my wolimy natychmiastową manifestację. A więc nie chcemy poświęcać czasu na przejażdżkę w dół rzeki. Proszę odstawić naszą łódź z powrotem do autobusu. Zjedźmy więc w dół kanionu. Będzie o wiele szybciej. Proszę ją odstawić w odległości kilkuset jardów od miejsca, z którego mieliśmy nią wypłynąć i będziemy to mieli za sobą". Na co on odpowiada: „Myślałem, że chcieliście odbyć przejażdżkę po rzece". (Śmiech)

I to jest to, co chcielibyśmy, żebyście zrozumieli. Chcecie tej przejażdżki po rzece. Chcecie badania kontrastu. Och, myślicie, że gdybyście mieli wybór (a mieliście) – gdybyście mieli wybór w kwestii tego fizycznego doświadczenia (na szczęście nie mieliście) – myślicie, że gdybyście mieli wybór (a mieliście) przychodząc do tego fizycznego doświadczenia, to wasze gniazdo byłoby tak wymoszczone, że byłoby pełne wszystkich rzeczy, jakich pragniecie, a w waszym otoczeniu nie byłoby niczego, co mogłoby choć trochę zająć waszą uwagę, budząc złe samopoczucie?

Wielu z was jako rodzice, próbuje czynić to dla swoich dzieci i czasowo pozbawiacie ich kontrastu, jaki przyszli tutaj przeżyć. Powiedzieliście: „Pierwszy wejdę w kontrast i będę z niego mógł wyróżnić to, co preferuję. A to byłaby wspaniała rzecz, bo gdy wiem, co wolę, będę to utrzymywać w moim wibracyjnym obliczu, po czym *Prawo Przyciągania* mi to przyniesie. A wtedy będę mieć nową płaszczyznę, z której wybiorę dalsze preferencje. I będę je utrzymywać w moim wibracyjnym obliczu, po czym *Prawo Przyciągania* mi to przyniesie. A więc, z tego kredensu życia, wybiorę wszystko to, co odpowiada mi najbardziej i ze swojej osobistej perspektywy, wyrzeźbię z tego dla siebie doskonałe życie".

Jednakże, zamiast tego, trafiliście tutaj, gdzie wokół was było tak wielu „dysfunkcyjnych" ludzi, którzy już dawno stracili z oczu własny *System Emocjonalnego Przewodnictwa* i mówili większości z was: „Jestem bardzo warunkowym kochankiem i przeżywającym życie – co oznacza, że dobre warunki wprawiają mnie w dobre samopoczucie, ale złe wprawiają mnie w złe. A więc oto reguły dobrych warunków, które muszę z ciebie wyegzekwować. A skoro jesteś w moim życiu, będę ciebie obserwował. (Skoro jestem twoim pracodawcą, albo skoro jestem twoją matką, albo skoro jestem twoim ojcem, albo skoro jestem twoim nauczycielem, przydzielono mi zadanie obserwowania ciebie.) A gdy na ciebie spojrzę, chcę się czuć dobrze, co oznacza, że musisz się zachowywać w sposób, który mnie, mnie, mnie, mnie, mnie zadowoli. Nie chcę, żebyś ty był samolubny. Musisz zachowywać się w sposób, który sprawia, że ja (jestem twoją bezinteresowną matką) czuję się dobrze. (Śmiech) A gdy ujrzę którąkolwiek z tych rzeczy, które sprawiają, że czuję się źle, będziesz w poważnych tarapatach".

Byłoby to do zniesienia, gdyby była to jedyna rzecz i gdyby istniało co do tego porozumienie między nimi. Jednak są tak zmienni i jest ich tak wielu, i chcą od was tak różnych rzeczy – że nie możecie po prostu stawać na głowie na tyle sposobów, by ich wszystkich uszczęśliwić. I bardzo szybko, dochodzicie do wniosku, że nieważne, jak się staracie, nie możecie ich uszczęśliwić. Chcemy wam powiedzieć, że nikt z was nie przybył tu z intencją słuchania kogokolwiek poza sobą samym. Każde z was wiedziało, że życie sprawi, iż będziecie się rozwijać i że ta poszerzona Istota będzie was wzywać, i że gdy podążycie w kierunku tej ekspansji, będziecie się dobrze czuć. I zamierzaliście pozostawić wszystkich innych poza tym równaniem. (Naprawdę było to waszym zamiarem).

Nie planowaliście kierowania swoim życiem według kryteriów innych. Po pierwsze, nie mają oni wielkiego zakresu uwagi. (Zauważyliście to?) Jak długo wasz kochanek naprawdę poświęcał wam swoją niepodzielną uwagę? Nikt nie śmie odpowiedzieć. Niezbyt długo. Niezbyt długo. (Śmiech) Jak długo wasza matka obdarzała was niepodzielną uwagą? Niezbyt długo. Nikt nie może tego robić, ponieważ nie urodził się, by być waszym wiecznym opiekunem. Wszyscy urodzili się, by być twórcami własnego doświadczenia. I... sądzimy, iż największą hipokryzją (tym, co sprawia wam najwięcej problemu) jest to, że mówią wam, że jesteście dla nich ważni, a zasadniczą sprawą jest to, że to, co czują, jest dla nich najważniejszą sprawą. Tak więc starają się wami kierować oraz waszym postępowaniem według tego, co w nich budzi dobre samopoczucie.

A potem, och, stajecie się tak pełni urazy, bo wiecie, że to, co natychmiast uczyniłoby wasze życie wspaniałym, to zaakceptowanie faktu, że każdy istnieje w swym życiu dla siebie. I nie ma w tym nic złego, ponieważ oznacza to w istocie, iż każdy jest Energią Źródła i wszyscy pojawiliście się tutaj, aby dać początek nowym rakietom pragnienia. I każdy ma w sobie Źródło, które go prowadzi ku jego najlepiej pojętym interesom. A więc wyobraźcie sobie, jak wspaniały jest ten świat.

Jeśli każdy posiada swój osobisty *System Przewodnictwa*, którym jest Źródło, i każdy jest wzywany ku udoskonalonemu doświadczeniu, i każdy – lub choćby większość z nich, lub choćby niektórzy z nich – słyszałby ten zew i podążałby za nim... czy potraficie sobie wyobrazić, jak wspaniały stałby się ten świat?

Czy wiecie, że nikt, kto jest w harmonii ze Źródłem, nie przejawia żadnych gwałtownych, ani – jak moglibyście to nazwać – negatywnych zachowań? To się po prostu nie zdarza. Sto procent tego, co zwiecie negatywnym zachowaniem, pojawia się wtedy, gdy ktoś jest na krawędzi dysharmonii – próbując wypełnić pustkę; próbując dostać się do jakiegoś miejsca, w którym chcą się znaleźć – lecz próbują doń dotrzeć drogą, która tam nigdy ich nie doprowadzi.

NA CO WSKAZUJE TWOJA HISTORIA?

A więc sądzimy, że uświadomiliśmy wam coś bardzo potężnego. Włożyliśmy w to całą Esther. (Śmiech) Wyświetliliśmy jej blok myślowy, który ma wam uświadomić: Jesteście twórcami swego doświadczenia i musicie tworzyć swoje doświadczenie celowo, jeśli chcecie mieć radosne doświadczenie, dla którego się urodziliście. Dopóki wy, w każdej chwili, nie będziecie widzieć świata oczyma Źródła, będziecie tylko cieniem Istoty, którą przyszliście tu być. Co oznacza, że jeśli odczuwacie mniej, niż miłość, wobec czegokolwiek, co obdarzacie uwagą, wówczas nie jesteście tym, kim naprawdę zostaliście stworzeni. Negatywna emocja oznacza, że odcięliście się do pewnego stopnia od tego, *kim-jesteście-naprawdę*.

A więc mówimy o tych wszystkich potężnych i cudownych pozytywnych emocjach, lecz chcielibyśmy, abyście po prostu sięgnęli po jedną emocję; pozwólcie, że nadamy jej jedno proste określenie: Jest to uczucie ulgi. I chcemy wam powiedzieć, iż nieważne, gdzie się znajdujecie – a jest tu coś ważnego do odnotowania – jesteście, gdzie jesteście. „Jestem, gdzie jestem. Jestem, gdzie jestem, w odniesieniu do mojego związku, w odniesieniu do mojego ciała, w odniesieniu do pieniędzy, w odniesieniu do mojej filozofii, w odniesieniu do mego światopoglądu, w odniesieniu do moich rodzinnych doświadczeń – jestem, gdzie jestem, w odniesieniu do wszystkiego. A wszystko to oznacza, że praktykowałem wibracje, które doprowadziły mnie do punktu nieustannego przyciągania na każdy możliwy do wyobrażenia temat".

Inaczej mówiąc, nic, co przeżywacie, wam się po prostu nie przydarza. Wszystko to się wydarza w odpowiedzi na myśli oraz na schematy myślowe, jakie *oferujecie*. A większość z nich jest niewiele warta, nieprawdaż? Innymi słowy, mówimy tu właśnie o większym zestrojeniu. Mówimy o pewnym świadomym dążeniu ku temu, czego chcecie naprawdę.

Powodem, dla którego z takim entuzjazmem wam to przedstawiamy w ten sposób jest to, że wiemy, że jeśli opuścicie to spotkanie rozumiejąc, że to wy jesteście punktem przyciągania wszystkiego w swym życiu, że emitujecie wibracyjne sygnały, które replikuje *Prawo Przyciągania*, i że po tym, co odczuwacie, możecie poznać, czy podążacie za tym, czym staliście się za sprawą życia, czy też nie – i że jedyną ważną dla was rzeczą jest dobre samopoczucie; gdy raz zaczniecie kierować swoją myślą, słowem oraz zachowaniem opierając się na tym, jakie budzi to w was uczucia, zamiast na tym, co jest prawdziwe; gdy raz zaczniecie dbać o to, co czujecie, bardziej, niż o cokolwiek innego – będziecie wówczas radosnymi, Świadomymi Twórcami, którymi zostaliście stworzeni. Zaś wszystko, co jest poniżej tego, pozostawia was odciętymi o tego, *kim-jesteście-naprawdę.*

Tak więc sięgajcie po uczucie ulgi. W trakcie tego spotkania, pokażemy wam, jak znaleźć myśli, które przyniosą wam uczucie ulgi.

Wiemy, iż podczas wszelkich spotkań, istnieje tendencja, by spekulować na nieskończone tematy. My zaś jesteśmy gotowi rozmawiać z wami na każdy temat, jaki jest dla was ważny. Chcemy, abyście pamiętali, że emitujecie teraz wibracyjny sygnał... że, gdy emitujecie go przez krótką chwilę (w istocie niezbyt długo), zaczyna on ustanawiać częstotliwość, która rozpoczyna następnie, wzorzec przyciągania. Tak więc, będzie naprawdę pomocne, gdy zaczniecie właśnie teraz opowiadać historię waszego życia taką, jaką chcecie, aby była, zamiast taką, jaką jest. Bo opowiadanie jej tak, jak jest, jedynie utrzymuje was w utrzymywaniu tego schematu przyciągania.

Czy potraficie odczuć, że wszystko, co zwiecie negatywnym przyciąganiem jest w istocie niedopuszczaniem do pozytywnego przyciągania, które jest już wprawione w ruch? Oto rzecz, którą chcemy wam wyjawić w sposób, w który naprawdę to usłyszycie. Nie istnieje źródło ciemności. Nie wchodzicie do pokoju i nie szukacie włącznika ciemności. „O, tak, włącz to, a ta atramentowa, mglista substancja wniknie do pokoju i zakryje światło". Wiecie, że tak się nie dzieje. Nie istnieje źródło niegodziwości, ani źródło zła, ani źródło choroby – istnieje jedynie blokowanie Strumienia. Istnieje tylko opór przeciw zmierzaniu ku temu, czym staliście się za sprawą życia. Nic więcej.

A więc wszystko jest o wiele prostsze, niż myślicie, ponieważ ten właśnie moment, w którym leży cała wasza moc, jest jedyną chwilą, w której możecie aktywować wibrację. Och, możecie aktywować wibrację co do czegoś, co wydarzyło się dawno temu – ale robicie to teraz. Możecie wspominać coś, co wydarzyło się dawno temu, albo wczoraj – jednak robicie to teraz. Możecie oczekiwać tego, co wydarzy się jutro, albo za dziesięć lat – jednak robicie to teraz.

Tak więc, cokolwiek myślicie, sprawia, że emitujecie sygnał właśnie teraz, będący waszym punktem przyciągania. A gdy oferujecie punkt przyciągania przez zaledwie 17 sekund, *Prawo Przyciągania* zaczyna działać. Innymi słowy, jest to punkt zapłonowy, w którym dołącza do tego inna odpowiadająca temu myśl. Utrzymuj tę myśl przez następne 17 sekund, a nastąpi kolejne połączenie. Czyń tak, aż osiągniesz wibracyjne zharmonizowanie z każdą myślą przez zaledwie 68 sekund*, a rzeczy zaczną się poruszać dostatecznie, aby można było dostrzec gołym okiem, że manifestacja się rozpoczęła. To wszystko: 68 sekund opowiadania tego tak, jak chcesz, aby było, zamiast tak, jak jest. Czy są w twym życiu rzeczy, które są takie, jak chcesz? Opowiadaj więc dalej te historie. Czy są rzeczy w twym życiu, które nie są takie, jak chcesz? Nie opowiadaj więc już tej historii.

„Ale jestem naprawdę zajęty. Mam więcej do zrobienia, niż zdołałbym zrobić. Słyszeliście, co powiedział?". Dobrą nowiną jest to, iż nigdy już więcej nie będziecie bić w bęben negatywności

---

* więcej w książce *Proś a będzie ci dane*, Studio Astropsychologii 2008.

bez rzeczywistej świadomości tego. A jest to bardzo dobra rzecz, bo nie możecie wybrać czegoś, co budzi lepsze samopoczucie, dopóki nie będziecie świadomi, co wybieracie. A więc ulga jest porządkiem obrad. O czym chcecie porozmawiać?

WIBRACYJNA ISTOTA PIENIĘDZY?

PYTANIE: Dziękuję bardzo. Ta prawdziwa fortuna, którą od tak dawna gromadzę...
ABRAHAM: Tylko bez sarkazmu. (Śmiech)

PYTANIE: Bardzo chciałbym usłyszeć trochę więcej o waszym doświadczeniu w związku z tym, jak mogę celowo skłaniać się bardziej ku przyzwalaniu *na nią*?

ABRAHAM: Każdy, kto tego teraz słucha (a zwłaszcza ci, którzy siedzą tu na tej sali) może zechcieć w końcu powiedzieć: „Abraham jest tu naprawdę drobiazgowy". Ale chcielibyśmy, abyście odczuli sami, jeśli możecie, miejsce odczuwania, z jakiego pochodzi to pytanie – inaczej mówiąc, ta wypowiedź o „prawdziwej fortunie" została przedstawiona kpiącym tonem. „Jeśli istnieje... (Śmiech) to gdzie się ona podziewa? Jeśli *Prawo Przyciągania* jest takie, jak mówicie, a ja gromadzę tę fortunę, to gdzie ona jest i jak mogę się do niej dostać?".

My zaś chcemy, abyście po prostu poczuli przez chwilę, jaka jest dominująca wibracja w przejawionym tu uczuciu. Czy ta wibracja została przejawiona z punktu braku pieniędzy, czy też z posiadania pieniędzy? (Brak)

Wiemy, że mówicie: „Oczywiście, że tak jest, bo jeszcze do tego nie doszedł. Jak więc może zaoferować wibrację wyrażającą stan bytu, którego jeszcze nie osiągnął?". A my odpowiadamy: musisz sobie jakoś wyobrazić, jak to zrobić, bo dopóki tego nie zrobisz, nie możesz osiągnąć stanu istnienia, jaki chcesz osiągnąć. Musisz znaleźć jego wibracyjną esencję.

I sądzimy, iż jest całkiem logiczne, że na początku pojawiają się pewne pytania. „Gdzie to jest? Co robię źle? Co powinienem robić inaczej?", oto, co mówicie naprawdę. Chcielibyśmy jednak, abyście poczuli pułapkę zawartą we własnych słowach i waszej postawie. Tak więc wasze zadanie polega na tym, że musicie znaleźć sposób na odwrócenie uwagi od braku pieniędzy, gdy aktywujecie w sobie uczucie posiadania pieniędzy.

Tym sposobem, pomocne okazują się takie rzeczy, jak uczucie uznania dla dobrobytu, jakiego już doświadczacie, uczucie uznania dla możliwości pojawienia się większego dobrobytu. W rzeczywistości, chcielibyśmy dodać, że nawet przyjmując postawę nadziei, jesteście o wiele bliżej wibracji przyzwalania na to, niż gdy trwacie w wibracji zwątpienia.

I tak, uciszyliśmy nieco sarkazm „prawdziwej fortuny", ale chcemy, abyś sobie uświadomił, iż odczuwając sarkazm, czy odczuwając pesymizm, jesteście daleko od odczuwania optymizmu, albo nadziei. Tak więc odpowiedź na twoje pytanie: „Jak mam pozwolić dotrzeć do mnie mojej fortunie, albo sobie dotrzeć do mojej fortuny?" – brzmi: poprzez udawanie, że jest to już faktem dokonanym. Poprzez czerpanie z części tej fortuny i mentalne ich wydawanie. Poprzez wyobrażanie sobie, jak świetną zabawą i radością będzie jej posiadanie. Poprzez cieszenie się uczuciem *ulgi*, nawet zanim będziesz miał rzeczywiste powody, by poczuć *ulgę*. Poprzez dbanie tak bardzo o to, co czujesz, iż będziesz kierować swymi myślami niezależnie od rzeczywistości.

Tymczasem sarkazm (w rzeczywistości trochę tu żartujemy z wami na ten temat), jest bardziej odległy od przyzwalania na to, niż optymizm, albo pozytywne oczekiwanie. A więc postarajcie się poczuć różnicę pomiędzy powiedzeniem: „Moje pieniądze naprawdę wolno nadchodzą. Zaczynam wierzyć, że jest to w Wibracyjnym Depozycie, ale nie mogę wpaść na to, jak wpuścić to do mojego doświadczenia". Odczujcie emocjonalny sens tych słów. A teraz poczujcie różnicę pomiędzy tym a powiedzeniem: „Będzie tak przyjemnie, gdy na to wpadnę. Będzie tak przyjemnie, gdy na to wpadnę" – pozwólcie oporowi odejść. „Nie wpadłem na to – pracuję nad tym od tak dawna i wciąż na to nie wpadłem" jest absolutnie myśleniem pod prąd, z natury pełnym oporu. „Oczekuję, że wymyślę, jak to zrobić" uwalnia od oporu.

„Będzie tak przyjemnie, gdy wymyślę, jak to zrobić. Każdego dnia mam przebłyski tego w moim doświadczeniu. Osiągam to w tak wielu kwestiach. Radzę sobie całkiem dobrze z wieloma takimi sprawami. Lubię wiedzieć, że czeka na mnie zgromadzona fortuna. Lubię wiedzieć, że moje doświadczenie życia sprawiło, że odłożyłem pewne rzeczy do Wibracyjnego Depozytu. Lubię świadomość, że Źródło we mnie prowadzi mnie ku oczekiwaniu otrzymania tego.

„Lubię wiedzieć, że negatywna emocja jest dla mnie wskazówką, że oddaliłem się od tego, jak widzi mnie Źródło. Lubię wiedzieć, że negatywna emocja jest dla mnie wskazówką, iż Źródło widzi mnie jako prosperującego, a w czasie odczuwania negatywnej emocji, nie prosperuję. Podoba mi się myśl, że Źródło może mnie poprowadzić ku bardziej pozytywnym uczuciom i lubię wiedzieć, że negatywne emocje są dla mnie wskazówką, że nie podążam w kierunku wskazywanym przez Źródło. Lubię tę świadomość. Jestem w tym naprawdę dobry; jestem świadomy tego, co czuję – potrafię dostrzec różnicę. Zauważyłem korelację pomiędzy tym, co myślę i co czuję a tym, co się manifestuje. Wiem, że rzeczywistość się zmienia tak, by dopasować się do mojego chronicznego odczuwania. Rozumiem, że myślenie w inny sposób na początku wymaga nieco więcej koncentracji. Wiem, że gdy koncentruję się nieco dłużej, staje się to coraz łatwiejsze. I wiem także, że im dłużej coś mówię, tym łatwiej jest to wypowiadać, i że im częściej to mówię, tym łatwiej jest mi tego oczekiwać. A wiem, że oczekiwanie przynosi inne uczucie. Znam różnicę pomiędzy uczuciem nadziei a uczuciem zwątpienia. Znam różnicę pomiędzy uczuciem podniecenia a poczuciem zniechęcenia. Potrafię to osiągnąć. Wiem, że potrafię to osiągnąć". Właśnie takie wypowiedzi zmieniają rzeczywistość. Oto wasza praca.

Wiemy, że to brzmi jak powolny proces, ale na tym polega ta praca. Nie doszliście do swych chronicznych myśli w jednej chwili. (A słowo chroniczny jest tu niekoniecznie używane w sensie negatywnym. Rozumiemy przez nie to, co zwykle myślę na dany temat.) Doszliście do tego stopniowo. I nie zmienicie tego w jednej chwili. Zmienicie to stopniowo... Jeśli chcecie zmienić to w jednej chwili, to się nie uda – a wówczas będziecie zniechęceni. Ale jeśli oczekujecie stopniowej zmiany, a potem jej dokonacie, poczujecie się zachęceni – a więc, po jednej deklaracji jednorazowo, opowiadając historię tak, jak chcecie, w taki sposób, jak chcecie, żeby było.

Oto w jaki sposób możecie opowiedzieć swoją historię: „Słyszałem ostatnio, że czeka na mnie prawdziwa fortuna w Wibracyjnym Depozycie. I podoba mi się to, jak to brzmi. A także idea, że moje życiowe doświadczenie i to, co przeżywam, sprawiło, że ona tam jest, jest dla mnie naprawdę korzystna. Lubię myśl, że mogę być, robić i mieć wszystko, czego zapragnę. A więc zaczynam opowiadać moją historię tak, jak chciałbym, żeby brzmiała. Nie sądzę, żeby pieniądze były drogą do szczęścia, ale nie sądzę też, by były źródłem zła. Myślę, że pieniądze są źródłem wolności. Myślę, że posiadając więcej pieniędzy, mam większe możliwości wyboru, a mając większe możliwości wyboru – doświadczę więcej radości. Podoba mi się idea decydowania, czego chcę, w oparciu o to, jakie budzi to we mnie uczucia, zamiast o to, czy mnie na to stać, czy też nie.

„Podobają mi się możliwości, w których otwiera się przede mną więcej pieniędzy i myślę, że nie jestem podekscytowany jedynie ~~~ziwą fortuną, jaka na mnie czeka. Myślę, że jestem podeks-~~~y tym, co ona oznacza dla mnie i dla mojej rodziny, dla ~~~rzy mnie otaczają, co to oznacza dla mojego nowego ~~~życia, co to oznacza dla sposobu, w jaki doświadczam życie. Myśl o tych wszystkich zmianach jest dla mnie prawdziwie ekscytująca.

Kocham moje życie na tyle sposobów, widzę jednak, jak te pieniądze, które są w drodze do mnie, udoskonalą moje życie w ten sposób i w ten sposób, i w ten sposób. Dodatkowe sto dolarów oznacza dzisiaj takie zmiany. Dodatkowe tysiąc dolarów oznaczać będzie takie zmiany. Gdybym pozwolił na dodatkowe sto tysięcy dolarów w tym roku, wykorzystałbym je w ten sposób. Gdybym pozwolił na dodatkowe pięćset tysięcy dolarów każdego roku, och, to by oznaczało, że mieszkałbym tam. I to by oznaczało, że jeździłbym takim samochodem. I to by oznaczało, że pracowałbym... to oznacza, że bym tam nie pracował". (Śmiech) Po prostu bawcie się z tym w wyobraźni – wyobrażajcie sobie.

Przedstawiliśmy wiele takich gier, ale najskuteczniejszą grą, jaką kiedykolwiek widzieliśmy (a widzieliśmy wielu ludzi stosujących te techniki) – tą bardzo, bardzo potężną grą jest, co następuje: Włóżcie 100 dolarów do kieszeni z intencją ich mentalnego wydawania każdego dnia, wciąż na nowo i na nowo. Kontemplujcie po prostu, jak wiele rzeczy moglibyście, gdybyście zechcieli, kupić za te 100 dolarów.

Zadziwiające jest, jaki wpływ ma ta prosta gra na zmianę waszego odczuwania w kwestii pieniędzy. Wyzwala was, bo waszym nawykiem jest mówienie: „Och, chcę to kupić, ale nie powinienem" – podczas gdy te 100 dolarów mówi: „Mógłbym to kupić, gdybym zechciał. Mógłbym to kupić, gdybym zechciał. Mogę to zrobić". A więc zamiast powtarzać w kółko: „Nie stać mnie na to", mówicie: „Mógłbym to kupić, gdybym zechciał. Mógłbym to kupić, gdybym zechciał. Mógłbym to kupić, gdybym zechciał. Mógłbym to kupić, gdybym zechciał".

Ktoś powiedział: „Abraham, dawno nie byłeś na poziomie fizycznym, bo za 100 dolarów wiele się nie kupi". A my odpowiedzieliśmy: Jeśli wydajecie 100 dolarów tysiąc razy w ciągu dnia, wydajecie odpowiednik stu tysięcy dolarów tego dnia – a to wpływa bardzo mocno na zmianę waszej wibracji. A wtedy ludzie mówią często: „Ale to nie jest rzeczywiste". Zaś my odpowiadamy: to będzie rzeczywiste. Będzie rzeczywiste. Musicie to najpierw poczuć, a gdy raz wasza wibracja się ustabilizuje – urzeczywistnienie tego musi nadejść.

Prawo Przyciągania musi przynieść wam drogę, metodę, współtwórców oraz rezultaty, jakie wibracyjnie wyczarowujecie. Gdy wyczarowujecie dobrobyt i dostatek w swojej wibracji, musi on się pojawić w realnym doświadczeniu życia i nadejdzie na bardzo wiele sposobów – gdzie się nie zwrócicie, gdziekolwiek popatrzycie, kolejne wielkie świadectwo dostatku się wam ukaże z chwilą, gdy raz to uaktywnicie.

Nie jest to wcale nic wielkiego, jak się wam wydaje. Wiecie, dlaczego sądzicie, że to coś wielkiego? Ponieważ patrzycie na to, *co-jest*, emitując wibrację tego, *co-jest* i otrzymując coraz więcej tego, *co-jest* od tak dawna, że mówicie: „Włożyłem w to cały wysiłek i całą tę swoją pracę, i pracowałem przez wszystkie te lata – i doszedłem w końcu tu, gdzie jestem. A więc co ten drobny wysiłek ma mi przynieść, skoro włożyłem w to już tak wiele, a zaledwie tyle osiągnąłem?". Zaś my odpowiadamy: włożyliście w to wysiłek działania, a teraz zachęcamy was, byście podjęli wibracyjny wysiłek. Wibracyjny wysiłek pozwala wam zastosować moc i Energię, która stwarza światy.

Zmiana wibracyjna czyni wielką zmianę w manifestacji, gdy jesteście w tym konsekwentni, lecz gdy mówicie: „Chcę tego, ale..., chcę tego, ale..., chcę tego, ale..., chcę tego, ale...", nie robicie żadnego kroku naprzód. Gdy zaś mówicie: „Chcę tego, ponieważ... Chcę tego, ponieważ..., chcę tego, ponieważ..., chcę tego, ponieważ..., chcę tego, ponieważ...", wówczas robicie krok do

ówicie: „Wierzę, że mogę to zrobić. Myślę, że mogę to
pię, że mogę to zrobić. Właściwie tego nie robię. Wie-
o zrobić. Chciałbym to zrobić, ale wątpię, że mogę to

zrobić. Właściwie tego nie robię. Ale chciałbym to zrobić. Naprawdę chciałbym to zrobić, ale nie mogę tego zrobić, ponieważ wcale tego nie robię. Ale chciałbym to zrobić. Naprawdę chciałbym to zrobić, ale nie robię tego. Mało kto to robi. Ale chciałbym to zrobić, ale trudno jest to zrobić, a ja nie robię żadnego postępu. A chcę to zrobić, ale nie wiem, co robić..." – wówczas nic się nie zmienia. Jest to ten sam, stary, pospolity, chroniczny wibracyjny nawyk wyrażający to, „co czuję". Musicie użyć potęgi swojej woli, aby skoncentrować swoje myśli na wątku innej historii. A więc opowiedzcie nam teraz historię waszego finansowego sukcesu.

MOJA HISTORIA FINANSOWEGO SUKCESU

PYTANIE: Wszystko jest w porządku – oto, co mogę wyłowić z całego tego warsztatu – że wszystko jest w porządku. I czuję to wewnątrz. Jest to tak cudowne i, w pewnym sensie, tak organiczne uczucie. I chyba to jest właśnie moim pytaniem: czy jest to częścią tego procesu?

ABRAHAM: To jest właśnie cały ten proces, bo jak powiedzieliśmy, 99 procent całej kreacji zostaje wibracyjnie zakończone zanim otrzymacie jej świadectwo. A więc, jest to jak podróżowanie z Phoenix do San Diego, a San Diego to miejsce, w którym chcecie być, ale przez większą część drogi liczącej 400 mil, nie jesteście tam, gdzie chcecie się znaleźć. A jeśli to was frustruje, że jeszcze się tam nie znaleźliście, mówiąc wibracyjnie, zawracacie i wracacie znowu do Phoenix. Nigdy tam nie dotrzecie. Jednak w pojęciach fizycznej podróży z jednego miejsca do drugiego, mówicie: „Cóż, rozumiem tę podróż, a więc mogę to zrobić. Mogę ujrzeć swój postęp. Mogę zobaczyć, że z każdą milą pozostaje skupiony na jej kierunku, że oddalam się od miejsca, w którym nie chcę być, a zbliżam coraz bardziej do miejsca, w którym chcę się znaleźć".

A my mówimy, że utrzymujecie wiarę, ponieważ macie dowód na to, że się zbliżacie, zbliżacie, zbliżacie. Czyli (o ile nie idziecie pieszo) nikt nie zniechęca Cię w tej podróży. Innymi słowy, utrzymujecie wiarę. Utrzymujecie przekonanie. Nie mówicie przecież: „San Diego to nieosiągalne marzenie". Nie mówicie „San Diego jest niemożliwe – próbowałem, próbowałem, próbowałem i próbowałem, i nie mogę tam dotrzeć", bo możecie tam dotrzeć i o tym wiecie.

Gdy zauważacie związek z tym, że to, co czujecie jest dla was wskaźnikiem kierunku, w jakim się poruszacie i możecie uczciwie sobie powiedzieć: „Czuję optymizm – gdy mówię, że wszystko jest w porządku, to właśnie to mam na myśli... Naprawdę to czuję" – wówczas powiemy, że nie możecie tam nie dotrzeć. Gdy utrzymacie to oczekiwanie i tę postawę oraz tę wibracyjną częstotliwość, wtedy musi to nadejść – i nadejdzie bardzo szybko.

Mówisz: „Dobrze, jestem na mojej drodze. Rozmawiałem z Abrahamem, a Abraham mówił znacznie dłużej niż 68 sekund i mam poczucie tej wibracji. A gdy powiedziałem:»Wszystko jest w porządku«, naprawdę to czułem. A potem spojrzałem na moją realną sytuację życiową i zobaczyłem, że jeszcze nie jestem w »San Diego«. Inaczej mówiąc, spojrzałem na coś i odczułem negatywne uderzenie, bo nie jestem tam, gdzie chcę być (chcę coś zrobić, a nie mam na to pieniędzy) i poczułem rozczarowanie".

A my odpowiadamy: dobrze. Rozczarowanie jest dla ciebie wskazówką, że cokolwiek się właśnie stało, sprawiło, że straciłeś poczucie oczekiwania i zacząłeś się koncentrować na czymś innym, niż twoje oczekiwanie. Co teraz możesz zrobić, aby powrócić do tamtego uczucia?

Gdy pracujesz nad tym uczuciem zniechęcenia, aby dojść do czegoś, co budzi lepsze samopoczucie, oczyszczasz swoją wibrację w taki sposób, że nigdy już nie powróci do tego negatywnego miejsca. Innymi słowy, gdy odczuwasz negatywną emocję i poświęcasz czas na jej przeżuwanie (gdy jesteśmy tutaj), aż w końcu odczujesz ulgę – co zajmie ci zwykle 68 sekund lub więcej – *gdy rzeczywiście i dogłębnie odczujesz ulgę, wówczas nigdy nie będziesz musiał oczyszczać na nowo wibracji z związku z tym tematem w taki sposób. Przemieściłeś się we Wszechświecie. Przeszedłeś do innego wibracyjnego punktu widzenia.*

A oto najważniejsza rzecz, jaką chcielibyśmy wam powiedzieć: *Ponieważ przeszedłeś do innego wibracyjnego punktu widzenia, materialna manifestacja również musi się zmienić. A więc w chwili, w której tego dokonujesz, wszystko we Wszechświecie, co wiąże się z tym tematem, odpowiada na nową wibrację, jaką emitujesz.*

A więc, oto dzień, w którym wpadłeś na opłacalny pomysł. Oto dzień, w którym spotykasz się z kimś, kto ma tobie coś do zaoferowania – a ty masz coś do zaoferowania jemu – i w wyniku tego wymieniacie coś między sobą, co oznacza finanse. Inaczej mówiąc, ten drobny wysiłek – nie mogłeś widzieć, że przybliżał cię do „San Diego"; nie mogłeś tego widzieć, bo nie jest to prowadzenie samochodu w jakimś kierunku, lecz czułeś to, a więc wiedziałeś; a ponieważ czułeś to i ponieważ rozumiałeś znaczenie tego, co czujesz, utrzymywałeś to, utrzymywałeś to, utrzymywałeś to, utrzymywałeś to... i bardzo szybko okazało się, że nie tyle masz nadzieję, że osiągniesz swój dobrobyt – nie tyle nawet w to wierzysz – ale to wiesz, bo dowody na to otaczają cię wyraźnie.

Myśl za myślą, myśl za myślą, myśl za myślą, oczyszczasz to, oczyszczasz to, oczyszczasz to, oczyszczasz to. Co rozumiemy przez „oczyszczanie"? *Opowiadanie tego bardziej tak, jak chcesz, aby było, a mniej tak, jak nie chcesz, aby było. Przestajesz patrzeć na rzeczywistość, a zaczynasz tworzyć rzeczywistość.*

A twoi przyjaciele pytają: „Co u ciebie słychać?".

A ty odpowiadasz: „Same dobre rzeczy".

A oni na to: „A udało ci się kupić to, co chci⟨ otrzymałeś tę pracę, którą chciałeś dostać?".

A ty mówisz: „Jestem właśnie na drodze do teg⟨

A oni na to: „Och, nie, nie zrozumiałeś mojego pytania. (Śmiech) Czy to dostałeś?".

A ty mówisz: „Nie zrozumieliście mojej odpowiedzi. Jestem na drodze do tego".

A oni na to: „No, jeśli tego nie masz, to tego nie masz".

A ty na to: „Ależ to nieprawda. Mam to *wibracyjnie*. A teraz, gdy dostałem to wibracyjnie, to musi się pojawić – takie jest *Prawo*. *Dostałem to wibracyjnie*".

„No dobrze, ale skąd wiesz, że to nadejdzie?".

„Bo tak dobrze się *czuję*".

„Och, czujesz się dobrze, *zanim* to otrzymałeś? (Śmiech) Co się z tobą dzieje?".

„Wiem, jak to działa. Osiągnąłem wibracyjne zharmonizowanie z moim pragnieniem, a więc to musi przyjść – takie jest *Prawo*".

„A skąd wiesz, że osiągnąłeś wibracyjne zharmonizowanie?", pyta twój negatywny przyjaciel. „Skąd wiesz, że osiągnąłeś wibracyjne zharmonizowanie z tym, czego chcesz?".

„Bo czuję się dobrze za każdym razem, gdy o tym myślę. Czuję się dobrze, gdy myślę o mojej fortunie. Nie odczuwam sarkazmu, nie czuję rozczarowania, nie czuję zniechęcenia. Czuję optymizm, ponieważ wiem, że to nadchodzi. W rzeczywistości, jestem tak pełen optymizmu, że popatrz na moją listę, co zamierzam z tym *zrobić*. Oto lista tego, co z tym zrobię".

Jest jeszcze inna gra, jaką proponujemy. Jest to gra z książeczką czekową, gdzie deponujecie 1000 dolarów na swoim koncie (wibracyjnych dolarów) i wydajecie te 1000 dolarów. Następnego dnia deponujecie 2000 dolarów i wydajecie je. Trzeciego dnia, deponujecie 3000 dolarów i wydajecie je... 365-ego dnia, deponujecie 365 tysięcy i wydajecie je.

A więc, gdy wydajecie te pieniądze (wibracyjnie) – gdy wydajecie je *mentalnie* – wówczas przecieracie dla nich szlaki... Gdy tworzycie wibracyjny szlak, przyciąga on wszystko, by go w was dopełnić. Oto, czym jest *zapał*. Oto, czym jest *pasja*. Oto, czym jest wasze uczucie *entuzjazmu*.

Inaczej mówiąc, gdy prezentujecie, w tej rzeczywistości czasu i przestrzeni, wibracyjny wzorzec pragnienia, wprawia on rzeczy w ruch, a gdy pozwolicie sobie za nim podążyć – będziecie się czuć wspaniale. Zaś gdy nie pozwolicie sobie za nim podążyć – będziecie się czuć okropnie. (Słyszeliście to?) To oznacza, że jeśli czujecie się naprawdę źle w związku z czymś, znaczy to, że prosiliście o coś i większa część was stała się czymś, czym nie pozwoliliście stać się reszcie.

Chcemy, abyście zrozumieli, że to wy jesteście przyczyną tego, że wasz Strumień porusza się tak szybko i jesteście także przyczyną tego, że jesteście zwróceni zgodnie z prądem rzeki lub pod prąd – i wszystko, co odczuwacie, jest właśnie z tym związane.

Chcecie różnych rzeczy, ponieważ myślicie, że posiadając je poczujecie się lepiej. Czy są to pieniądze czy materialne przedmioty, czy też związek lub jakieś doświadczenie, okoliczności czy wydarzenie – *chcecie tego wszystkiego, ponieważ sądzicie, że mając to, poczujecie się lepiej; a gdy odkryjecie, że właśnie* **idea** *tego jest tym, co sprawia, że czujecie się lepiej, wówczas osiągniecie* **wibracyjną esencję** *tego. A wtedy* **Prawo Przyciągania** *musi wam to zapewnić we wszelkich, najdrobniejszych szczegółach, jakie wyrzeźbiliście w sobie dzięki życiu. Tak być musi i w istocie,* **tak jest.**

W waszym obecnym środowisku, projektujecie (dzięki temu, co teraz przeżywacie) w przyszłość udoskonalone doświadczenie życia, tak więc, gdy nowe Energie rodzą się w nowych ciałach niemowląt, które nie znają oporu, wówczas (dzięki temu, że nie znają oporu) otrzymają dobrodziejstwo tego, co umieściliście w Wibracyjnym Depozycie Kolektywnej Świadomości – tak jak wy, w *waszej* czasoprzestrzeni, otrzymujecie dobrodziejstwo tego, co zgromadziły poprzednie pokolenia – ponieważ nie możecie po prostu istnieć jako ludzkość bez dążenia do rozwoju. To, co chcemy wam zaproponować, to fakt, że nie musicie umierać, by zamknąć tę szczelinę, ani nie musicie się odradzać, aby doznać dobrodziejstwa tego, co zapoczątkowaliście. Możecie osiągnąć to wszystko tu i teraz, w tym życiu; i, w rzeczywistości, to było właśnie waszym zamiarem.

Powiedzieliście: „Pójdę naprzód, a różnorodność zainspiruje we mnie ideę. A z chwilą, gdy idea pojawi się we mnie, poświęcę jej swoją niepodzielną uwagę". Czy nie jest to właśnie to, co wam mówimy? *Obdarzcie swoją niepodzielną uwagą wasze nowopowstałe pragnienia i nigdy nie przejmujcie się rzeczywistością, która była bazą dla ich powstania.*

Pozwólcie, aby waszą świadomością było, zamiast stwierdzenia: *„Oto, gdzie jestem"* – to właśnie chcemy wam przekazać na tym seminarium tak, abyście to usłyszeli: niech waszą świadomością będzie: *Nieważne, gdzie jesteście, gdyż jest to przejściowe.* Jest to jak wskaźnik gazu w waszym samochodzie. Zauważyliście, jak się szybko porusza? (Śmiech), zwłaszcza ostatnio? Inaczej mówiąc, jest to jedynie *wskaźnik*, to wszystko. To jest tylko *wskaźnik*.

A więc to, co się manifestuje, jest jedynie chwilowym wskaźnikiem chwilowej wibracji. Ale mówicie: „O, to nie wygląda na takie chwilowe, bo przeżywam to przez długi czas". A my mówimy: jest tak dlatego, że wciąż macie te same reakcje i oferujecie te same wibracje, a więc dzieje się wciąż to *samo* – ale to jest *nowe*. *Nie przeżywacie wciąż tego samego życia. Jest to nowe przeżywanie nowego życia w nowej wibracji. Jest tak, ponieważ wibracja, jaką teraz emitujecie, jest taka sama, jaką oferowaliście wczoraj, gdyż macie nawyk myślenia o tych samych rzeczach w sposób, w jaki myśleliście o nich wczoraj.*

Jeśli żyjecie z dala od domu, w którym dorastaliście i z dala od ludzi, którzy was wtedy otaczali, i jeśli ten dom i ci ludzie wciąż tam są, pojedźcie tam i zobaczcie, jak się w tym wszystkim mieścicie, a wtedy uświadomicie sobie, jak wiele wydarzyło się w waszym życiu, co sprawiło, że staliście się tak inni, niż w czasach, gdy tam jeszcze mieszkaliście. I wówczas uświadomicie sobie, iż w każdej chwili, każdego dnia, dokonuje się w was ten rodzaj ekspansji. Wspaniałe jest twoje pytanie. Wspaniałe jest twoje pytanie: „Jak mam dotrzeć z miejsca, w którym jestem, do miejsca, w którym chcę się znaleźć?". A odpowiedź brzmi: *Patrz* w kierunku miejsca, w którym chcesz się znaleźć i *mów* w kierunku miejsca, w którym chcesz się znaleźć i nigdy więcej nie oglądaj się za siebie ku temu, skąd przybywasz. A jeśli potrafisz to z siebie strząsnąć, to już jutro będziesz mieć dowód na swoją „prawdziwą fortunę".

Pytający: Zadziwiające, dziękuję.

ZAKOŃCZENIE WARSZTATU W BOSTONIE

ABRAHAM: Ta wymiana myśli była dla nas przyjemnością. Cieszyliśmy się każdą wymianą myśli z każdą osobą, która tu dzisiaj siedziała. Cieszyliśmy się gotowością tych z was, którzy siedzą tutaj słuchając, by cierpliwie sięgnąć po bryłkę złota, która musi tu być gdzieś ukryta.

Mówimy wam to, co mówimy, nie po to, abyście uzyskali rezultaty, których, jak sądzicie, pragniecie, ale żebyście mogli poczuć namacalną *ulgę* i wiedzieć, że możecie ją odczuć znowu, w każdej chwili, gdy po nią sięgniecie.

Nie prowadzimy was ku manifestacjom, gdyż uważamy, iż są one istotą waszego doświadczenia. Prowadzimy was ku uwieńczonej sukcesem kreacji tychże manifestacji, gdyż chcemy, abyście utrzymywali własną wibrację – ponieważ wasza wibracja jest waszym życiem, właśnie teraz.

To, co czujecie teraz, jest mieszaniną tego, kim się staliście oraz tego, kim pozwalacie sobie być. I nigdy nic poza tym nie było prawdą. A kiedy będziecie mieć pełną świadomość narzędzi w waszej torbie pełnej sztuczek, które pomagają wam kierować się ku temu, *kim-jesteście-naprawdę*, wówczas będziecie posiadać narzędzia, które pomogą wam być radosnymi Istotami, którymi zostaliście stworzeni i powinniście tu być.

Nie chcemy, abyście się stali posiadaczami milionów dolarów, chociaż zapewne będziecie. Chcemy, abyście byli radosnymi Istotami, cieszącymi się odkrywaniem, jak się nimi stać. Chcemy, aby przejażdżka po rzece była dla was równie ważna w waszej formie fizycznej, jak wówczas, gdy zdecydowaliście się przybyć na tę planetę.

Chcemy, abyście wiedzieli, czego *nie chcecie*, abyście mogli dowiedzieć się, czego *chcecie* i chcemy, abyście poczuli różnicę. Chcemy, abyście poczuli ulgę, gdy zwracacie się w kierunku tego, czego chcecie oraz chcemy, abyście poczuli jasno, iż udoskonaliliście swoją wibrację, jak to właśnie uczyniliście. A następnie, chcemy, abyście poczuli podekscytowanie, gdy będziecie patrzeć, jak Siły Wszechświata skupiają się wokół was i przynoszą wam dowód zharmonizowania, jakie miało miejsce. A wtedy, chcielibyśmy, żebyście stanęli na tej nowej płaszczyźnie i poczuli kontrast, który zapoczątkuje jeszcze kolejne pragnienie.

Chcemy, abyście odczuli moc tego nowego pragnienia i waszego wibracyjnego z nim związku, i chcemy, abyście zauważyli, iż znowu, nie dorównujecie szybkością temu, kim staliście się za sprawą życia. Jednak chcemy, abyście smakowali wiedzę, że teraz wiecie, co robić, bo robiliście to już tak wiele razy. I chcemy, abyście świadomie sięgali po myśl, która budzi w was lepsze samopoczucie. *Sięgajcie po tę myśl, która budzi lepsze samopoczucie i podążajcie w kierunku tego, czego chcecie – a potem poczujcie nową manifestację.*

Chcemy, abyście zanurzyli ręce w glinie waszego życia i chcemy, abyście *lubili* urabianie tej gliny. Nie chcemy, aby chodziło tu o osiąganie rezultatu; chcemy, aby ważny był tu proces harmonizowania. Chcemy, aby ważna była tu Energia w waszym brzuchu. Chcemy, aby ważna była emocja, którą możecie udoskonalić. Chcemy, abyście to wy byli ważni, a potem, żebyście rozpoznali dowód, jaki do was przychodzi dzięki waszej udoskonalonej emocji.

Kochaliśmy to, co czuliście i kochamy to, co *czujecie*. I kochaliśmy fakt, że nie mogliście czuć się tak, jak się czujecie, jeśli nie czuliście tego, co czuliście. Inaczej mówiąc, ten wibracyjny związek jest właśnie życiem – i nie ma nic złego w żadnym z nich. Wszystko to jest rzeźbieniem w glinie.

Cieszyliśmy się tym spotkaniem bardziej, niż słowa mogą wyrazić. Życie jest tak dobre z naszego punktu widzenia. Chcemy (i zapraszamy was), żebyście spojrzeli na swój świat naszymi oczyma, ponieważ to, co widzimy, jest naprawdę, naprawdę dobre! Dobre czasy są przed wami dzięki temu spotkaniu.

Jest tu dla was wielka miłość. I, jak zawsze, pozostajemy radośnie niepełni.

O AUTORACH

Jerry i *Esther Hicks*, zachwyceni jasnością i praktycznością prze-
kładanych informacji od Istot zwących siebie *Abraham*, zaczęli
w 1986 roku przekształcać swoje zadziwiające doświadczenie
z Abrahamem w grupę bliskich biznesowych współpracowników.
Dostrzegając praktyczne rezultaty, jakie uzyskiwali sami oraz
te, które pojawiały się u innych, zadających istotne pytania w związku z zastosowaniem zasad *Prawa Przyciągania* w finansach, kondycji fizycznej oraz w związkach – a następnie z sukcesem stosując
odpowiedzi Abrahama we własnych sytuacjach – Jerry i Esther
podjęli świadomą decyzję, by pozwolić, żeby nauki Abrahama stały
się dostępne wciąż poszerzającemu się kręgowi ludzi szukających
odpowiedzi na pytanie, jak żyć lepiej.Używając swojego centrum
wykładowego w San Antonio, w Teksasie, jako swojej bazy, Jerry
i Esther podróżowali do około 50-ciu miast rocznie od 1989 r.,
prezentując cykl interaktywnych warsztatów *Prawa Przyciągania*
tym przyszłym liderom, którzy przybywali zewsząd, aby uczestniczyć w tym rozwijającym się strumieniu myśli. I chociaż świato-
wa uwaga została przyznana ich filozofii Dobrostanu przez
postępowych myślicieli i nauczycieli, którzy z kolei włączyli wiele
koncepcji Abrahama do swoich bestsellerowych książek, skryptów, wykładów, filmów itd., pierwotnie materiał ten był przeka-
zywany z ust do ust, gdy pojedyncze osoby zaczęły odkrywać
wartość tej formy praktycznej duchowości w swoich osobistych
doświadczeniach.

Abraham – grupa wyraźnie wysoko rozwiniętych Nie-Fizycznych nauczycieli – przemawia ze swojej Szerszej Perspektywy poprzez Esther.

A gdy przemawiają do naszego poziomu rozumienia poprzez cykl pełnych miłości i przyzwolenia, błyskotliwych, a jednocześnie zrozumiałych esejów, zapisanych drukiem i dźwiękiem, prowadzą nas ku jasnemu Połączeniu z naszym kochającym przewodnikiem – naszą *Wewnętrzną Istotą* oraz ku podnoszącym na duchu umocnieniu, pochodzącemu od naszego Totalnego Ja.

Podkreślając Uniwersalne *Prawo Przyciągania*, Hicksowie opublikowali do tej pory ponad 800 książek serii Abraham-Hicks, kaset, płyt CD oraz DVD. Można się z nimi skontaktować poprzez ich obszerną interaktywną stronę internetową: **www.abraham-hicks.com**, albo listownie pod adresem: Abraham-Hicks Publications, P.O. Box 690070, San Antonio, TX 78269.

◈ STUDIO ASTROPSYCHOLOGII POLECA ◈

PROŚ A BĘDZIE CI DANE

Esther i Jerry Hicks

Jak wiele książek „obiecało" Ci sukces, i nie spełniło Twoich oczekiwań? Nie jest to książka z gotową receptą – jest to książką dla osób świadomie podążających ścieżką wewnętrznego rozwoju. Jest kluczem do realizacji wszystkich naszych pragnień. Książka, z którą powinniśmy rosnąć wraz z rosnącym naszym dobrobytem. Możemy ją przeczytać od deski do deski, ale możemy też ją traktować jak doradcę w określonych momentach naszego życia – otwierając na dowolnej stronie otrzymujemy właściwą radę od istoty wyższej – Abrahama. Kiedy zrozumiesz Prawo Przyciągania już nigdy nie zadziwi Cię to, co doświadczysz w swoim życiu. Zatem proś o wszystko, czego potrzebujesz. Proś świadomie i z radością. Proś a będzie Ci dane...

PRAWO PRZYCIĄGANIA

Esther i Jerry Hicks

Wciąż o czymś myślisz, czegoś pragniesz, o czymś śnisz. I co z tego – zapytasz. Przecież każdy tak robi. Tak, ale nie każdy wie, jak może wykorzystać swój umysł do spełnienia marzeń. Chcesz najnowsze BMW? Kto by nie chciał... Jednocześnie jednak myślisz sobie: za co go kupię i ubezpieczę, gdzie go będę parkował, czy będzie mnie stać na paliwo itp. W efekcie myślisz sobie, że po jakimś czasie może i będzie Cię stać na starszy model. Twój umysł chętnie podarowałby Ci ten samochód nawet dziś. Ale musisz mu to dać wyraźnie do zrozumienia, a nie mnożyć wątpliwości. Oto menu Twojego życia. Dowiedz się, jak wybrać z niego tylko największe smakołyki.

ZAMÓW JUŻ DZIŚ!

www.studioastro.pl ◈ 085 654 78 35

◈ STUDIO ASTROPSYCHOLOGII POLECA ◈

POTĘGA ŚWIADOMEJ INTENCJI

Esther i Jerry Hicks

Dobrymi intencjami jest piekło wybrukowane – mówi stare przysłowie. Z drugiej strony mamy przysłowiowe „czyste intencje". Nie zastanawia Cię, dlaczego ludzkość od wieków tak wielką wagę przykłada do czegoś tak niepozornego, jak intencje? Nie można ich zobaczyć, zmierzyć ani nawet, w wielu przypadkach, sprawdzić. Oto jednak dowód na to, że są one bardzo potężnym narzędziem do spełniania Twoich pragnień. Wystarczy, że uchwycisz jedną z tysięcy myśli, które pojawiają się w Twoim umyśle każdego dnia. Wystarczy, że się na niej skupisz, a ona sama doprowadzi Cię do realizacji marzeń. Zresztą... sprawdź sam.

POTĘGA TWOICH EMOCJI

Esther i Jerry Hicks

Narzekałem, że nie mam butów, dopóki nie spotkałem człowieka, który nie miał nóg. To proste przysłowie wprowadza nas w świat ludzkich emocji. Dlaczego ludzie w krajach dotkniętych kataklizmami, wojnami i głodem są w stanie czuć się szczęśliwymi podczas gdy zamożny europejczyk nie jest w stanie zdobyć się na uśmiech? Bo nie pieniądze, ale coś więcej sprawia, że czujemy się szczęśliwi i spełnieni życiowo. Są to emocje. Dowiedz się największej prawdy o nich. To nie życie kreuje ich stan, ale właśnie emocje kreują życie. Bowiem piękno nie leży w tym, co obserwujesz, ale w Twoich oczach. Uczyń swe życie pięknym...

ZAMÓW JUŻ DZIŚ!

www.studioastro.pl ◈ 085 654 78 35

◈ STUDIO ASTROPSYCHOLOGII POLECA ◈

PRZESŁANIA ANIOŁÓW

dr Doreen Virtue

Anioły są wśród nas, choć nie zawsze zdajemy sobie z tego sprawę – wystarczy tylko pozwolić im na działanie, a nasze życie będzie bardziej radosne i łatwiejsze. *Przesłania aniołów...* to zbiór 365 myśli, rozważań i porad na każdy dzień roku. Można je czytać po kolei, strona po stronie, bądź też otwierać książkę w dowolnym miejscu, wybierając w ten sposób najlepsze przesłanie na dany dzień. Każda strona to również praktyczne wskazówki aniołów, przesłania opatrzone myślą lub modlitwą, którą można wykorzystać, aby pogłębić z nimi kontakt. *Przesłania aniołów...* to lekcja, która podpowiada, jak najlepiej wykorzystać każdy dzień, odnaleźć radość i nadzieję.

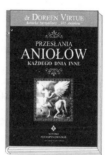

PRZESŁANIA ANIOŁÓW – KARTY

dr Doreen Virtue

Specjalistka od elementali stworzyła anielskie karty. Nie traktują one jednak o aniołach w teorii, ale umożliwiają kontakt z nimi. Po co? Po to, by móc usłyszeć ich rady i wkroczyć na ścieżkę szczęśliwego, spełnionego życia. Wystarczy chwila koncentracji, wyciągnięcie karty i już mamy anielską radę odnoszącą się do nas bądź naszych najbliższych.
Anioły mogą stać się Twoimi przewodnikami w każdej sprawie – od wyboru stroju po decyzję o wyborze partnera. A co najważniejsze – nigdy się nie mylą. Usłysz głos swoich najwierniejszych przyjaciół. Bo przyjaciół jak zwykle... poznajemy w potrzebie.

ZAMÓW JUŻ DZIŚ!

www.studioastro.pl ◈ 085 654 78 35

STUDIO
ASTROPSYCHOLOGII
...coś więcej niż psychologia

WYDAWNICTWO STUDIO ASTROPSYCHOLOGII

www.studioastro.pl tel./fax: (085) 653-13-03

- największe branżowe wydawnictwo
- stała oferta – 500 tytułów
- prestiżowe grono polskich i zagranicznych autorów

STUDIUM PSYCHOLOGII PSYCHOTRONICZNEJ

Białystok, Warszawa, Częstochowa, Bydgoszcz
szkoła dla dorosłych
www.studioastro.pl/studium tel./fax: (085) 653-06-51

KIERUNKI: terapie naturalne • doradztwo personalne • psychologia psychotroniczna

- najdłuższa tradycja w Polsce – rok założenia 1995
- rzetelna wiedza od najlepszych autorytetów – pedagogów
- wykładowcy – mistrzowie – trenerzy – psychotronicy
- – autorzy bestsellerowych książek

Sklep TALIZMAN – Poradnia Terapii Naturalnych

Białystok ul. Antoniuk Fabr. 55/20
www.talizman.pl tel./fax: (085) 654-78-35

- księgarnia firmowa wydawnictwa, fachowe doradztwo
- profesjonalni naturoterapeuci i doradcy życiowi
- szeroki wybór książek, kart, muzyki relaksacyjnej, sprzętu radiestezyjnego
- dobieranie talizmanów i kamieni szlachetnych

INTERNETOWY SKLEP EZOTERYCZNY

www.sklep.psychotronika.pl
tel. (085) 654-78-35

- największy w kraju wybór wszystkich publikacji ezoterycznych oraz innych artykułów z radiestezji, medycyny naturalnej i parapsychologii
  – gwarancja najniższych cen
- szybka wysyłka, wszystkie towary są w magazynie

HURTOWNIA EZOTERYCZNA

www.sklep.psychotronika.pl
tel. (022) 349-23-27

- jedyna hurtownia internetowa zaopatrująca wysyłkowo większość sklepów ezoterycznych w Polsce

PIERWSZY POLSKI PORTAL PSYCHOTRONICZNY
www.psychotronika.pl

- profesjonalny serwis tematyczny
- miejsce dla wszystkich firm z branży
- największe skupisko informacji o ezoteryce, medycynie naturalnej, psychologii oraz parapsychologii